Word SEARCH

100 WORD SEARCH PUZZLES

ISBN-13: 978-1-945888-08-3
ISBN-10: 1-945888-08-3

Papeterie Bleu

The best preparation for tomorrow is doing your best today.

H. JACKSON BROWN, JR.

V R U U D T D N C X S V G G P S O E L E C Q S R E
Y C V B C K D S T R U C T U R E L V I O N O C M P
C Z F Z C N I J U D Q E Q E D A Y E U R M U A P F
T Q H E Q D P H G R F H B D M O H G E O C I T I K
M Y J Z E W P Z E C Q E H E K V H L J P L W S P Y
V B Q H R B O D U Y I N B F V L B C W B P B U O B
E I X O M T E E C W A N O N E K M Q O V C S D A V
G S Q A A L R R N R K Z F Z L A W X O L M A M B K
M V E T I I A O A K G Z N T C R N E S N A K E U Z
J F O M E J I E N T X V K M I B H V K N B I Q R G
V P S A G T P I D A E T X J C I U I B A Z B W L S
E A P V N X W A L A K Z P D I M A T C J Y K S E U
G H C E Q D H E E C P K F W F A X A L V F D G W I
S L V A R Y B D T Y O S H C V J V T B M O Z N O L
W N Y L T P K A T O X M A D D B Y N S O U M U H D
I G X L F I U H U S E O T N P E S E R K Y E C Q I
B K V P X Z O S C D D F N H O S F S X S H R E B E
N M B M T R C N E N E S U O H U W E I H E A G X L
L D K W L X A K X O L U F J N N R R J V Z H V W Y
N I W O N W S P U I Z W U N I Q O P I U S A A W I
Z C A V E N Q G D S I J T U X Y C E O H C T I T S
O R J T Q R D O T E S K G Q Q H R R A L B B A I C
A H L B E H Z T G Z P B A P E Q X P S Q I H Z C G
R K C P X D H F I N G E R B B P G N G S W U A P U
L A E V J L M J Q H L F F O X J H V W L N D A W U

BEEF	CATS	COUGH	DETAIL
DOOR	FINGER	HOUSE	ICICLE
INVENTION	LETTUCE	MAILBOX	NOISE
POTATO	RATE	REPRESENTATIVE	RUB
SHADE	SLEEP	SMILE	SNAKE
SPADE	STITCH	STRUCTURE	TOES
VACATION			

The best and most beautiful things in the world cannot be seen or even touched – they must be felt with the heart.

HELEN KELLER

C R B J P T O R Q T I E E T R N V L E Y E A K H O
H U N A L I A Y N O S T A B X D V W X B S Q S T W
W I N G S C M E A E G L W S Z D S Y S T E M I O R
D Q E L H E M B E B L Z N Z D Y A Q B Y Y K L L O
I K Q E W T B H I Y R L E Y B G X S P D H B I C W
R Q M Y S B C A W R B T J C Y R C D O U V V F X H
B V M U S U A W L A D X V F R E W V K N Y T W Q I
S R J O S E W K B L V S A S N X O A P X W L D V Z
I D N A M E R I F G C Z O E R K R W C C Y C E E B
A X A D E Q P S N I M C L G F Z K R U J Q Q H U B
Q E M J U D O P Z P I E E M B H H F W W F B X J G
E H F O M N P Y E E J B G X B L C O I B U E Z T A
A G B Y O E C O T V C L I D R D O N I J E Z E E B
O Y A Q P K O Y S E V A W R A L B O J M W T J G L
I T C B C F R W R Z V J L E D B F I X A Z E V Z F
Q F Q Z B F N C M H Z Z L P Q S S T T R I P A G M
U S R W U A O U Z R T A D Y B F E C U T E D B N L
C K J Q P R C G F M K C Q L I R J A Z D C O Z R K
J X A A S H X R I G W K K P R A X M V S P U Q C H
R N K V C P H B X V X I T K W M U V I D E F J M A
F D C Q H O H V O L S P P L M E E J C B F H H T L
W Y A I H S T C K K U A Y D T X Z B F Z O H Z S S
Z O F S T E S K J S J Z M C D X Y X G F E C Q V Q
D N I X J T W T P W L O V P H W J U R K F E R B Q
Y N L Y Y A L O S I B I N S U R A N C E J I R T I

ACTION	ADJUSTMENT	BADGE	BASEBALL
BED	BIRD	BIRDS	BLOW
CABBAGE	CAR	CHEESE	CLOTH
EYE	FIREMAN	FRAME	INSURANCE
PIG	POPCORN	SCENE	SOCIETY
SYSTEM	WAVES	WING	WOOL
WORK			

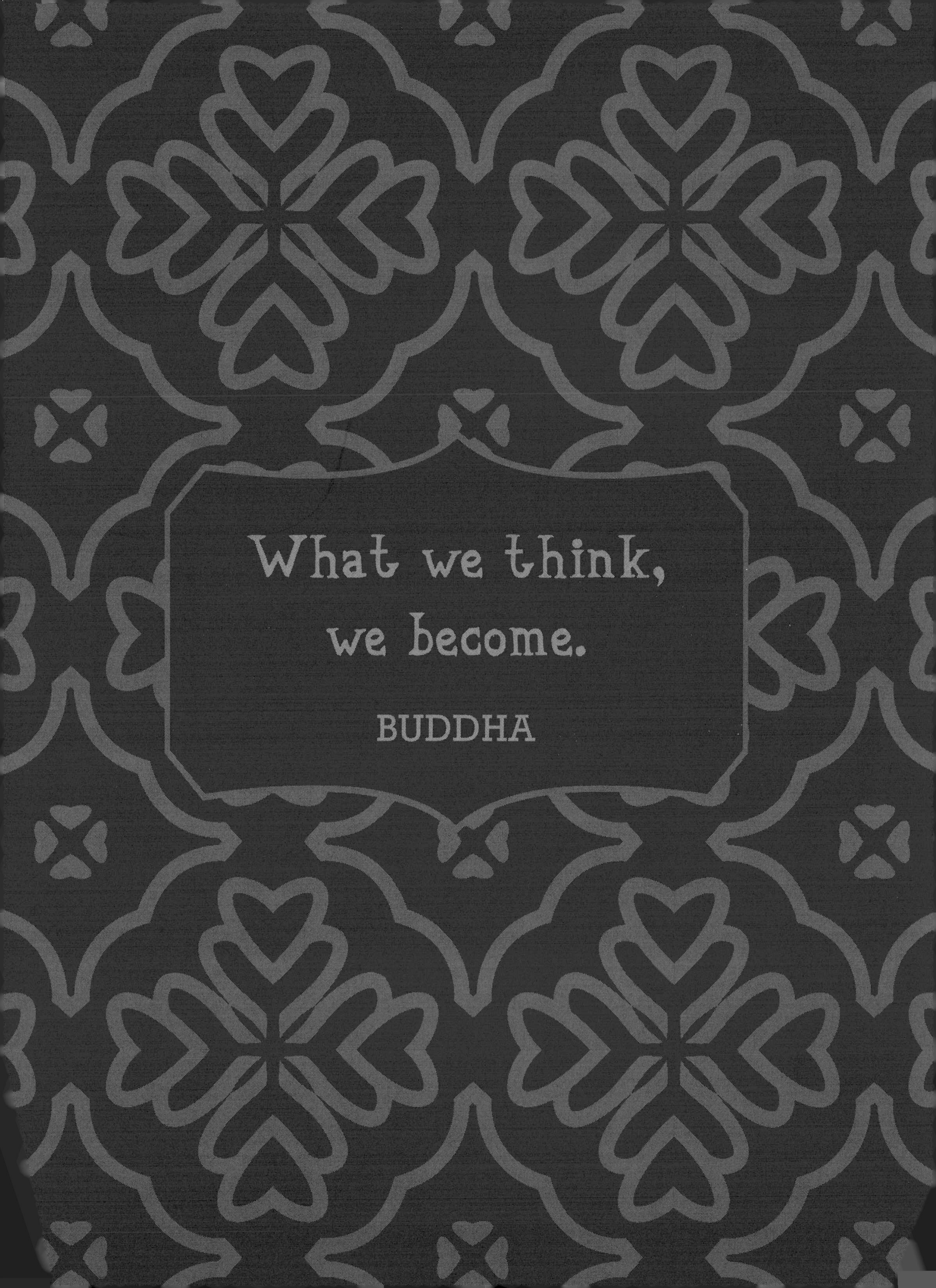
What we think,
we become.
BUDDHA

G O W A Z Q H Y Y C O U W E S D Q L U J B L Q I E
V N H Z Y K P S N D Q T M F M B I D D C Q N N H V
Y S I U F I O L I V A S O D G A O U K O T F U X I
V L X R G F W B E H A V I O R G M L V U W N P X T
L Q Y D T G D A Q P H R Q T S B U B G N G Q J S A
S O T O U S E Z V P Y M R P R F X W V T Z G D Z T
N T K L M K R I H R U L G R Y P T O N R Q Q E I N
G C J C Z C T S O F J C N V Q J Q P H Y M P V Q E
P U O N U M S E C V A R X B J U M U E T H S W T S
H V I F E E H I C P Q I G P P M N V E Y R A D R E
N W D T N T P A B V W D R V F W F X R M U O F I R
S P D I A M B F N V G P N I H W Z Z S H D X N K P
Y A S P V R U Z I F O D M N E T U I L R Y U Y S E
D U V N U U M W A S M M Y X T S F H I E Y E S D R
B L X V I U R F B C H J W G Q X B N A H P F T O S
K Y H F S C W Q B C S P Y N X E K C N P B W D C N
F R Y P D S K R U P T A V K R I V Y S A Y G X K N
L C T Y G M M M M R A L A V O U C X Y I P V V S Q
P A Y A R P W W I N T E R E I K O G C G S Z R T V
S E I P Z U G E O M B F H U U I N O N N A C H H G
N J F E U T U P I V P G H H L H P J E K E D N Y X
D D O P S V N Y Y K Y K Y W V F B W E X B V B C M
Q G S E A C T X V U E C E J Y N A U B X E P R A S
M B B N O L D U S H U G A L L M E X Q G Z D Z J N
F C M A J X L J A C O U Q B O P E Q G M S O Z W D

ALARM	BEE	BEHAVIOR	BUSINESS
CANNON	COUNTRY	CUP	DOCK
DOGS	DRINK	EYES	FAIRIES
FISH	GUITAR	NORTH	PIES
POWDER	REPRESENTATIVE	SKIRT	SNAILS
STRING	THEORY	TRAIL	WINTER
ZEPHYR			

I can't change the
direction of the wind,
but I can adjust my
sails to always reach
my destination.

JIMMY DEAN

H E S O R B J D E U E H T A M R E T F A J R J T O
V A Z M G M R A U L K N X G X N Q F W E E H A R L
T P R V A U D M A E C H V E J E B G X H L C O G P
S J D B H H M C I U X I Y Z Y O F V V U L V C O C
U H F W O T S T J C M D C T J P E P D T Y Z Y I R
T G E O R R E A O D R D O I F F A M A I F P O R B
T D W E S A U V K K O C A M R X M Y G Q I C A M Q
I R U H T U J R C J T G K T F N H Z A R S D R F R
W O E X S Q K Y U B J T M V S B C Y P J H E O M I
N E E J M R E Y M H Y P S I B X R C J M F S S L Y
O Z H F H C A B P M Y Y T B H Y A V V L H I R C J
I R H D A W A V N R U N Y A W S A U V J V R Q C S
G Q N K L S A Z J O C T Y V W T A T N V W E S D P
I C Z I K I Q C K B I G Q H W R C W J V G E C B C
L O A E W C S I T L A T G X L Z T N J D L A Y T F
E R T I C A W G G C K M A Z O B Q Q S E U G T T S
R M S E B F D A F L V H V L M I Z K C E B O S M A
L H V X I L B V P L T J E F E E N T P I S R W N Z
M B E Q I Q U G Y S A R A M Z R I Q F Z T O T N K
O I H V L O H B X B X K Z K Y O U W A V A D Z L K
Z A U H Z I Z I C K U E B J N T Y Z A P R H N W U
R W Q I V I U W Q X K B Z K N B D O H L T I L S E
H G O C L F M I F U I F J D Z I Y V B Y C U B J O
M Z Z A H T W O R G K P G Y S S O H A E D W R H N
L W A W E R B O F F I C E R R O R R B G A C I F B

ACT	AFTERMATH	ARCH	BASKET
BULB	CAT	DESIRE	ERROR
GROWTH	HARBOR	ICICLE	JELLYFISH
OFFICE	RAILWAY	RELATION	RELIGION
ROSE	RUN	SCALE	SELECTION
SHEET	START	TAX	THUMB
WISH			

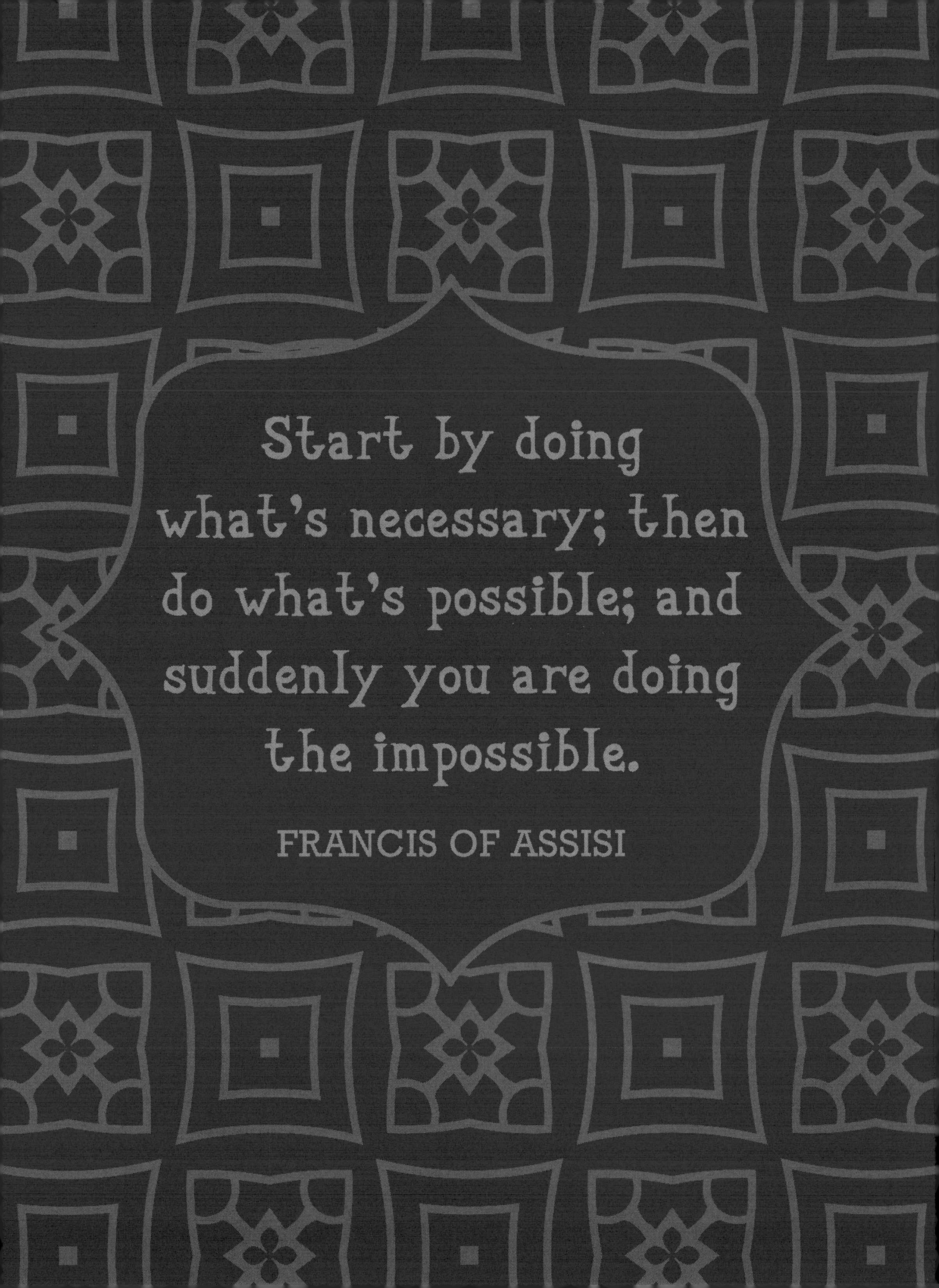
Start by doing what's necessary; then do what's possible; and suddenly you are doing the impossible.
FRANCIS OF ASSISI

F K X S Y Z X Y G A O Y Q L W S R E L L F P S Z E
R U O T N T H T R F H U N J U F C T M G N S C J Q
K E R J T J R E O T E N I W F U P C F U K Y C F F
R O N N D V T I U E T H J O T F M F X C Q X T X H
R I Q N I B Y C P R I S U T S L Z L Q K I E O P V
R K E G I T H O W M E J E V E N Z V Q M V F X S L
N R R C J G U S D A O L Q G L G A N F M X O J H Q
M X C H K J E R H T Z T S J O Y A I P B X X R U G
M O H Z O C H B E H X M T S L P Z P L N X I R Z O
Y K O K E X N F S A J N M W V E H P O S R R B B D
Z A L R Y E K Y N H E W A B U K W I U I S Q D I V
Q Z G N R E R S S M F M T N F H T E Y R D G N K I
D Y I M C G K G E Z X B W D U O O L N Q P O H L W
T P W A K C O S E M I X J D M J G M S E S O R U E
A O L N E G I A W D A X W E V R K D K A T S S Y D
C R M L R T D B Z C A R P E N T E R U W Q S X E V
R D L T R O U B L E T M D V H C B R I L V M J M N
G A R E Z Z I K K J N B W X K A S C W M A V W K Y
R D V A N W Y I A G U Y W Z L A A S U N B D W F G
W D D R E N E J Y M Q Q N U T Q A B X H S D H O U
A L E X E Z Z M N W T S N X O M T T O H H N G I D
P S F W D I E V B U N O I T A L E R I M A E R T S
Y T X S L Q E I O X U W A K A O M Y A F Y T S C B
C R A T E E N H H E T U F N B M P X K B E P F F G
B C X O F N S K T P S B O H O U Q Q E H M K G F Q

ADVERTISEMENT	AFTERMATH	BEGINNER	CARPENTER
CELLAR	CRATE	DEGREE	DINOSAURS
DROP	FURNITURE	GROUP	LACE
LEGS	LETTUCE	MOTION	NEEDLE
PURPOSE	RELATION	ROOM	SNAIL
SNEEZE	SOCIETY	STREAM	TROUBLE
WINE			

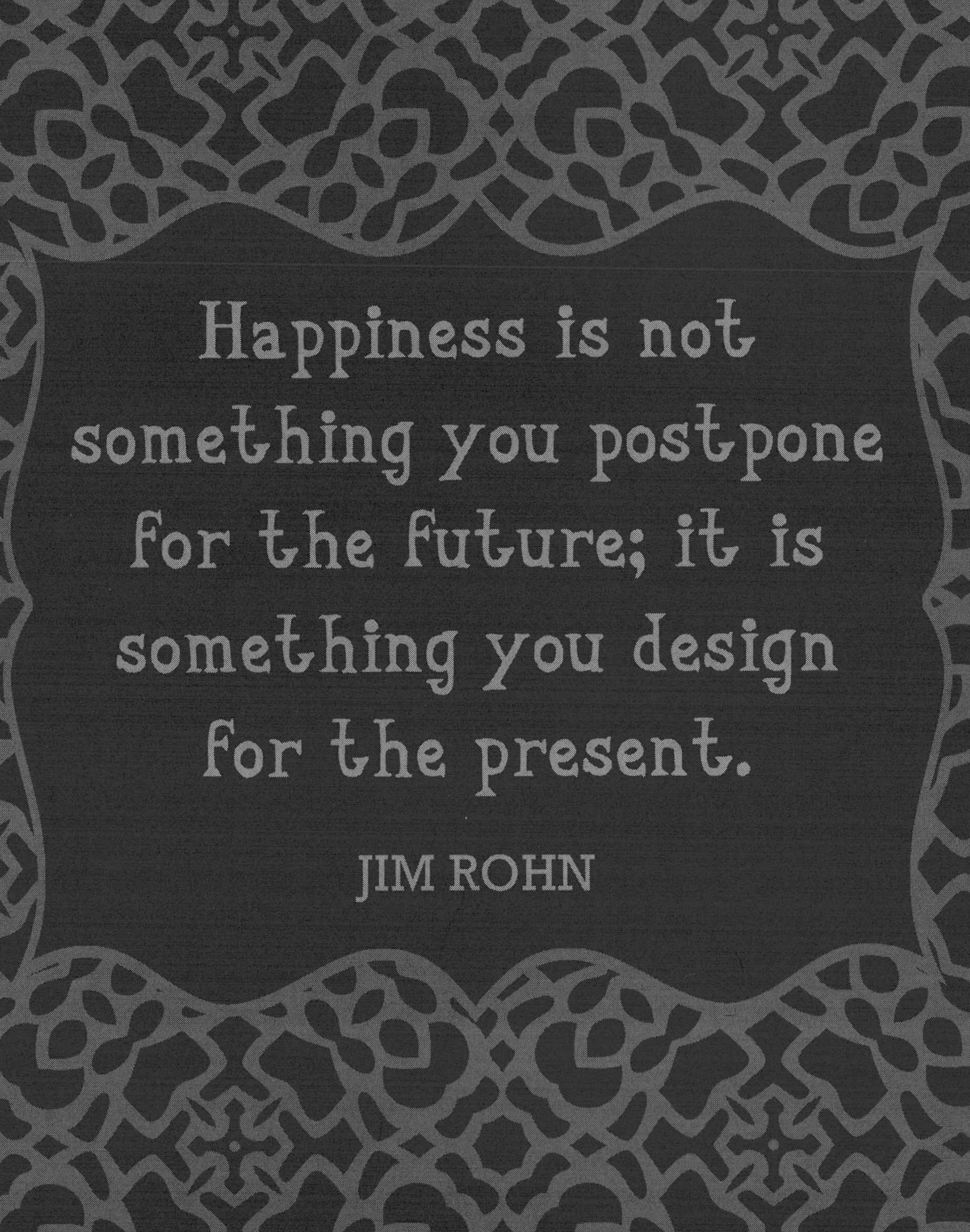
Happiness is not
something you postpone
for the future; it is
something you design
for the present.
JIM ROHN

W O O M N O A A N F K C S N B V Q M D S S K E J U
H N S X M I H K T T Z T Z H G U L N H I E G I C B
D T L A Q H L T W T I C A O I I M K N W A N G E R
Q E A V G U I T A R N Q V E I K F C R N F I Y A U
R D V A K H T E A H C A M O O S O B D A G Q Q Q I
C I O E Q A N S L V E N Q H A M W G T B M N O U K
K U W H L Q I N X H X Q P F E J E O H S I P T Y T
A B Q K J O M E L I U R E M Q N V H A A E U T X E
X L C Y E H P S Y R H E R X U G O W R A H N B L L
E A W G L A I M A X R E N D X S G N C M I O O Q N
H V K Y I A I K E N R M A O L E S A X I U K J A R
B K O H F Y U E M N O B N L G Z E U A H J T G V C
V V B T S J K G W N T H R N T I N Q N W G D S E F
X S D M S C Y R K H Q P O F R H C T K C H Y C T H
G R Z Z O N G T A R G L C S H C T I T S L D P A B
Y M U H O R E V O Y P S P G T O I E T E K E O V M
Z M S N O A E H C Q N E O O I I P Z B F U L W E U
V O N U C I D P G A V K P V P A B Q Q U W K V C T
O A L H L L J X U P S V N E A R N B W T K R R S P
C E I D Y G E J P K P P R R K O H P A F E F S Z Z
X N U W F J X D R L L J U N X A C L J R I N J L S
G T P I E C E R X W K W O M X M G A V C G D S X Q
X A Q Y O K R K Q C X Q F E R M R N J U P A O V X
C Q D W V T X L Q V E C M N E C Z E F B K J J B H
I X G H U N W P P T Z R E T A V W S Y B V M M N L

ANGER	CANNON	DEVELOPMENT	GOVERNMENT
GUITAR	HEALTH	INCOME	JAR
MARK	MINT	PLANES	POPCORN
RABBITS	RAIN	RAY	RECEIPT
SENSE	SHOCK	SHOE	STITCH
STOVE	TEACHING	UNCLE	VEIL
ZINC			

Try to be a rainbow
in someone's cloud.
MAYA ANGELOU

B W O R Q S Y O E P R R M H E V K M T E K C U B Q
K O I E P X T Y R X E O K I H C O O G O Q A Q I U
V B T H C U R Z T V R M X B L F I O Z J D N B J I
S N L N T B A Z I M M V K Q Q T U R F B J D B O L
C H A N C E P R E Q S M E W M M D D P C R O P Y T
S T T Q A C D T E C E F C R Q C B E C A Y L I L T
Y N U B P E R O V A L E I N S C D B W Z K G O K F
O M J R K N C F T C S Z D F W E F E O R P Y U A V
S E X D K T F F W D O O F X K A R X L U Y C F Z I
O M O O Y E A I V F V C R Y E Q S C D V Y D H Y F
R U F I Q B Y C F G N P G M E A G U N L T E X A D
B I S E T E O E S E S T E E L S E B U D U T X O X
S N P K K A O K A D X B T A B T L D R F G O Y N R
W R T X Q E Z R A S V T A F A E G O L Q B G E G B
C S P D R P T I E C V H K H A P W X K Y H R N T X
E B D W L H R M T P B U S J E S Q V E S X M Z C K
G R E I Q R N M Z R C N M D W V T F B G Z O K G U
R R U U W F I B T L H E E N K I G A D N O O J U H
H T A T E Y E G U V B H M E Z J H Y N F S T O P J
T K C U I A D B I F K A S T D E N A T F L Q H S R
E Q G B E N W N S F C Z O Z Q J A V L F C X L Q R
X M V J B L R P H E A N E C N A T S B U S O R L G
B V Z R B J G U O G G H C M R Z O X G V J L W O O
X O N E A U H J F U Z M T V Q R X G R W R F E L F
H H I X G K B O E V H X T I R H M Y X O Y X D X Y

BEDROOM	BOY	BUCKET	CENT
CHANCE	CLUB	EARTHQUAKE	FOOD
FURNITURE	GIRL	NEED	OFFICE
PARTY	PETS	PRICE	QUILT
REWARD	RIVER	STEEL	STOP
SUBSTANCE	TONGUE	TURKEY	VERSE
WORD			

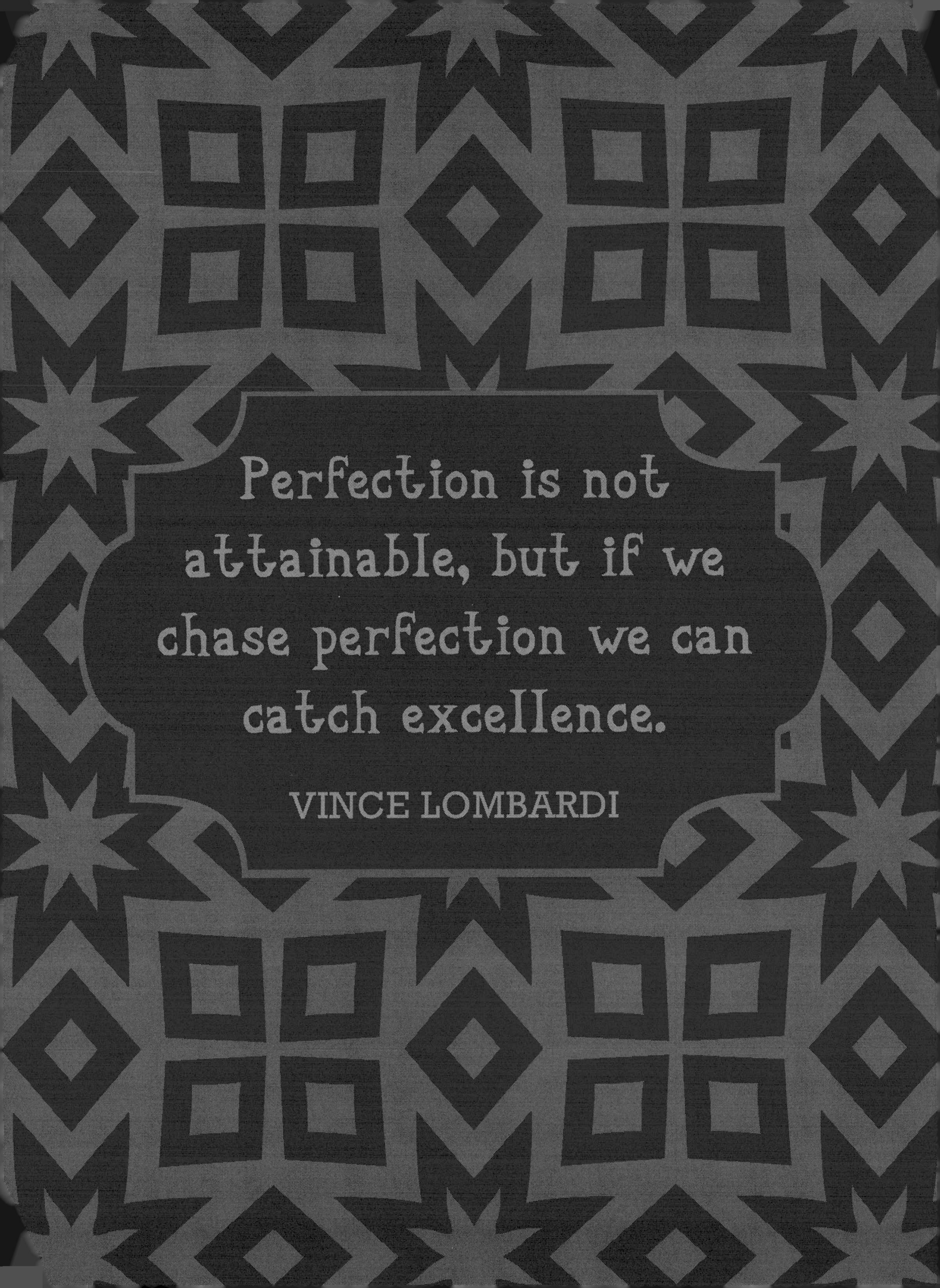
Perfection is not attainable, but if we chase perfection we can catch excellence.
VINCE LOMBARDI

O K B E L I E V E X P M M Q A S R R K P C M Z U E
R R K D J T X P D D V R Q F T D I T T P O R E S Z
A Z S O C R A Z W S K K J L Q N R V J Z N V A Z E
Y F L L L R E A Z L M Q J O G Y F C J W T B Z C N
E R H D N B B P V D H X E O Q H K K X Y R D L M P
K T U T R D T B D N I J E R N B B T G B O U E Q S
P V T A L U E T H P Y E E T I V Z D Y Z L C W S W
S V D V N A I P G O S I Q Y C K Q I D D I A Z E K
J T N K A W E Q Z S J K B V K L W T W S H M G J I
H P A H V D M W R D K M S R I L T Y H E W P X T Z
Y F L O R S T R E E T T Z C P C J R E N N I D A B
H D S W E E J E L N R E I P S W U V I L A E G R Z
C P I J K R T H F E J N S G P B X R Q G I I W E A
C H J E K J N N T B R A K B C T I E J E U X Z G F
G C E C Y U C C E K P M L S W E E M S Z A D J N L
N J Y R D K H A C P K S T D A R W M U G T A S A A
C J O A R R E Y B L R N T U Y R S X K J X U P R D
K B B N H Y P V A B A A B S N U G I P R H P C T K
P M J K O U B W P I A L C J A D H X Q N S D R S J
M B J K N U E U G O B G M A X O Y J D T H W E B G
I V D E P D B C I W D E E K C G C Q V P Q A J B C
K D K Q I K L M K Q E L F I R L P Q L B D H A S Y
T F S S J A U F R O G S N Q R S Y J U S C P K M G
U Z J A K J B S X K S R V E A J H P M W K R L Z L
U L U N B Q Y N A C Q I I B F I I R C Y V J Q U J

BASE	BELIEVE	BULB	CABBAGE
CAMP	CAR	CARPENTER	CHERRY
COAST	CONTROL	DESK	DINNER
FLOOR	FROG	GIANTS	GUN
ISLAND	RIFLE	RING	SIDEWALK
STRANGER	STREET	STRETCH	WEALTH
ZEBRA			

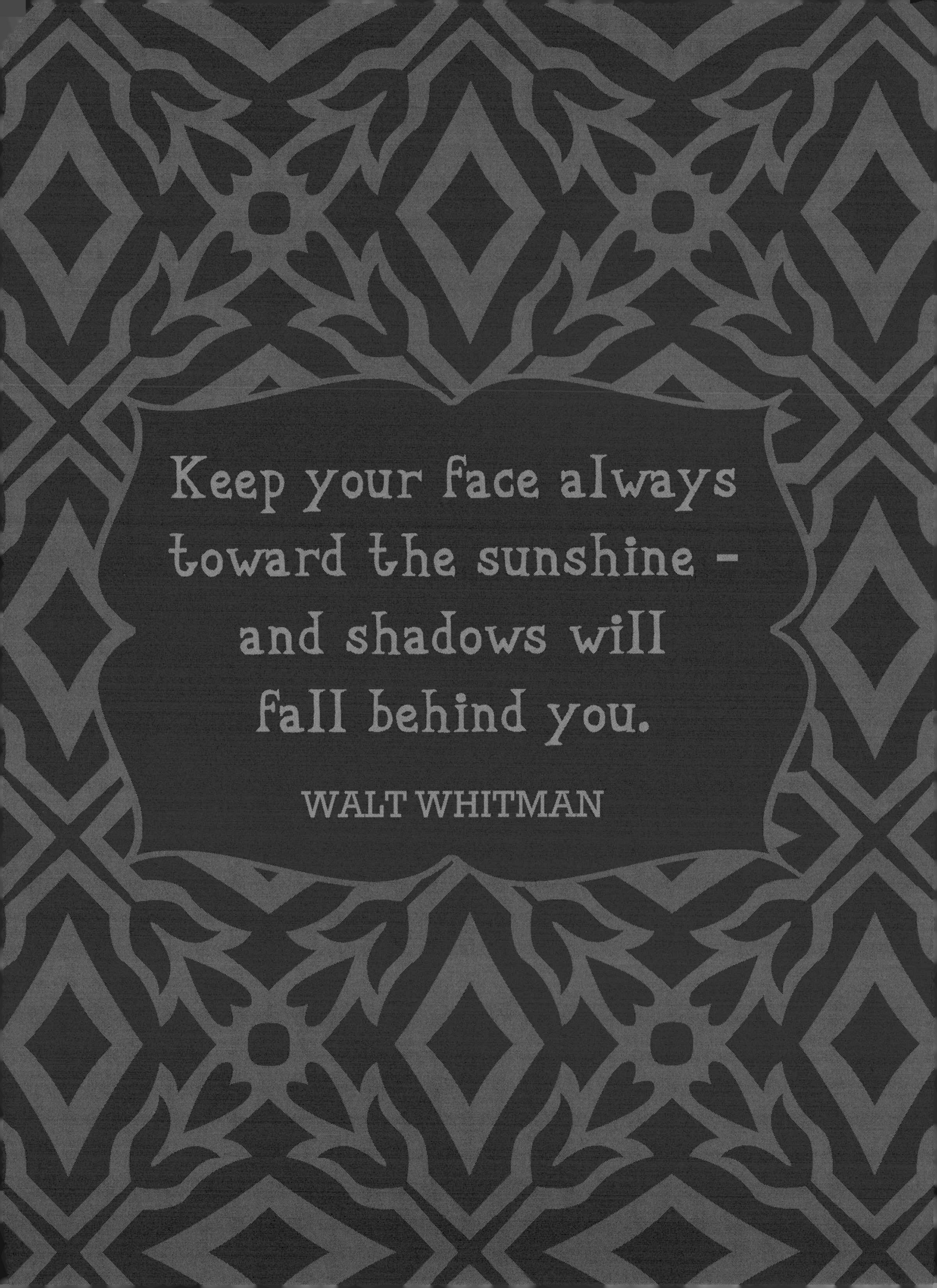
Keep your face always
toward the sunshine -
and shadows will
fall behind you.
WALT WHITMAN

F D E B D N E M P C E V R C M T E Q L F F S M K E
Z J L N A O S Q L T T E I D A I P L M F H A H T K
L L A W W I F G H J R K P U O N C A G H T I N C A
Z H V H I T R E H O Q E V F J R V E K L G L P B J
W W I O H S R X B C G M T A H D P A H J K M V O Q
G R W B S E V A J O G L E P C I T M S X Q R F H K
Z N H T X U L C R E A T O R U I O V Y E L M S B N
I I I W T Q V G C I O Y P G Y R Z R H D L B Z R I
D A A H W W K V B U M E J V S P Y W N S J M G D S
K S R L T W L M L X M C R K M S G U Q P T R T Y K
L T M I E G F K X R M Q K U K G T T Y P O C Q J D
G F B C P V L L N Z V D T M X N B J Z I N R M H R
D Y J F F P C A U X Q B E C N E I R E P X E D W E
H N I W O P R H S H U Q I L L P Y A J U S I A E P
Z O O T K H E C W E E U N D O Q A Y U L H X E D M
L C A I I J D J T K I H X I J Y Z I X U D O C K D
F T S N T U I X U W I J Q U P C S R T S M F K E N
O K D H M A T U L D A W F Z P O W A V E P D H X L
K R E G I T C U K I X E H S X X K T B W K Y K I S
J H L J N R B A L H Q X W S C S C I V E C F P Q M
Z U Z F B E Z B V Z N F S E U G N N W B E L S W Z
O X Z S E G M J L U D Y H P U V G M F U F D W G T
D F J R Z R Y F U U M N N V S V H C R T F F U G O
X R T Z H F R K F J U Q T W E A F U C R H M D F Y
Y R C B O I B U X C M E V I G D T K L K J H V F G

BED	CANVAS	CHALK	CREATOR
CREDIT	DOCK	DROP	EXPERIENCE
HAND	JAIL	LABORER	MICE
POTATO	QUESTION	SAIL	SINK
SPY	THING	TIGER	TREE
USE	VACATION	WALL	WAVE
WAX			

Your work is going to fill a large part of your life, and the only way to be truly satisfied is to do what you believe is great work. And the only way to do great work is to love what you do. If you haven't found it yet, keep looking. Don't settle. As with all matters of the heart, you'll know when you find it.

STEVE JOBS

K E Q E C E H S C M L M F D E H E I W S A Z Z I P
E A C X A M E P X J M O E U E N C R R W O U N D U
Y I L I G N V F G V J U Q F P J N X E U X L T B S
Q T U Q F V O K F A U T T N X J A U N V U V F F R
B Y Z W I F B E L I Z H S Y U R I E C W O T M T X
C L R T X R O C D I R V S C D R L W H T V M F L M
B I K E H L S I A R S F O N N R P K C N Y T K R S
T I A Y N G O U M Z K P W G F K P C T G X I E Y J
R C T H S F W J P A T O J E F H A E L D B Y B P U
P H A J Z M Z H M B T I R P F U T N A E S A L O P
M D U O S U A G L N R J N T H L G P N N E K S N U
X C R S T E P S W R P G W K W S T X V W S Y A V D
S B W Y L J I O H M L F W C E L U A H C K G O O O
P H Z A B G D C T V M A I N K O C R X J P D O G L
E G N A O W T K G M C U Y Y A M D R B C R F H L Z
X L U Z C H H S M P W N T D T T P D O H K B Y K S
Y E N H S O M G E W X G S X C B R K D W T S E N S
C O X T R V E D X O Z D H V C B R O N C H O I Q Z
W U E X J B Z X O C I K M M A B L P D H Z A O F M
V P S E M I D Q K P P F G O K L A H C C R K F T N
V Q S H U S D Z Z P F R T X E O K Y I D N Q H P D
T F D U I E V S Z D X O C F L A P K A Z X J C L C
M X T C V O W E G K N O G Y Q E M X D O A N T R D
G U C H P P N M Z C G T D Q V O Z N R N Z M L N F
H V J X Q R F G I T U O Q I S T R E T C H X W W L

APPLIANCE	BIKE	CROW	CUSHION
DIME	DOLL	DOWNTOWN	DRAIN
FOOD	JUICE	MOUTH	NECK
OFFICE	PETS	PIZZAS	RHYTHM
ROOT	RUN	SILK	SMASH
STEP	STRETCH	TOOTHBRUSH	WOUND
WRENCH			

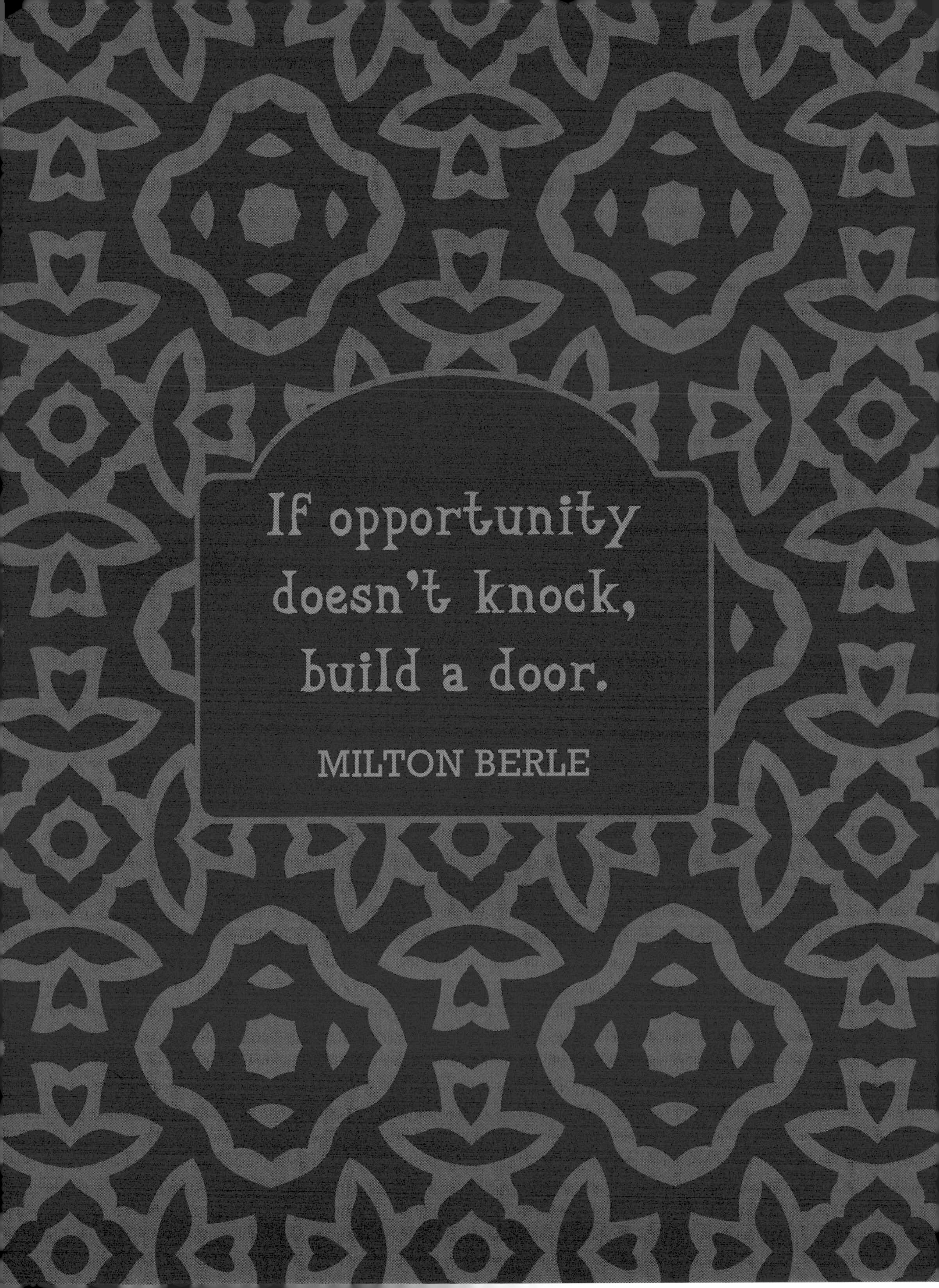
If opportunity
doesn't knock,
build a door.
MILTON BERLE

H T Q Z U D E L P G K K B G O G T R Q X K B R P E
C S H A I G H J N Y M B S W N L B E F O V Y Y N R
J B G N B U U T Z H P P X O W J B K A P H N S P B
B Y T E A P P A R A T U S E I M X Y O M L W E N T
V C T P E T B C I J B V O U N P Y Z G G B K U T L
U U H G A W G E R E Q S M W G O C B D X U N W G D
A P H Q H H X A Q H D U A Y W Z B S F K V I Y U B
J F D Z H P X R S I C T F Z C L O C J L V F A B Z
E B T I H W Q A B G A E N I P Y B M Q Q O E L C R
C H P E Q K H K C O M R X B X E E H V Q M C S Q I
N I C K R A M C Z V W G U R T Q Y S P G D N K V D
E M T H J N A S E E X E L S W R U A Z T Y U W X J
I U N E L R O X A R D R A T S L Q W E G O F P O X
R F L S M I L O I N K T G R E H T A F D N A R G T
E S O R T H N W N O E L C I C I C S T O N E F K H
P T V Z I I T E Y R G E F M N H X V M F G G V T A
X F Z H H V B I R R H F T X I G I P E N L B R H L
E N J J T V R X R G K B Q N O A U E E C I H L Z U
Y U L M Y V J N N A F F G N E L X S W I S J H C K
K W N C W G I B B O B E T N E G S U G I F X V D F
Q K K V Z H C W S N G S A P D A N X A W T C Q W P
E N B R L R E Y X S E U C N P V X A N G U X I W B
U T T M R U U Z K N E A N P K W L V R H E Y X I J
X X W L W V C W S E Z N J T H M V R F O E S E K T
T A E R P Z V E I B P J A H C L C L X P F M W S C

AFTERNOON	APPARATUS	ARITHMETIC	CAR
EXPERIENCE	FLOCK	GOVERNOR	GRANDFATHER
ICICLE	KNIFE	LINE	MARK
ORANGE	PASSENGER	PIN	REGRET
SENSE	SONG	SORT	STONE
TASTE	TEACHING	TOWN	WASH
WING			

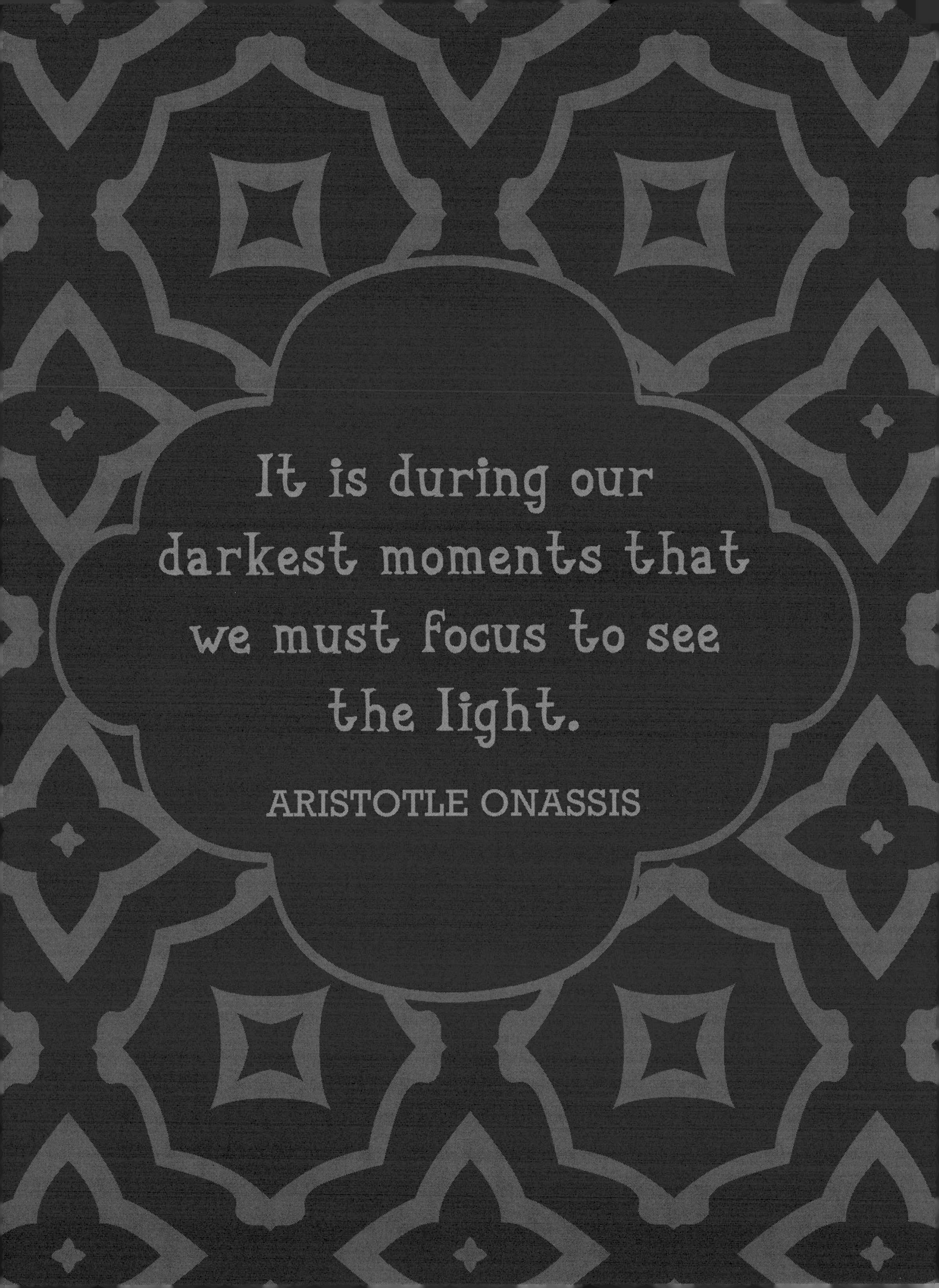
It is during our
darkest moments that
we must focus to see
the light.
ARISTOTLE ONASSIS

S U F J K W K S P K Y G Y Z N D B K G V A I N K P

B U D L F F H X R T Z S R B N C R Z M V U T D F W

X S M Q N I P D G X V O A I E Q C O E Y W E B H G

B K I M P F I Q W E D N S L P A B M W O T R J D X

B D I V E U H Y A I Z N E U C E L C R I C H A U Q

Q P O W N R G V N S N E M T S T W Q Z F B N Z K D

E T A R R U E O D J X L U P A V G U T N D A M V U

P C E V W E I N H I Y S R V H X R O U O K T Z L S

G E S F K T D V U H Z T T E J Q V Q R I S L A N D

V L O D S S U R B X E V N K C L A M N T L G J E I

D O K E H P Z K O Y Z W W E Y E C M W C O N P Q G

R W G O C W C P T B E X L R M T I M Z E O I U Q D

J I O W B C I G A M E D D W E E Q P D N N M K Q K

D F D F S J T T L Y N B L F L C S H T N Y P N M Z

Y P C Q L V A J D L S O K R X O B I H O B U B E Q

E Q V S W B U B E H A V I O R A D Y T C Z L V Z M

J Y C A L H H T A G S I G Z J C R C Y R D S M H A

G M J E C Q C E V Y O A C Z S H A Q B Z E E K U H

R R I N X B S Q U L D C L L F Z O Z R M K V N L G

W E A E X O K X B P E F I I J M B G O X T C D G J

I R C T U T Z Q H V I E R E C P G V Y R H F A A P

B W P A N G G U B I C H S H V K M M U I X C S R Q

V A C D U H J M L G Q K O L P Z T O Q E W N C R C

M C G D U K V F L B I K W G N R V H V R E G K C V

W E C B W J F A J Z L N N T P Z P H U U A P K T Z

ADVERTISEMENT	BEHAVIOR	BOARD	BORDER
BRANCH	CACTUS	CIRCLE	CLAM
COACH	CONNECTION	CRACK	DIGESTION
GRIP	IMPULSE	ISLAND	MAGIC
RATE	RECEIPT	ROOF	SHIP
SNEEZE	SUMMER	TABLE	TURN
WORD			

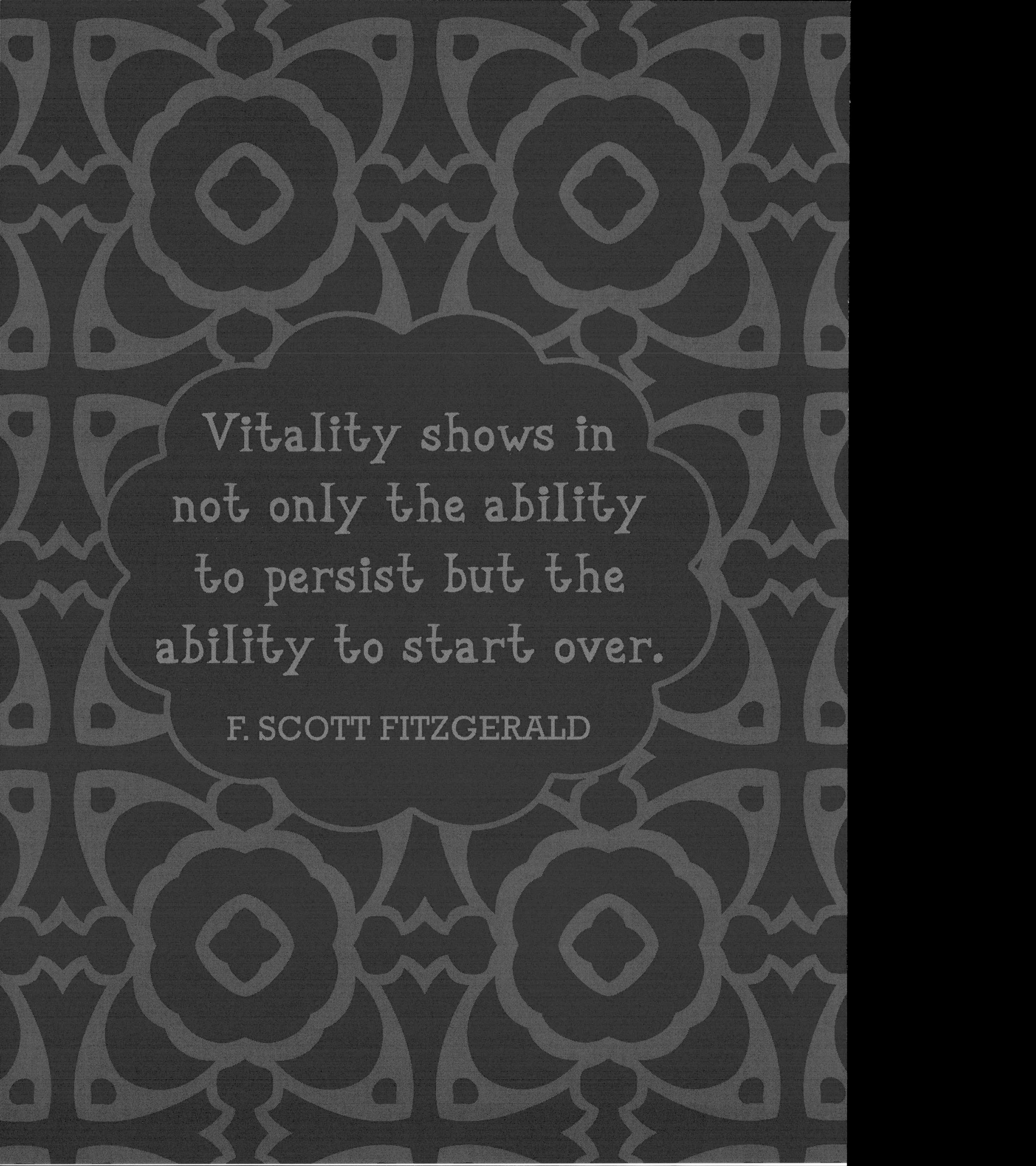
Vitality shows in not only the ability to persist but the ability to start over.
F. SCOTT FITZGERALD

S E P W M X N V V N B Y S D G K A V S K M S F O L
M B G Q R U W O C E E R S C G T L S W X S B V W D
D R E S S X S F H E E E A D O O L B A C O A S R T
G F H L P J H J D P F U R R O E N I X S M T M R J
U R I Q I N O A R T S W G M B D Z W Y S V V Z E B
V Z A E G E L T V E S E K A C C F V Z T I J Y L O
E L I N E B F V G Y H O R O U E H Z T D L P U Q F
V Z T E D P O C K E T F H E Y O X Y P I J J D U G
C X S B F F B T R S C L B G T A U T L H E K J G E
U J A A D Q A K J T D F G O U A G M B Z W K H J O
T F Z A T G G T J L D T M N B X E T A V W B P R Z
B V P V G J P X H U Y O N P W Z Y W K K Y O G E G
I F L R O I V A H E B R U U S L P F S E F A X R N
D W A D I M U Q I D R B B B J K H T O W T T M Y N
B X Y R K G A O M L G A V B P L Z S K A Y V D K I
Q D G K I A I C W W P P Z N D I G L B T X C I G E
B I R W M Q E C F P Z D F L L T P S Q E O L P N R
K E O X S S R E L P T K A G O H Q A K R P K A S B
O Y U U O M G I D Y H E N O F J N O B C J M A J E
L A N H U A A A F X C U E H Y D I R N K E G A T E
Q R D E Y N A Y K H B W S J B K A P U R B L J J S
L D Y N C R O K V R D I T J B N T C I I L L X A A
Y X M E M N V G Q P X H G G V W R F T N K D Q S P
R O M Y Y J J G F A I B E E U F U E I I T D I E V
G B Z V O O I I O L J S J J T J C D Z K E R X F B

APPLIANCE	BEEF	BEHAVIOR	BELIEF
BITE	BLADE	BLOOD	CAKE
CAUSE	CURTAIN	DRESS	FIREMAN
FOLD	GATE	GHOST	GRANDFATHER
GRASS	HOSE	MASK	PAIL
PIN	PLAYGROUND	POCKET	SWEATER
WATER			

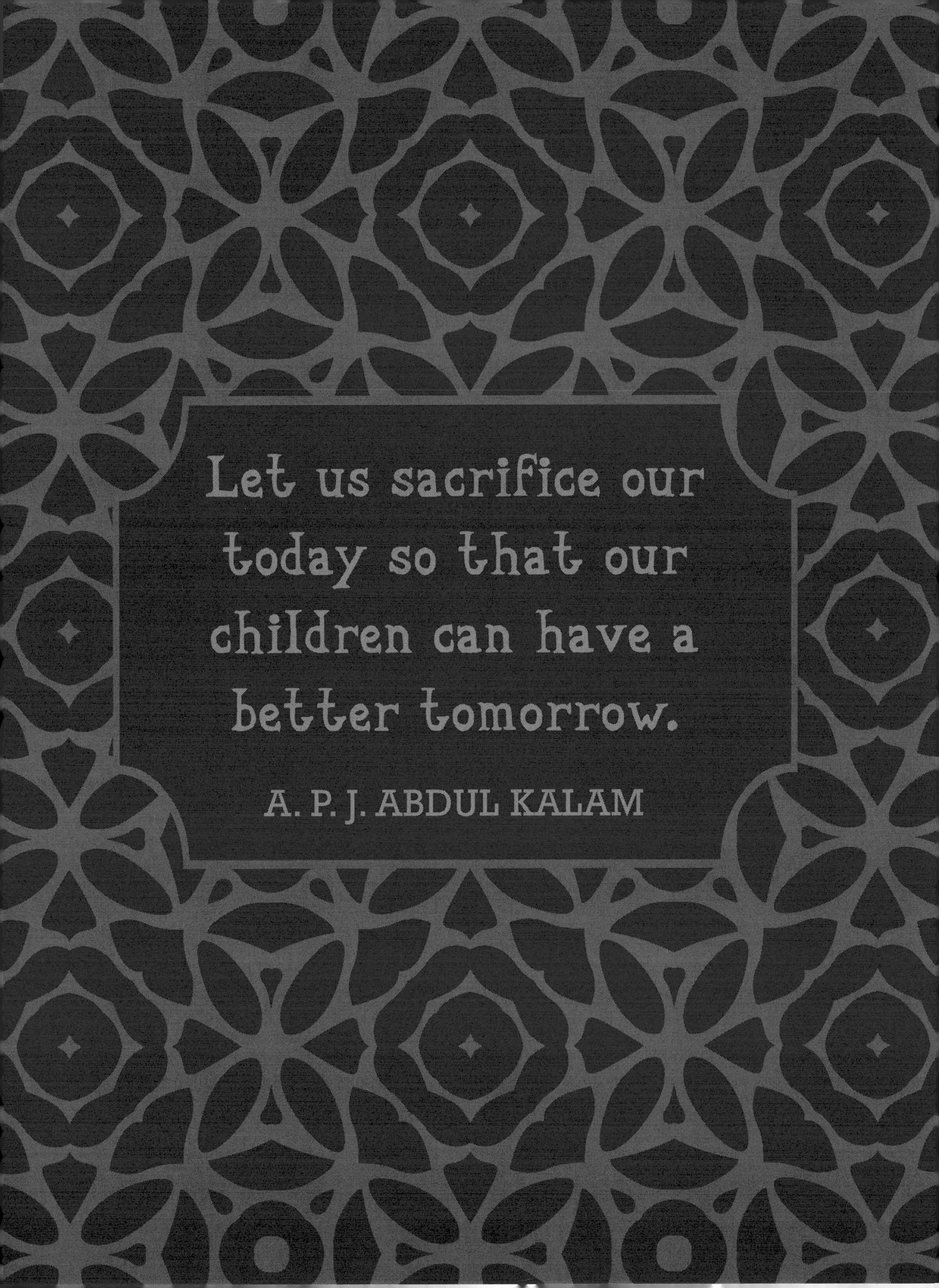
Let us sacrifice our
today so that our
children can have a
better tomorrow.
A. P. J. ABDUL KALAM

Q O F O I C S X P T H A T A N F N K Y B E R Z E A
Q U A A L A A F R C R E R M S E O K X U O E C L B
X R I L E R E G R V K A S G E O K Y L H V V G T E
P P R E T R M K I C N S I D U W N O Z Q P I D I W
M C A H T I Z J O D O M L N G M N O I H S U C T M
I M N A X A K P C I I E Z O S S E S N Z R Q J G G
X X B L Q G X A P L T B U C K E T N A V Y C M K K
J V C K H E D V L V C D E T T S N U T X F E B S V
N R C E C D E F E K U U X M G Z N M T Z K L K G D
B I N J I L I M Y L R B E P R T E P A N U R L S A
B N Z T V S E D K M T Z A G Q O F B I M P L Q G J
F I I M E Q O L R F S Z Y C L D F H A Z E Z G S C
C O P W E N S Q R B E W N L C P M E T V S L E U E
N J W N Y P P Y J L D O C K B B H F H O P S U W P
K B K F C W Q A U Y V R P C N I Z F Q K P C X J M
Z T Q K M Y K S O E H M F T W Y E E I Y I G P W S
Z B W X G Y A D E S R U P D J P H C I R E H N Z Y
D S A B E L G E T A B L E N M S O T P M V A E J U
P I N C S A T S P H U T S A E Y S E D B S S M R J
N W I Z I T M W Y V G X A S L T E E A Y W H X Y A
M O P I I Z O P Z I A U D W J U H G K V Y Q A F V
V Y N M Y K D J I U R U O Z C A B O O I J C N U S
M J M I B T Z Q A Q H Y M H A D W S Q K B R P N N
H O C G Y J B V C Q H K Q I T H C U O T S V P E Z
C F R I C T I O N R I M E I C G U S K B D O L R T

ADDITION	ARGUMENT	AUNT	BIKES
BUCKET	CARRIAGE	COMMITTEE	CUSHION
DESTRUCTION	EFFECT	FRICTION	NEEDLE
POCKET	QUIET	QUIVER	SAND
SOAP	TABLE	THOUGHT	TITLE
TOUCH	TRAINS	VOICE	WORM
ZINC			

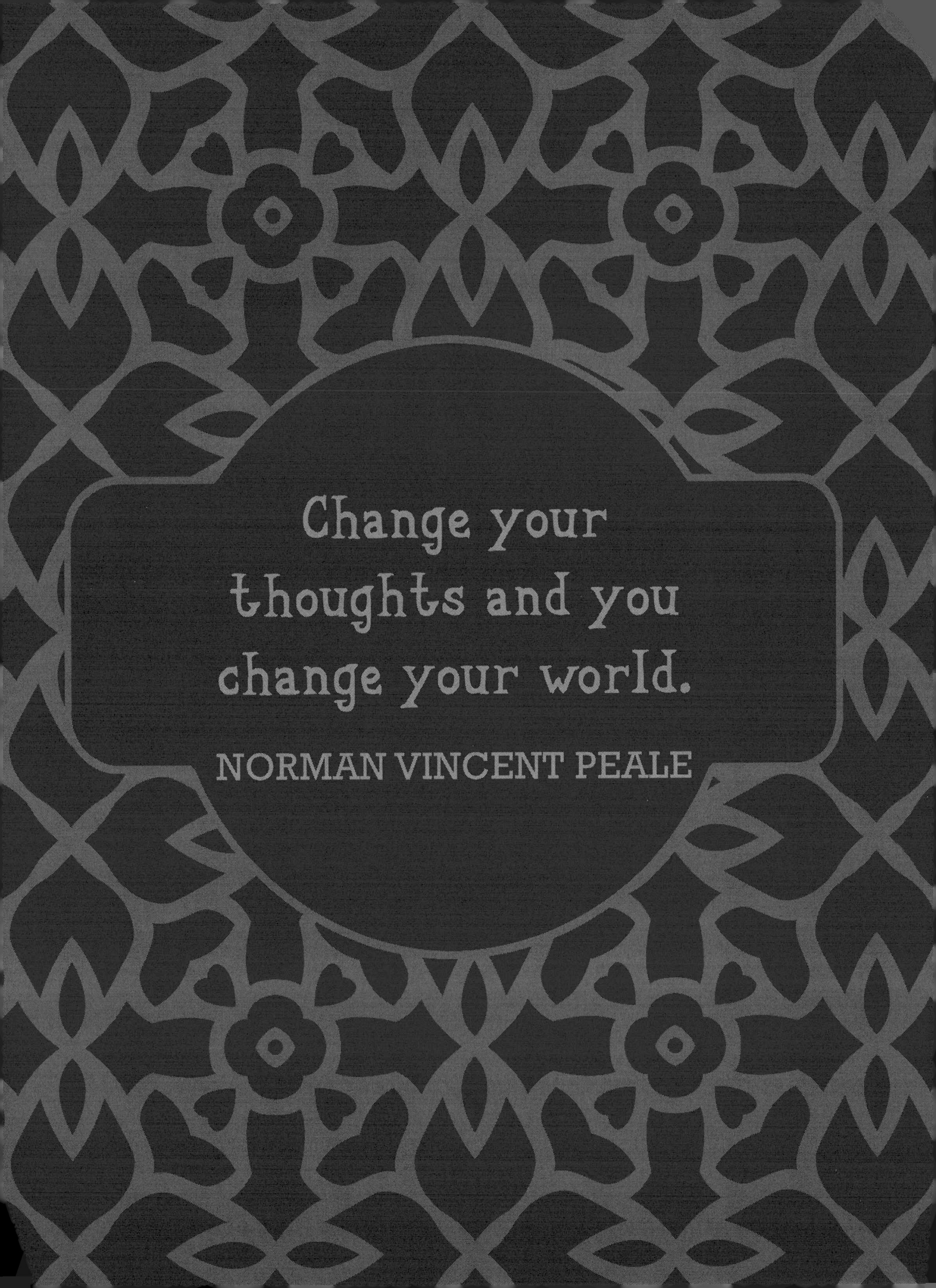
Change your
thoughts and you
change your world.
NORMAN VINCENT PEALE

Q	G	M	G	Y	L	G	Z	U	R	G	F	K	A	T	F	L	N	O	D	N	H	M	V	R
B	U	M	A	C	H	I	N	E	E	X	Q	F	R	S	M	T	S	F	I	E	O	D	W	U
R	E	I	N	J	R	P	W	M	G	A	L	A	W	A	C	E	N	A	N	E	S	N	B	L
P	M	K	L	L	O	J	T	R	N	E	D	W	L	B	A	N	T	F	E	B	J	K	W	O
E	F	Y	B	T	F	Q	G	V	A	E	A	F	Z	L	X	N	P	F	T	K	J	F	A	O
S	P	J	G	D	G	Y	L	Z	R	M	A	W	W	N	U	A	F	X	K	Z	Y	W	H	K
I	S	O	P	M	D	X	Z	L	T	O	Y	U	M	O	I	E	V	C	O	F	O	Z	K	E
A	Q	K	P	Y	V	I	T	D	S	O	K	X	M	R	C	H	P	I	O	M	Q	J	R	O
I	Y	M	B	J	M	B	X	N	B	L	O	A	F	T	A	Z	P	I	C	T	Y	L	V	G
N	X	C	S	V	D	A	I	E	Z	J	V	B	F	E	J	A	Y	F	L	D	N	C	N	E
D	G	E	V	J	H	G	U	O	C	L	L	E	K	E	H	T	O	L	C	F	J	N	X	C
S	U	L	W	K	Q	Y	U	W	U	Y	G	E	T	I	I	L	V	R	P	I	L	E	H	S
Y	R	B	Q	R	H	N	C	J	L	U	L	U	W	I	B	D	S	N	J	B	T	F	E	G
Q	G	U	F	E	F	D	D	V	X	Y	O	E	W	Z	Q	E	O	G	B	W	U	Z	F	Y
J	H	H	A	V	M	U	K	W	O	R	K	P	I	A	A	R	B	K	Q	J	F	K	W	L
F	E	J	U	S	X	W	Y	Y	S	X	W	L	V	B	Z	Q	Y	A	N	W	T	C	Z	V
F	B	F	Y	R	O	N	V	L	J	F	X	G	G	T	S	L	A	T	C	R	F	J	R	Q
F	L	Q	L	W	Q	N	Y	Z	H	S	A	F	E	R	W	N	O	R	T	H	L	S	W	O
F	I	S	H	L	Q	M	I	V	K	O	Y	V	I	B	E	I	I	S	E	J	O	B	G	G
E	W	Q	O	Y	N	U	H	D	E	S	S	N	F	N	S	T	I	S	J	S	C	L	N	J
L	C	P	J	V	T	D	L	E	T	O	V	C	K	P	G	T	O	A	J	I	K	V	D	Z
R	O	A	Z	T	T	T	M	F	T	H	P	X	F	S	S	E	P	L	G	E	L	H	Z	U
G	V	I	E	I	C	I	I	W	L	O	A	T	J	E	G	V	R	G	G	M	L	X	D	O
C	J	T	X	P	M	E	B	K	E	B	S	J	V	K	O	S	H	G	H	X	P	U	U	S
W	M	M	J	S	W	A	Z	K	H	J	K	Z	C	M	P	H	C	D	Y	L	B	A	H	S

CLOTH	COOK	COUGH	DESK
DINOSAURS	EFFECT	FINGER	FISH
FLOCK	GLASS	JAM	KETTLE
KITTY	LEG	LOOK	MACHINE
MOUNTAIN	NORTH	PEACE	QUILT
ROUTE	SEA	STRANGER	TRADE
VEST			

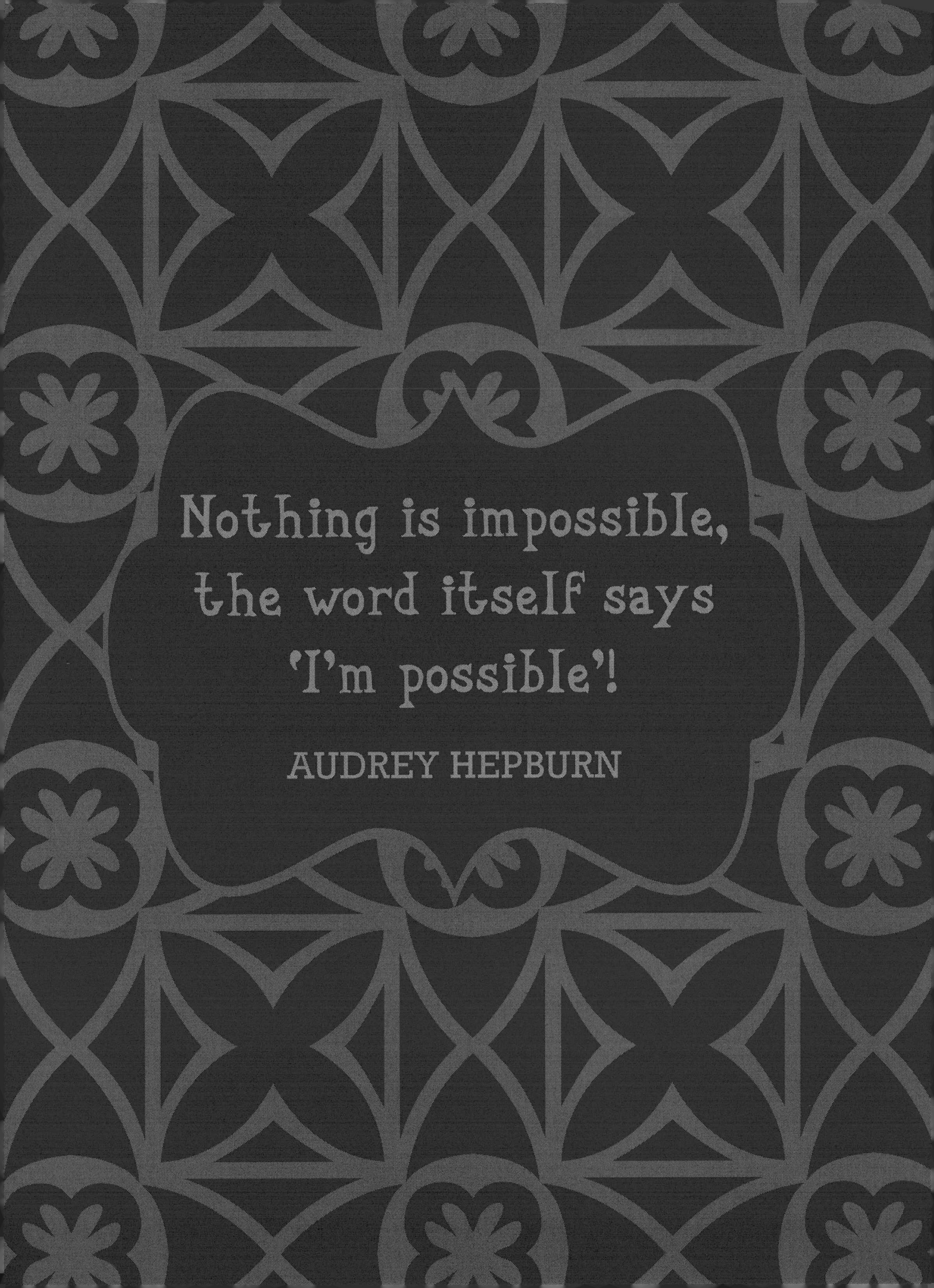
Nothing is impossible,
the word itself says
'I'm possible'!
AUDREY HEPBURN

E A Q I A D Y W E Z P S G I M N U T N H Y Z G I T
P P W C N K V G H S O G N W Z Y A X O K P C L I R
K U O M L Q I I I V L J T Y S F D L I M D O F E E
O W W M M Z A R F D W U S V C O I N T H A O T U E
R X B R O V T Q Z D L X P S J D N Z U L R T L J S
D Q E I W G I R L R W K M M A K Y M B P K L O O X
Q J T L S U B S T A N C E Y I R H V I N A F L E U
W V W A T J V M S D F V M M G S B R R B N D N M S
I E F C M T N J Q U G X V X I A L B T W F A E G X
O T C R U R N S B S W I Q F F X W E S C U M K G Z
Q E C N A L A B C K F R P S F W K P I E C I O V Z
U X U L B B J U T E Y A E F O S G L D X Q N M F V
E G V G L P I J K W N K H F A L P L G J N X S P Q
S Z U G B A F S P W J E F B I S P F Y S O T J M I
T H Q N X W G Z A H O E F W F S O Y F L C E B R Q
I B A M M D B Z P F R S N U K B X L D C H C Z R I
O T R U C K S F Q V S W O V T U X R X Q N I K G I
N P Y I F V A I U K H M O W Z P Y P I D U Z T F U
R Z A K A K L A X B A A S F B R R V Z T G Z A P C
K A R V S T V N L I C K B C W E A Z N Q N X M S T
D J M F P U I R E N C D D N R Q C Z F A I R J V Z
L D Q R H B W A S F E R O L L T S H G W B F X W M
D T N Y L T W C S Q A T O U X D U Z N O V M U Z I
W H E P I P S N E F E N K B P C B O Y S A G L S G
N C N R U R S G V T F F G W T S Q E K J F Z M V V

BALANCE	BASKETBALL	BRASS	DISTRIBUTION
FANG	FISH	GIRL	HOLIDAY
ICE	IMPULSE	NOTE	OFFER
PIPE	PROFIT	QUESTION	RAKE
SCENE	SMOKE	SUBSTANCE	TOMATOES
TOP	TREES	TRUCKS	VESSEL
VOICE			

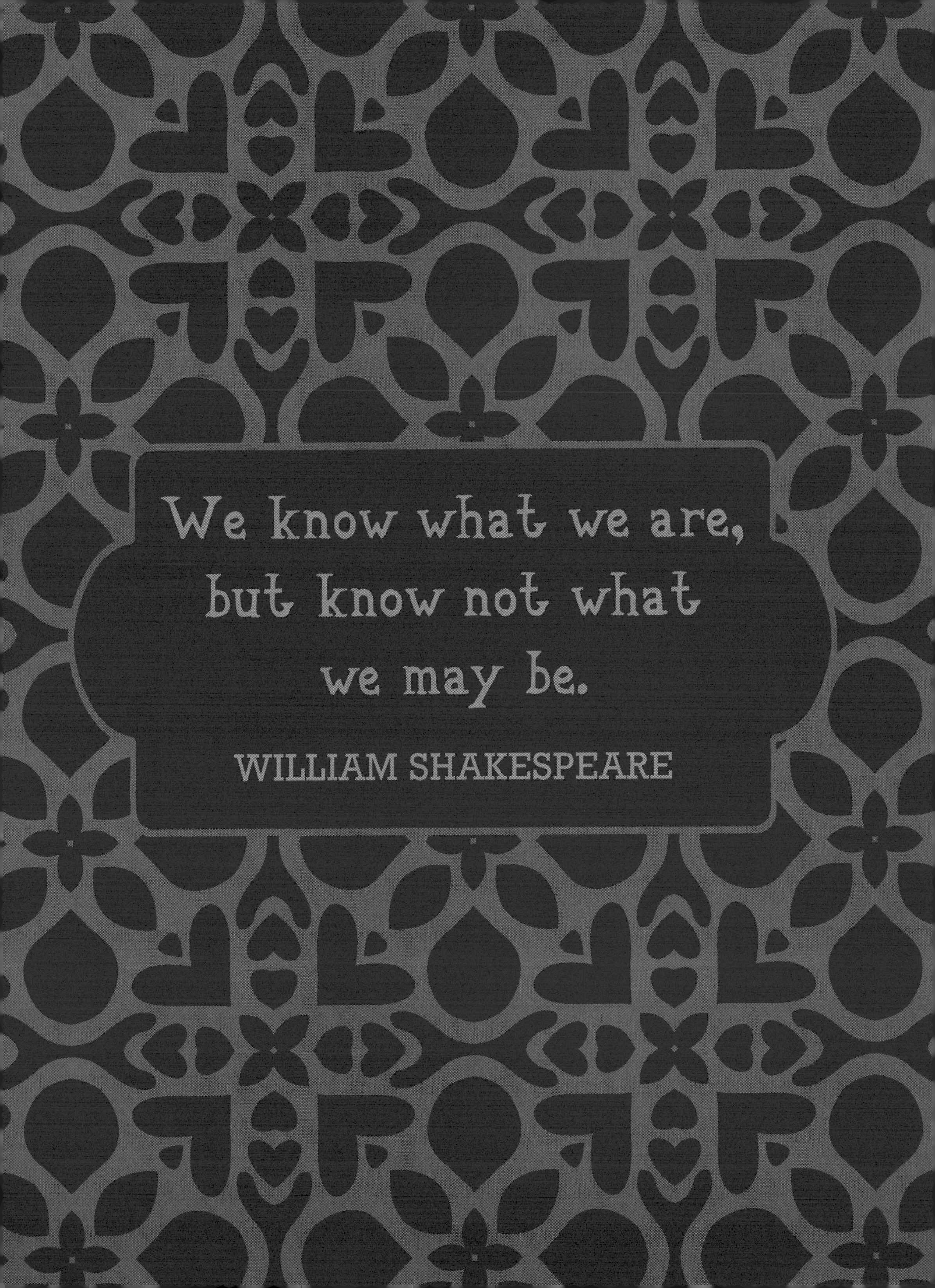
We know what we are,
but know not what
we may be.
WILLIAM SHAKESPEARE

S I I Y S L S J N K N C O M P E T I T I O N Y H Z

L S N P E U E Q E O W L N R R D L R I G J L V A Y

L Y Q S T A J E I K Q P I J P C V B M I M H N L X

B I Y C T U R T T U I C X O K N R I U J G F P C A

N X A M F R A M E S E G I S C X M C S F N O C I T

F C T R U V U S I T F G S O N O G O T F U J I K S

B C T T R R T M F D Z W H R Y B L D V W S D B K P

Y Y B E W I N D E V D L H S T C K M J Y Z L P C M

O U S D O L K E M N M L N F G M S R G X Q M G S U

G B K N T H R O N E T G E R S G E I Y P T J T L T

O B E T L M U C M V U R R Z R H C H V E C A K M R

L Z X D A O R A S A S A J A A I I A X G K S C A O

S F Q L B U G R D X Y S D E O Z O L E E N T O K S

Y L A T A C S E N R V F L X V H V H L E E W F I Q

C O Y A P V U C I G B F S I E V O T S L O G G D B

U O J X T S G A E S X T Y J N K M J W P M N T Q S

D D V J X A G S G V L B P V S U H J G N I V I R D

M O V I Y E E C T Q O Y D P B R Y L D Y T T N V K

T L K V J K S M B H S P O T U K E T A W C E D M W

G O N T U T T Y R N G E C H B X N T P F C K Q G U

Y P Z U Q T I H B S D U J G B I H J E Y N C V O M

U K X S U S O L S Z K S O W L T L Y P J I O L Z R

A O H K F C N T K R H X E H E P M F C M A P K J M

B I M P E V A G O U R R B K T T X J S I W P Z V J

A X R I X J K F F O U A X D O T V B R W I J T V A

AIR	BUBBLE	CACTUS	CARE
CAT	COMPETITION	DRIVING	FORK
GIRL	INSTRUMENT	MIDDLE	OBSERVATION
POCKET	PRICE	QUESTION	SIGN
SPOT	STEEL	STOVE	SUGGESTION
SUN	THOUGHT	THRONE	VOICE
YEAR			

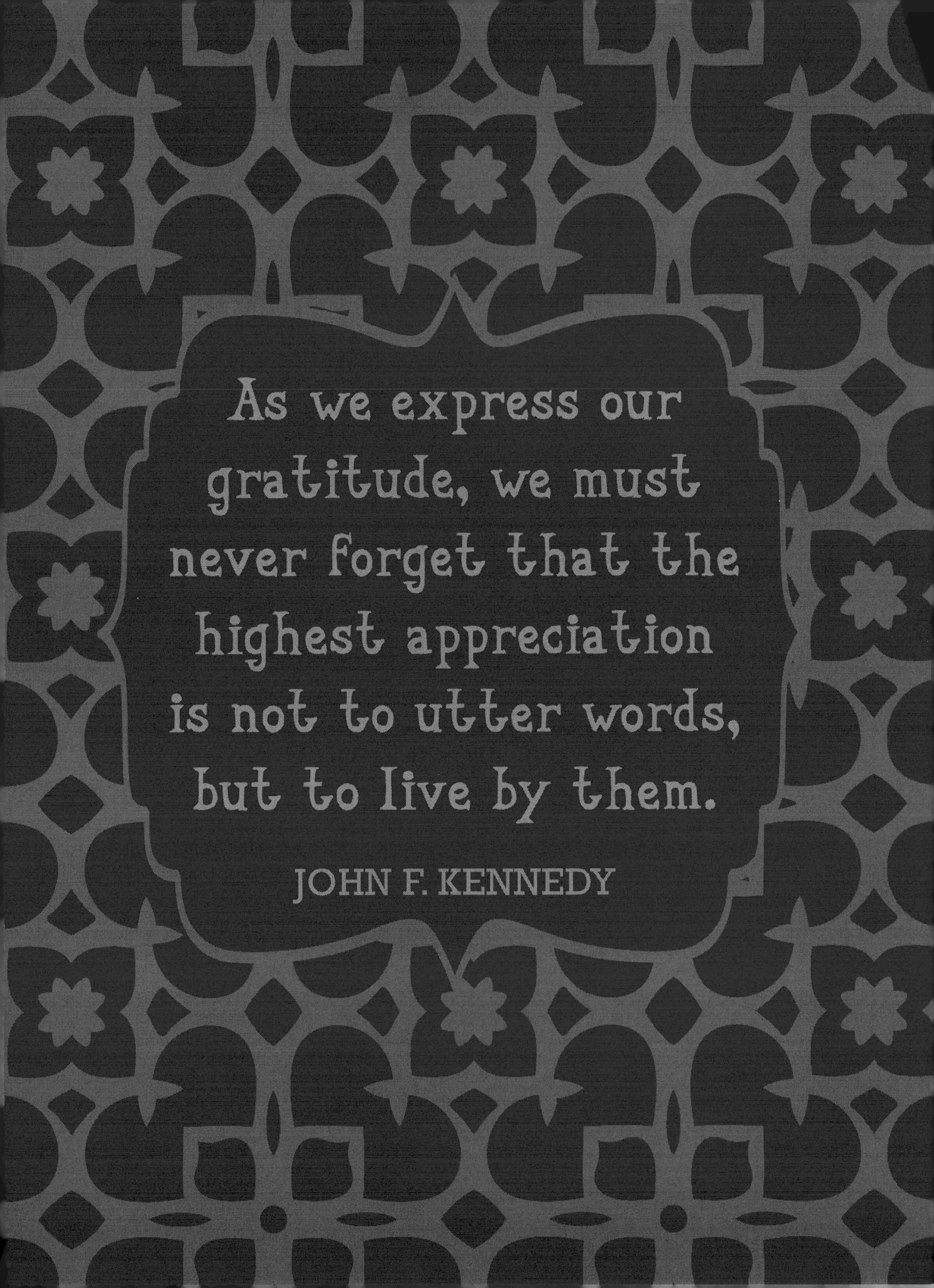
As we express our
gratitude, we must
never forget that the
highest appreciation
is not to utter words,
but to live by them.
JOHN F. KENNEDY

K Z L Q Z W G E P C E A R L G R V D L T K L X C T
G W X U D H U I P H E R F R E T A E W S A D U C T
A X X N I P M W B A E S A W R Z R A H T E R I P Z
A C C P O V N D M N O I U D Z H L U E L R W B X I
O H T Y L U C E A N N Q X E S Q G M X E I G P W B
N K X I S K O Z W E A Q C A U S N C N F G M Q Z O
Q N J E V S T J D L J A J T V A X T K K E D I M D
Z X Z Q R I J D N C R H Y H U O S D Y K C N Z O N
K N G V E M T E D E O F F I C E G A O F C A K T J
N U S X Y Q Z Y M V B Q Y D U T E D E W C M T A L
P N Q U J H G A N W A T F F V A L L N Y W X S T E
Y O L C X L C L E W M Z B X I R O C Z K K M F O A
Y U N R I M L I M A B B U W O R E V O C R Y R P P
A L D P I H S T U W A V K L D E J W L N T H K E U
R C Q U L S C Q U I E T N A Z T U B T B R B W P V
D S Z K G D Q G T E E R M B P M U B Y O O O W K Z
H J T D C C K Y K K C J Z M W W C P G L S M C B N
I I Q R K X C Y A B C S J W E O K I Z H K K C W I
A M P L A Y G R O U N D S N F B P G L T N K W B Z
G X M L A W L O H I F N A K M L W N D X P M B B S
T U P I O O M H X Z F J D Z C E C K H C O V Q O X
V R C X U X V G R Q N N Y T T U L N G Z Y R A B T
F P A Y L Q F O I W Z D D Z L Q D J J I I L X Q X
R T T I O R B F O C Z D U K E O X C E N J B L O Z
E G Q P L J D Y Y N K K A Z Z Z M F O O H T T X P

ACTIVITY	ATTACK	CAMERA	CHANNEL
CORN	COVER	CURRENT	DEATH
DUCKS	EAR	ELBOW	GRAIN
LEGS	METAL	OFFICE	PIG
PLAYGROUND	POTATO	QUIET	SHIP
STRAW	SWEATER	TRAIL	YARD
ZINC			

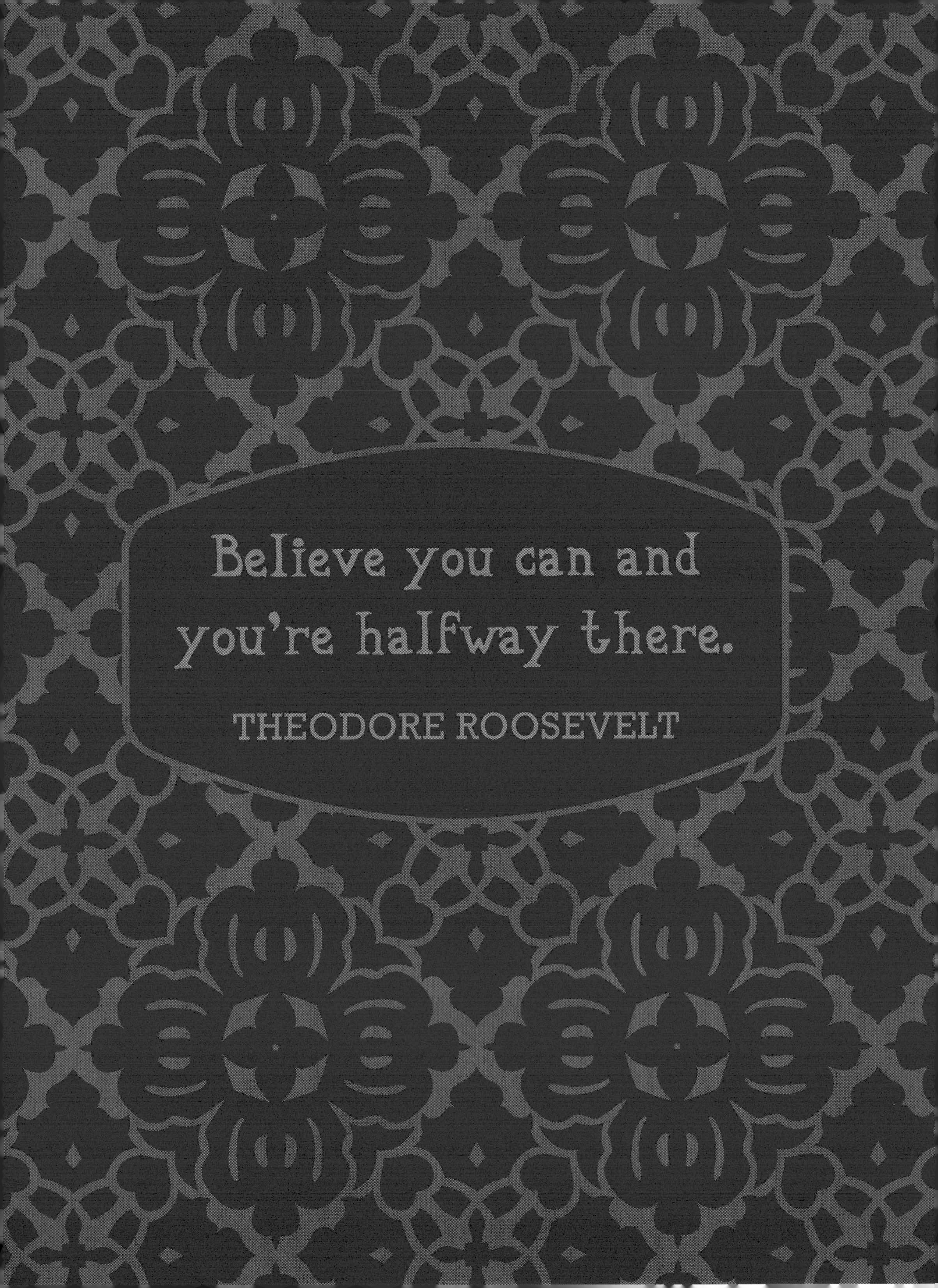
Believe you can and you're halfway there.
THEODORE ROOSEVELT

W J R I Z T K S C H N Y C X E Z G B S T B Q G L L
Q E D U P P O F P J I B R O H A T E Y L U E O X L
G L G W S A Q O P Z G Z V E B E D J U B N H V A N
X I O C T F D F T I H D U C C W S O B L K A E A Z
E G A Y O V T I Y H T L M U R Z E A U B P G R G G
K C K H I M I W B V P Z S T H C Z B T S O I N B K
N T X M S O A U K E O A R I V E R K T E S I O U N
Y M J C Z O B B R Q R D S O M F S L E L G I R T P
T A O R H T Q S A E T I X T P A C C R D S P K R S
R H Y T H M O I F D A A B G E K K X U E K L I L G
A T H O R N D I D Z G I P A O B L H O E I C C J A
A V Z Z Y X N K Z F Q E H L X A S A O N E U O N A
Z Q A V U M N P Z D G H E T L D T V H L L I H H S
N J U O L O T Q I H W L Q K R I Z L Y C J F F Q R
L H L K Y V O U G Z I U P D M B R V C B W M X R Y
L Q W A Q E A G D B M O L D A C L H B V R Z X K B
V R R D C R Q L P D O S Y L E T H J T Q J S O E R
A C A I R N W T A E L Y A O P X S I R S L Z J T X
S Z M V H D K S F K R N G G C C Y N I J L J C S W
X C Y P S B C I K X C Z D C O W D I N O P J F Z Z
R B I O F S N X O E H V Z E I L D U B A L C O I G
T K P L P K C Z A Q V V S V G E D Z F H I C D C I
V X B U U B S Q W G D T W R I V C P I T W V Y U D
C G A N B I Z F R T G G I U R G D F Q L K G M M T
T I Z J X E D I Z H Z L F C J P D R N U Y M R U U

BADGE	BAIT	BALANCE	BOY
BUTTER	CHALK	COBWEB	CRAYON
CURVE	GOVERNOR	HATE	HILL
KISS	KNIFE	MICE	NEEDLE
NIGHT	PERSON	PRICE	RHYTHM
RIVER	THRILL	THROAT	TOOTHPASTE
VOYAGE			

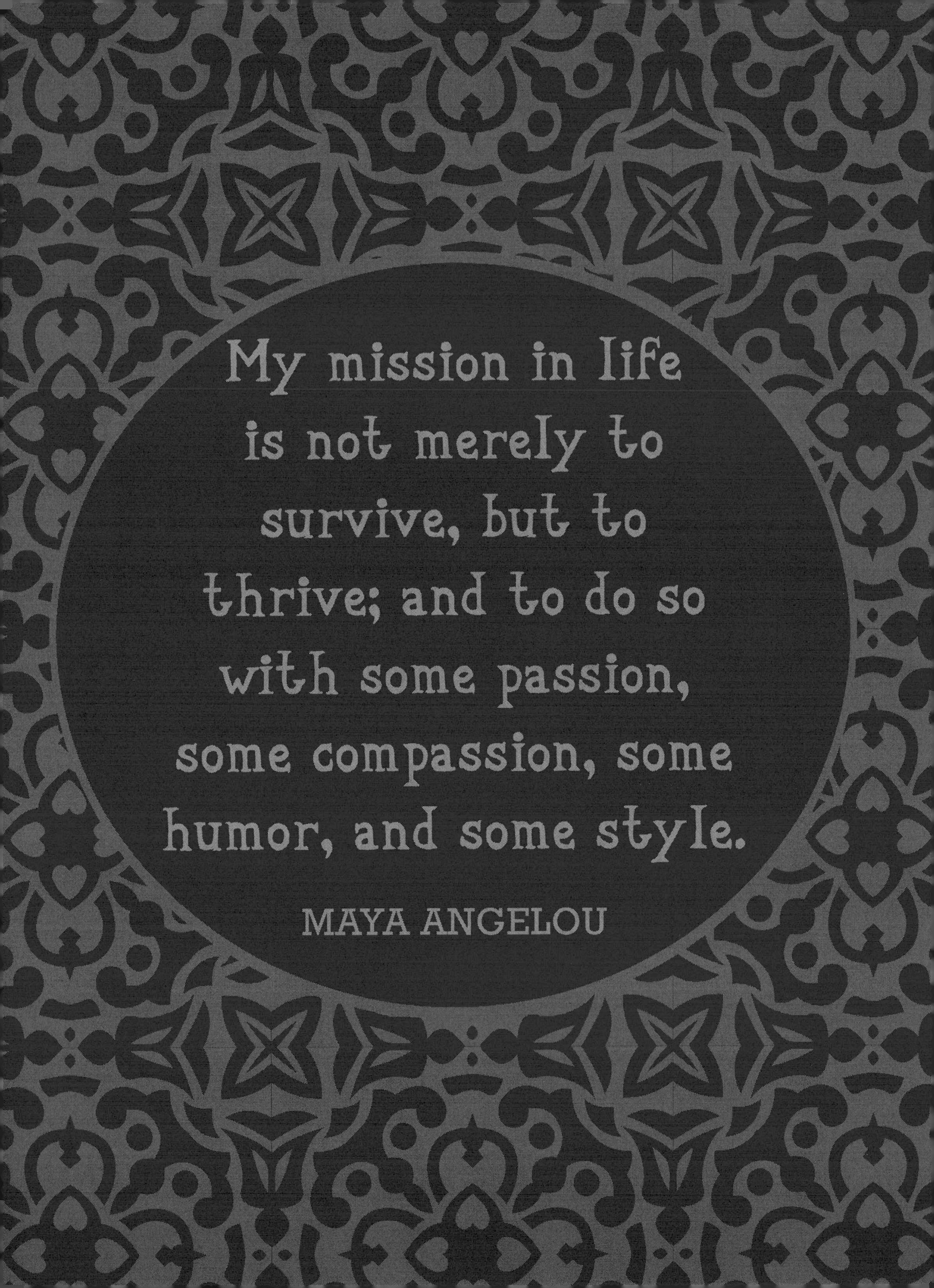
My mission in life
is not merely to
survive, but to
thrive; and to do so
with some passion,
some compassion, some
humor, and some style.
MAYA ANGELOU

C I N K O Y K O O H A D C P O E L R N X M C H S X
T T E A L A R T S B X D D L I D L E Q I Z X A K E
A T A X P D T B T J S X C E N Q E L E Y A Z E I I
B T M F T P J X D N U E O Q X E M A B L Z R R S I
N L T A E V F D D I Z E R I E L S T Z I B N U S V
F W V A E W Y G G D Z I B V F N E I P K W U U C A
B G S I C R Z D D Y N M R F A S E O T S L Y O B C
L C I M G K C N M I N D O E O T V N W R L T Z R D
R E V O C C A W T W U L A N N X I T C E P S E R T
V U U P P E I F S H D E Z M Y Q L O S T P Z W L R
C N R V C N A I W T J X P L Y L K S N T E V F U S
H Z I O W V M H O D C T X S V G Z L W E M K A A O
P K I P A T I R H Y T H M O A E U J I L P R L B P
I P L C X S A E G R I R V E M L H S K C T X K Q S
K Y J U T P N G L Y U A D V E R T I S E M E N T B
R P V L W M S E W S Q Q C K M P X Z A R F Y R F H
W Y E P Q J P Y J J Q F Q K Z V C L U R V T S B S
H V O U L O E D D L J H Y N C V P X B Q I O Z S Y
O S N V I K N O G Q A G U F T Y H I C H P T W T B
D T M Y T E C S E N G N E V P T W D I K S T K X H
D G U H P N I I M A V F K M L N E O K N U A H F X
H Z U S V S L P I R Z F H F S G W V C V F Q E B E
B M N S O H U A T N S S G S L T O P U A C C B F T
B M Y N C W V G H P B M C D W Y G B D H B H R H G
O U O X H S O Y P V L Q K T V M F S D E O L P B J

ADVERTISEMENT	ATTACK	COVER	CREAM
FOLD	HOOK	KISS	LETTERS
MIND	NOSE	OBSERVATION	OCEAN
PENCIL	PIZZAS	RAIN	RELATION
RESPECT	RHYTHM	SALT	SMELL
TAX	THUMB	TIME	TROUBLE
WHISTLE			

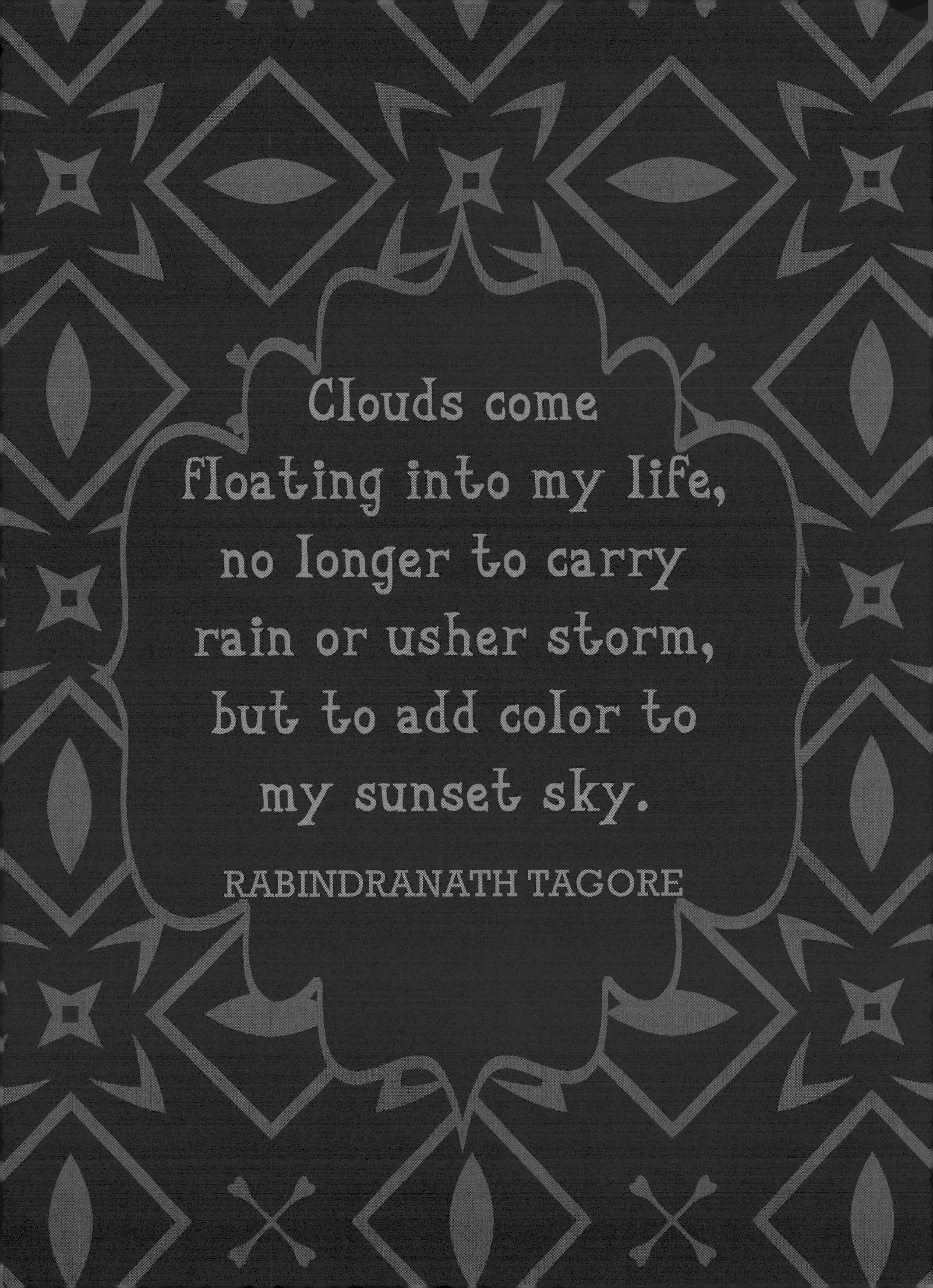
Clouds come
floating into my life,
no longer to carry
rain or usher storm,
but to add color to
my sunset sky.
RABINDRANATH TAGORE

P V R W N M V T S F D A G Z W U D E S I G N Y G I
F V B T L J R F Q Q T U Z T S I W T W G F M T X Z
Y Z S S U O X C R K U C D O B A Z B K O O U T O M
B E P S P U F F S H J A I T G L Q Y X G M H I D C
T L V R I F U Z L F Y J R T E P F M G F V A K A G
H L I R R O E I F T H I X E S V Y C P V X P N U J
E A D I H F M N K W R F N A T A O E N F M P O G I
L T D G F M V M P O Q K L U Z M L W S V M T N H C
B P Q E N T O C R W F H D S I N X P F S U F K T C
U C C X S N P X Q P R D S L H O G R E F K A F E E
O T J T S E I J S K P V N P C E H D I I P E L R J
R K E B L C Y I V S K I R T W R Z F U Z X F P O L
T A T S H I N P E G M U T P S N U E B E X Z P Y N
M E L N O P N L Q K I R H O S E P C L K I F S F F
R E G Q B F T T C M W Z A A M E V Q C T O C X Y R
B K L A E L E C Q A V W C W E X N P C H S L T A O
E Y N A T N D L M Y R C F L M A K Q Z D V F A X U
X D A C D S F O S E I P S X U O P E V E N T C S Z
C J M E M P I V P J H E K Z K C Z P N L L S T Y L
W S N L F R K E M O K C F N O I G I L E R H O X U
Q C G M Y C P R G G S P C I U P O Q X I N E R U X
Y J K I F H D H B S R X Z P Y J X K K W A D Q W D
Q P D C P R Z R R N Y O A U J Q W K L Z D N O T E
N I U Y C E Y N E M Q Y Y N N J T F O G I Z C Y I
O D H B C J D G R M N Y E M D N L T H G Z Q Q E Q

ACTOR	AIRPORT	APPLIANCE	CAR
CENT	CLOVER	DAUGHTER	DESIGN
EFFECT	EVENT	KITTY	NOTE
PIES	PIGS	PLASTIC	RELIGION
SLEEP	SQUARE	STAGE	STEAM
TENDENCY	TEST	TROUBLE	TWIST
WOMAN			

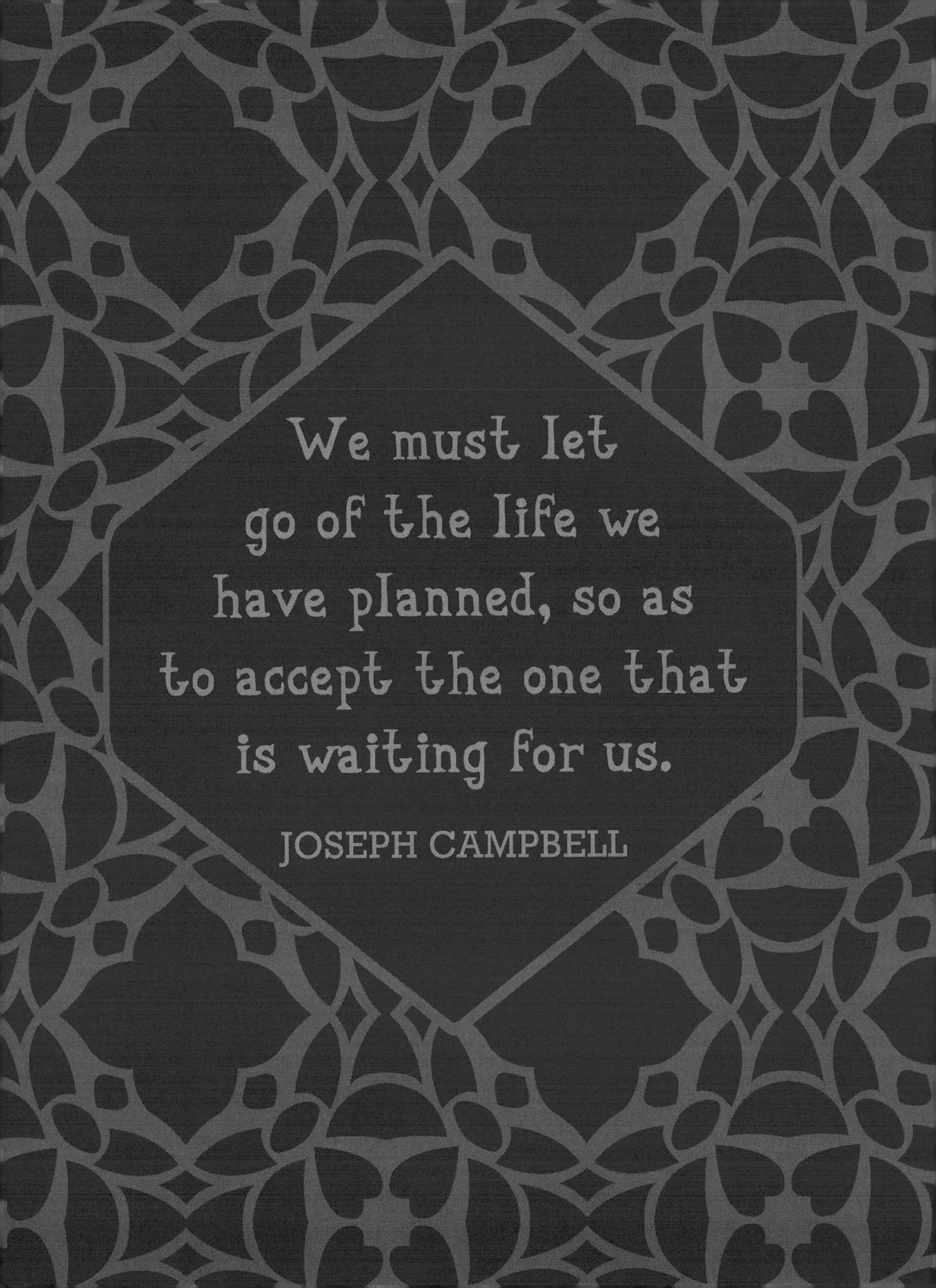
We must let
go of the life we
have planned, so as
to accept the one that
is waiting for us.
JOSEPH CAMPBELL

E T D U O K Z Y C E S D O M N P T K J I A M S V T
C P S F B L Y H V T N X B R Z W K E D T C J X L I
Y D V K I U Y G O S A D Z V C X B T C Y B J Q M C
J B U I U T E V Q X C L S K R T A B B T Q P Q U K
E R O H S A E S Q K R E D E Z X F J L N H M E H E
S I K W C I G E M Q J G E Y P I Z T O N J X P M T
W T H O U R S N T V J K Y F S R C Y K J H A I E K
B J V R N X U T I H O E Z L E U B O Y K L T X P B
A Y Q D G V R H E R M L U L E W K M X P W I G E G
M V H L M O K I C R F V S E S P M T W N S E O X G
C B E P T L T N Q S D F I P G V L D Z T N L C D F
L P M I B P A T C D S H Z I D G J A E N M D J Y K
H A S L L U P W A L L Z J N B P S N Z J P D W U P
L I K K O I F B R C Y C B O V W C O V W O I K X I
V J V K S S I S L A S W N W W E W X F V K R O X F
A Q F X N T S I R E S Q E M E E T I N G U A C N M
G P Q I U H A B E O I Y R M R T B Y X J K W S O L
F M B R V Q Q R R W S W D D O E O O F U C Z J M V
E L K C I P T N Q E Q S L A R Q M U N U M Y B P Z
O E Y Y E N R Y D R H Y I Z M B D C H G E S N U Z
Y R E L B E A G N F W E H C E G P E I X X H A Q I
O F U E P R T R U C K U C H S H U P A E H A B L O
E I F Y D H P Q C O M A A Y O U O G Z F R D H A W
M P F K V D B P E I B H G U S I S O X Q A E F A E
U B N Z Z Y O Y E K N N K H M A W A Y N V Z X Q T

CHILDREN	CHURCH	EGGS	EXISTENCE
LAMP	MEETING	PICKLE	PULL
RIDDLE	RING	SCISSORS	SEASHORE
SHADE	SISTER	SOUP	STOVE
TEETH	TICKET	TREES	TRUCK
TURKEY	VISITOR	WALL	WORD
YARD			

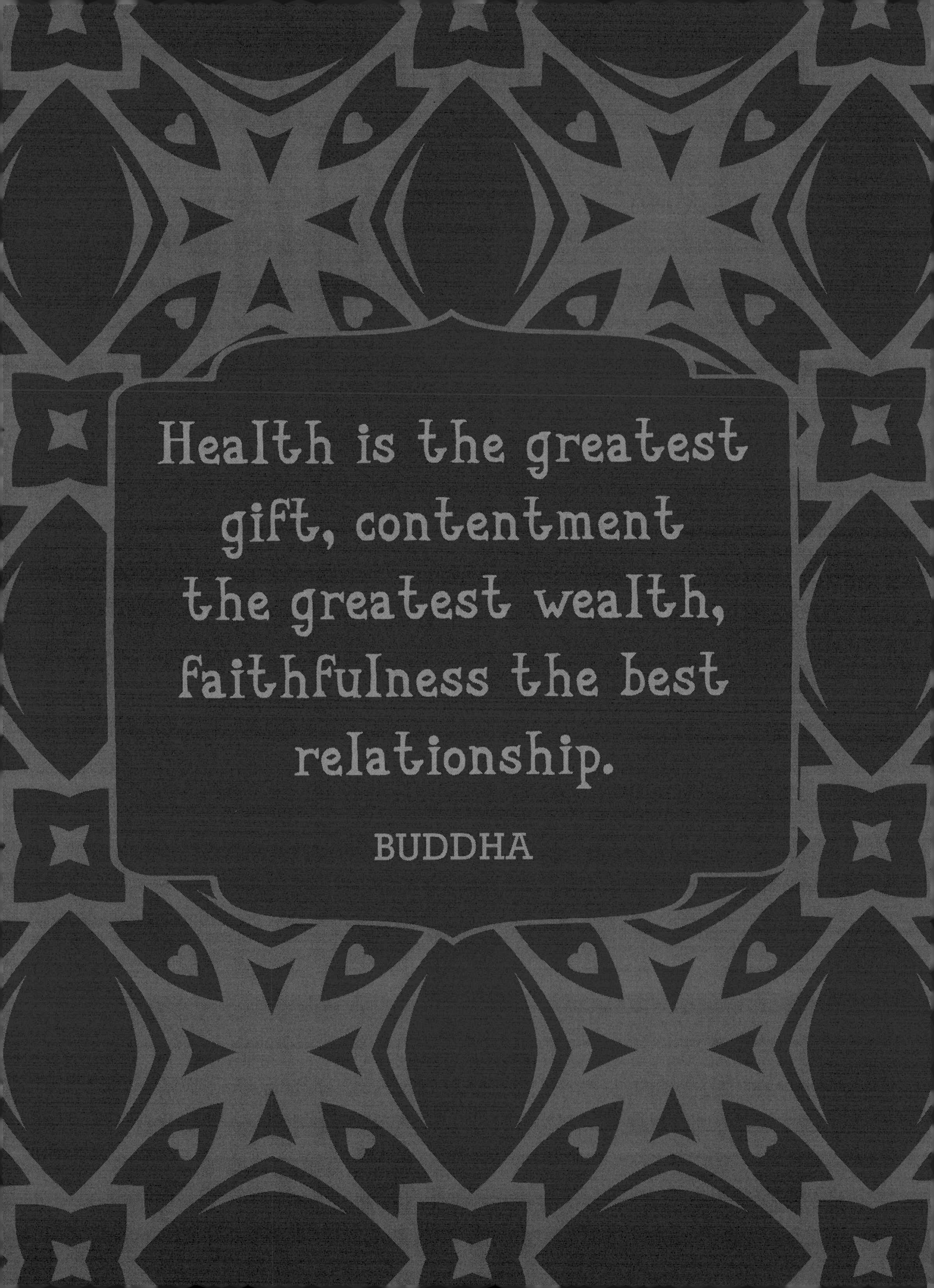
Health is the greatest gift, contentment the greatest wealth, faithfulness the best relationship.
BUDDHA

V R J H Y U X B T I S L L U U G G B J P I T S J N
T O E I C X B C W U C Y O Z Y T O A Z H H E W Q H
F S L H S R P H D J A U H E Z D V Q Y I H J P C A
L D T L T N G D O T S Y O L G G M T Z G R P J A A
E S Q B E A P K R C P E I E U D I V T T R R C N C
T K W P A Y E E Q F P K I V A F U M D L L P V M O
T D K B X T B W D J W N J Z O S B J I S Z T G S U
E B T R E Z B A K Y Y O Y R T O B P D X T N E S S
R W G C S V M J L H F D P G M A Y U F Y U O Q P T
J F N T A Q E X D L Y D U O S P W Z E N T R H L I
L F O Q J X Z Y A O R G D P X Y F Y E L X F J M C
A R J Y A T S A A X W T N Y Q X S I U C W P N T S
Y T L O C A D U V Q M J A B V A H Q C I P U P V K
J B G T B B I S S K E A P S B I C A S U L E A M O
Q K C M R B D E Q F R D D G J O L H Y O N L M L N
U U V K Y F C J I U B Z T T D D Q Q E G O E Y B B
A Q T F F R G N I H C A E T C A T A R I L U N C H
H V P W E D K F T Q Q H T K F E G L I Q U I D T W
O J S T E F A K M K F N E G D F D T V V T C N W N
I I A E T U A Y P W V R I E C A M N M T C O X G O
O R G O I B X L G L V Y B Y S O P A E A H J B W R
Y T P G I K N R H E W A R T S E A I B Z S H W S I
I E U A D V E R T I S E M E N T I L S Y V G X Q E
O R V K L H K R C H R M C D X N W L G B V D O B I
G S L D O D H Z S S X R P N J Y Y G B B L I A S A

ACOUSTICS	ACT	ADVERTISEMENT	CAT
CHEESE	COAL	DONKEY	FRONT
JUDGE	KNIFE	LETTER	LIQUID
LUNCH	POT	PROFIT	SAIL
SECRETARY	SOAP	STORY	STRAW
TEACHING	TOY	VOLLEYBALL	WEATHER
WISH			

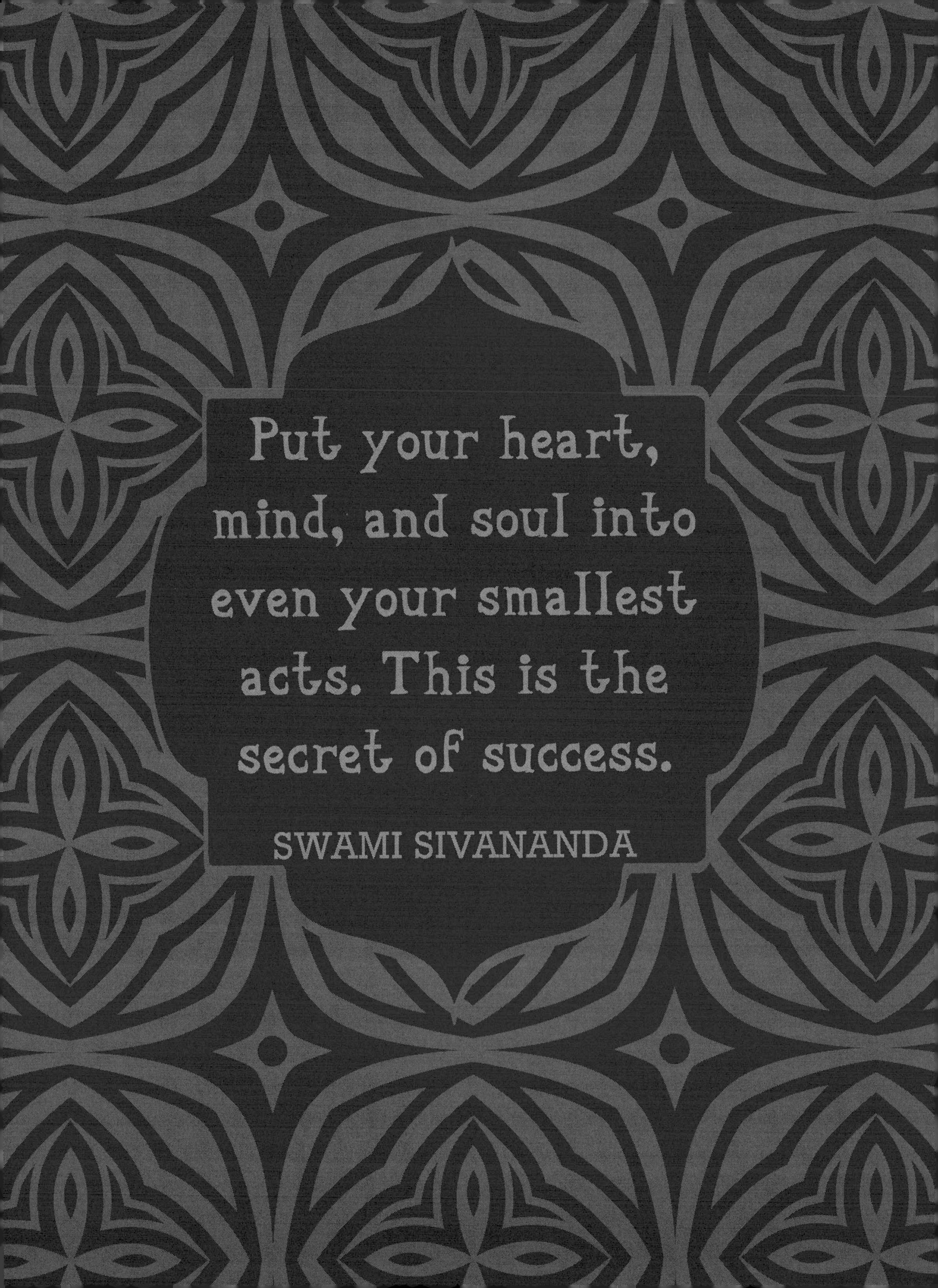
Put your heart,
mind, and soul into
even your smallest
acts. This is the
secret of success.
SWAMI SIVANANDA

Z Z V V X Y F V Y O N H P S D Q J C B U J A W F L
Z I W K H V T J C X C M G G A B Q W R L P D A O L
W P P Z Q G Z T H O E G X U L V H P O H O S O E C
E Y H P E Y S T I N O B P Q S K B Y B Y D W Y R W
J J T T E X Q S T K B M U H T X O P M H G P L O A
E N Y E E R D I T B S E D V W P O K Q S F X A D T
S R M K U Y T P U Q D C M O R I H C N U L Q J G P
C T J A B L R I V G R Y O L N B C K I Q Z C N H P
X C N R E J H A R R M P O T E O N X P P Z P T T Z
L T R B H C G H V B Y U C A C F G W A N U R H B R
Z Z S A J P X L E Z S O R S R W I R E S F F I O H
H Q K O T Y O C I I M M P W V R S J I D R O D T E
R I Y S T E P W P P B I G B X Z E O H C G Q B E B
O L T Z D X X D A Y T P N X T W D Q P K N J C J D
H O C W B V I R I N C O M E E L Q G W X L I K T J
X S H B T E I D L D P K S N E K C I H C F E M W E
N J E J F S U U W T L H O B T C H I M F N J R B A
E H E I O D G D O R D J Q O H B F Y O U V F B F O
H F S N V R G T H S E N G E B T O U C H Z B M X O
Z F E T L G S Q R D H N T F B E A G Y R C K L N B
N N I A P F T V R J C M X D U U T A A S M T P S I
Y G T K W W A Y V Q K D L C K G J O V Z K E Y Q Z
F E L F A D X H O F C X E Q Y Z E D N G X F D M W
M O J Y H E B O Q T O W Y N K E K E O Q O B W Y B
T U T I A W B A J U D Q I N K W S K Y S V H U Z V

ARM	BRAKE	CHEESE	CHICKENS
COMPARISON	CRATE	DESIGN	DOCK
INCOME	KITTY	LUNCH	METAL
NOTEBOOK	OFFICE	POINT	SKY
TEETH	THUMB	TITLE	TOUCH
TOYS	WIRE	WOOL	WREN
ZIPPER			

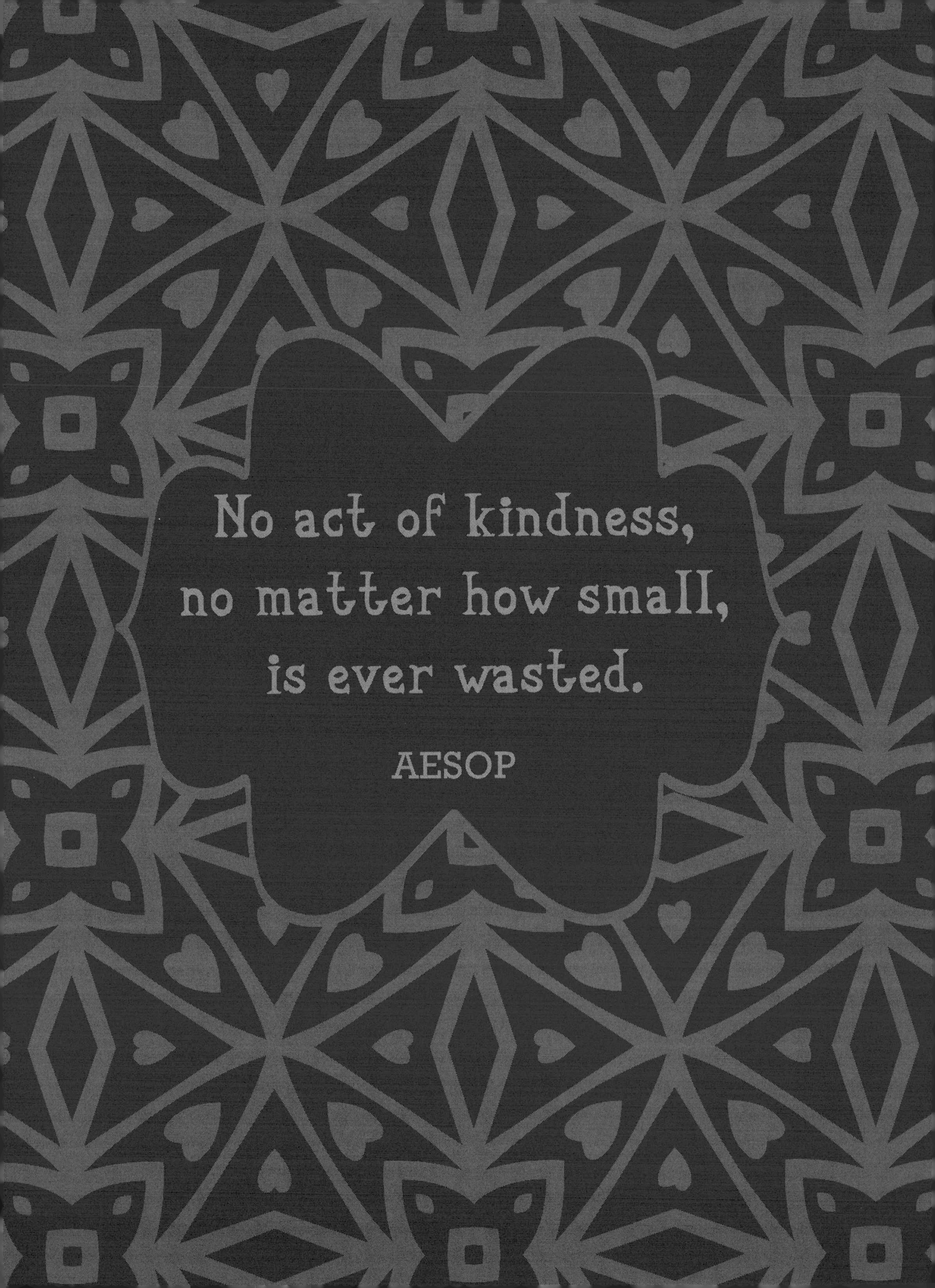
No act of kindness,
no matter how small,
is ever wasted.
AESOP

W P Z G U E C M Q J X K F S Q P C X R E P E Y H P
L A R T N Y J A U B L B J O Q U L J M G O G B Z L
B W R J G U G P R J D G B N Y K I R E V E I H C A
C B S T F O L R I K M W Y F L D V E P G H X C Z K
Q P I H S S N Y F K O S P I N S D N T M B L G O R
J D D C M A E I Q F G P B I F F E O I B B P O C E
U E T O I K R E Y R L P P I A P T I R A A H N O W
Q M O M A C H I N E F P Q L X S Y T A B Y L W M A
K H L C C I L Z E T F H Y R B H K S T U B N L P R
P D N O S N I E R T B R J F B Z C E U X O L C E D
Y A N O S A E R C Q D I I Y Z U O U N C E C M T U
P R P I O J P H X Z C F R I N K L Q H U G Y T I E
U J A U I T N K J G J V L C K Z X I T F R T T T U
O K O D T V K P Q G C S W H H R L S N I G X N I C
C C F H N Q D R O H E R P I R D N B D H Z F J O D
E J P W E U X H Y O D P M A R D Z N M A X E K N H
A N Z O T O O V E L Y N R E A B U L K M D I Q O Q
N K Z R N A O B J B F N N J X H S R K Y P W U R P
S W O C K Y I X Q R V O H Z Z B F G K O S R C K C
N Q A U A A K Y O K O B W B I Z T M R B J J I M G
Q Y O G E L D O M I N J I H F L I S P K B W I T P
U L E D F K G N P J E W O U N D B K K W F Y X J W
Z I A Y W U N L E S M N N C U V D A B G H F S S B
A L Z S A L F T A K O U D X Z P F I Q R A H O I O
B X F W Z V F U R O W T F P I A B I N M O O N A P

ACHIEVER	BLADE	BOUNDARY	CHILDREN
COMPETITION	COWS	CRIB	DAD
HOOK	HOUR	ICICLE	LOCK
MACHINE	OCEAN	PANCAKE	QUESTION
QUIET	REASON	REWARD	SON
STRAW	TUB	VOYAGE	WOMEN
WOUND			

If you believe in yourself and have dedication and pride - and never quit, you'll be a winner. The price of victory is high but so are the rewards.

PAUL BRYANT

S N X G I K Y Z C O L U T L H X T Q Y K T X N E O
K D I O Z K J E I D E G Y W J L F T A V Z Z P B I
K G P B B S K C U D L F W Z C F C N D G L O G F N
Q A A C O L B J N P E Q T C A F T V H B Y L P R K
G U I W I R I W O H L R V N N I E X T Q T M D W H
E J S K Y T O A Y U A A H O M E K I R D O N K E Y
H Q D G S T E D M U A H N B N E C D I N X W P U M
H F M F N Y R M Q X V T F E E W U H B V L Y M F W
H A C W S A E C H W Q R F Y S Q B O T Q B K L E T
P X O P N E J A W T W I Z I T R M O E J R K T R T
F D C T J V Z I R J I B C T C I F B A G A Q J D U
B Z Q N L Y Z B H O G R F B M A C V R P M H B G M
C H I L D R E N T V X X A O L G I B I X Q F H Z Q
W E N I B E U H J O N A C L O V R E J Y H Y V W A
V R L I K H F U D G D T H H Y T C Y S S Q Z W Y E
Z E I C L A R B N N I S A N T Y L B W Q T K B U K
Q C X T W X G M L A B S R D L Q E Y N Y G X R V V
S W W I I Q B O O M O I M C C G N V M S P P C B Z
F I O C G N C R O E J T O R H E M A S U F J I Z Q
J Z R C L K G R X G L V N K H X R I M S O F P J O
H C T B E U E P Z J K W Y X W J W O F P G B Y H A
P A V T F Z B K N I E U I Y W H L D Z F B D N D X
W Q D D A Y Z O C Y R N G W E O T Q F S P E P X H
N O I T A T N A L P W R K U K Z Y C T E T R K J X
G Y L B Y R V G R X K D N Y S I V R N Y C O H T I

ARITHMETIC	BIRTH	BIRTHDAY	BUCKET
CHILDREN	CIRCLE	CLUB	DONKEY
DOWNTOWN	DUCKS	FALL	HARMONY
HOME	HYDRANT	INK	LOCKET
MAILBOX	NAME	PLANES	PLANTATION
QUARTZ	ROBIN	VEIN	VOLCANO
WRITING			

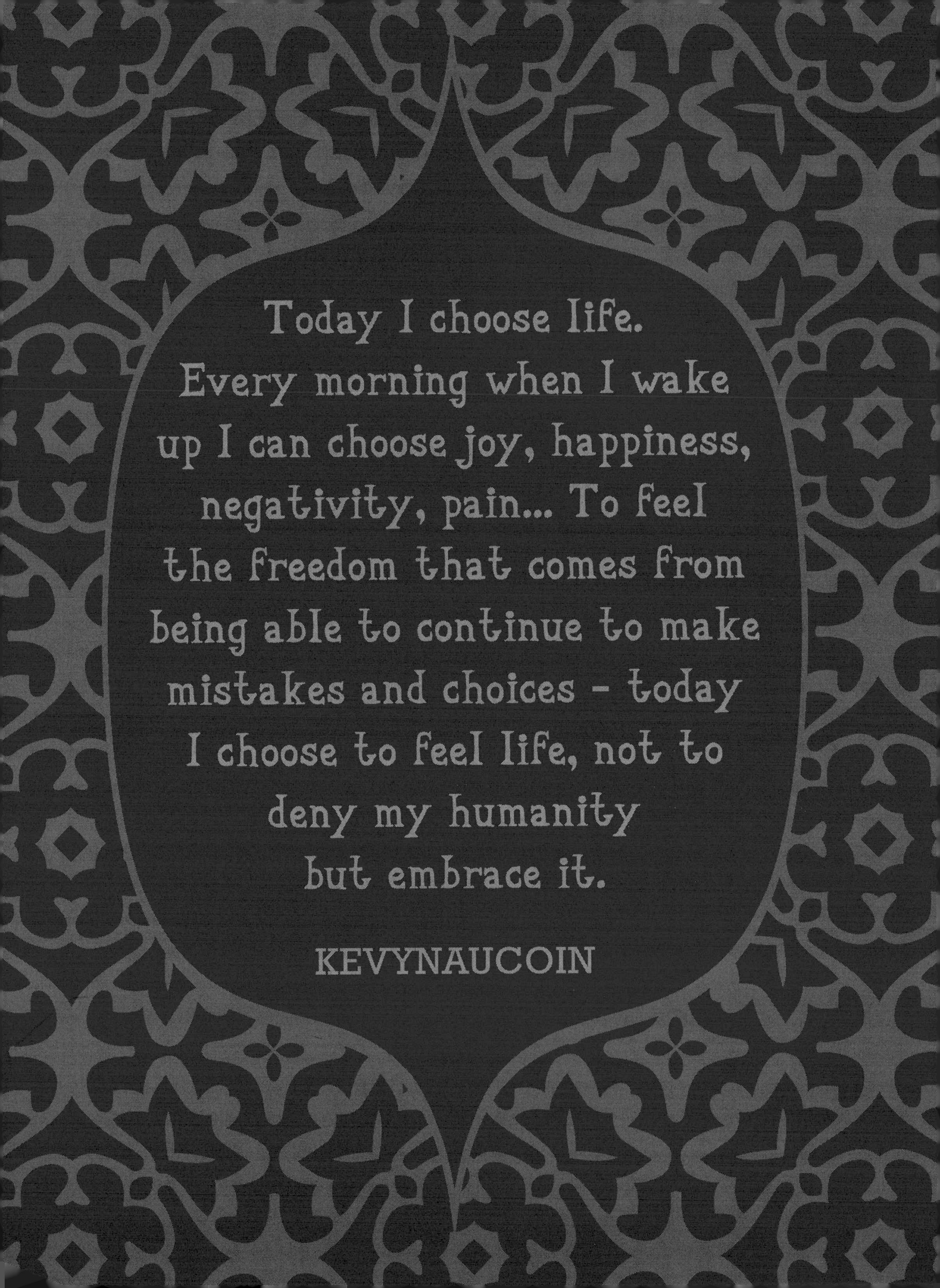
Today I choose life.
Every morning when I wake
up I can choose joy, happiness,
negativity, pain... To feel
the freedom that comes from
being able to continue to make
mistakes and choices - today
I choose to feel life, not to
deny my humanity
but embrace it.
KEVYNAUCOIN

O Q F U Z S B C C B A M G H G I N J W D F U A W A
S J E Y X Y F R E T S B L M M E Z O G R T A R H T
Y R F Q T Z A O H L Y C H B R E N O B A K B T E S
H U P O U C M H H O L P Z V J S Z M U Y Q K W E B
C O A A K R B J T S L A E Y E F G Z W U O C P L U
N R R E I E B R X D R O R Z Z H N R J W U C P X V
S W R B X M O I P H W U X V H L C V W O X N S E L
T P E X L M R T T Z Q X T C N V N T K X C V I T U
J H G N Y A P S G N R L I M I T F A Y A M A U V J
R I A T Y H F K Q J Z G V U C Z E X B S I I C F L
H P B K G I C W I W D U S P U K P E A T T N D D G
T G L V R E V O T S Y X Y C O P B Z B W Z E E B P
H E B M K R U T N B T T X M C D C D Y E M O L Y K
R T K O A Y S V N X R L S X H I G I W N K Y L L B
U M R S O E O Z F X A V E I P O T S H B Q G R L Z
S E A T A K L A G F P M J W Z X W C R E H T A E W
E A U N I B M U Z R G X I S E T S U H Y B Y G J G
I R W S K H P A R H N P A E E J U S F O K Z E K Z
H N R O W Z T Z Q R R X I S R X O S J W D R A C Y
Z C J D T N Y M B M M W E I Q S X I R J F L I V C
H L P P U H P G K N W M O T H E R O P D K E W U H
I I Z O O L I M M K F T G M A N N N D C I B X R E
B M M R L L U B T R W V U W P V D X S E L G B D P
X A N Z X W P O J L I F D G X T Y X B J E Z N D U
P N P F E O P W G H P Q C S V R X Q E P T L V S P

AMOUNT	BABY	BASKET	BIT
BONE	BOOK	CELLAR	CRACKER
DISCUSSION	HAMMER	HORN	JEWEL
LIMIT	MOTHER	NERVE	PARTY
RULE	SEAT	SMOKE	SNOW
STOVE	TAX	WEATHER	WHEEL
YARD			

Every story I create,
creates me. I write to
create myself.
OCTAVIA E. BUTLER

O F V V A X B E G I Y O R J G J Q J Z I V W K K Q
M Q E B A U O E D U L A A B K W R J S D N M C A Z
X E Y E X O N N K H L C A R E V I U Q W O S U V D
N N N A L O R T S L I L L O D S K H E A I H N L T
R S X G R I M E O O A Y I S N O W B H G T M V C Z
G Z N H V T N C T N U B A C T T H B T D S C O R H
P L A S T I C G C N X E T S T O L P Z A E X J D N
L U Y Z P Z V E Z R I R E H P N V F P D G U I U A
P B L T M L U Q K K S W D N V A X I R P G G J N O
E N K Z U K F Q M V J G W K Z N C Y T J U E T I B
E Q S P A D E R B Z J P A T L R F E C C S P N S V
H K V P W F O W I E Y X S S I U Z O N T P U X H A
R Y E K M T T L U B E V A L V V A R Z E D O V F L
A X W Y S D S F Y K R N V L P L U A E Q J S C Z Z
Y A Y N L Y K J T N M H C M S Z J W F U I G O K X
O A I P K N A B E T F W R F G D V H V M Y N N G G
D A R K I R Z R F N T E Z Z K R N K B G M N S W C
R A L F T P V J N E A G D A E E O P M J O U H O V
V J M J T E N L Y C D C L S P N A A Y O V B O D F
Q F E S E J M G A B B U S G P Z Z H M L U B E T R
K X U U N O C N Y L V J S K K C F A I M G U I I I
Y Z F R S H D N T I Q L M D Z J M H X U V U Z R X
O M Q Z I I T B J W N Y A M S W L L L X W U R R C
Q P H E H N E Q Q L Y C S G W A A F Y Z M Z Q F G
Q Z O M J U O K A P S I H E D A R G J T C W X U D

AUNT	BALANCE	CENT	COAL
COLLAR	CRIB	DAD	DETAIL
FEELING	GRADE	KITTENS	MOON
NERVE	PLASTIC	PLOT	QUIVER
RAINSTORM	RAY	SHOE	SMASH
SNOW	SPACE	SPADE	SUGGESTION
WINTER			

I believe in pink. I believe that laughing is the best calorie burner. I believe in kissing, kissing a lot. I believe in being strong when everything seems to be going wrong. I believe that happy girls are the prettiest girls. I believe that tomorrow is another day and I believe in miracles.

AUDREY HEPBURN

R D Y X M B B H Q T P B M Y B U E A K W W U G Q X
Y O W Y A N G O Q G M S A P C X R E R V G E I R F
G N I L E E F N G D A C O L L F J U E G U N R S X
I G H K T J W E I V C Q K R H T A J A R U X W T M
X T J V I N L U F T X N G E E A Y Q J V Y M V J J
C A P W K T A R B T E F R H J A A Q R X O Z E G R
W H X J B B O N O X F E J T T M G J F T I S C N L
K E R Y H P K B H O U G M O K N I F E B T E S M T
M G O Q U T E Y S Q R D F M Z N E P L L H R T C J
O R O C G Y F H S W T X L B C L C N P I L K E X C
K B A V S K I Y I C T G W L H F L N Y W U Y A T T
U D Y F E V O T F G K W Y T X R Z O G U N P M O A
S Y V D E N G D I X P L U R H D S L I I S Z A M V
M N U R N V P M Z V P U N J T X I P G E C D V Y A
O Y S L F H E V Y H T T L H R M I P O P N U G K X
U E L U J R O M J Q V I G Y O G O V E R N M E N T
N I B O M L H P N D B L K T N U P X S W R Z Q T F
T Y H N F I O U A Y T C S E F R N H K N X B B F E
A G K O S K A B D C K W D J I N H Q H P N U S U P
I V A T B K U G I Z B C N H D W R K E E U F J Y V
N T O P S I O B Q E K X I N Z P A G I I S C N O W
L R L T U Q H E T Q Z B W T Z X A I D E A O K K N
Y H T A E D U A M K E E N V S P N P C W O A J I W
R S M V T G K Y N R N B Q D Y Q P K Y M W L Q J D
L I B C T S Z T D K C J R T I F X E Z R Q A R D S

ARGUMENT	CAP	COAL	DEATH
EGG	FARM	FEELING	GOVERNMENT
HISTORY	IDEA	JELLY	KNIFE
MEETING	MOTHER	MOUNTAIN	NORTH
OVEN	PAGE	SKATE	SPOT
STEAM	STICK	TEAM	TOAD
VERSE			

Somewhere, something incredible is waiting to be known.
CARL SAGAN

S	S	B	M	O	F	V	P	J	B	H	Z	J	H	T	W	W	G	N	I	G	Y	W	D	B
W	C	Z	S	C	F	D	E	A	H	D	G	K	S	Z	Z	B	E	P	X	E	E	A	H	Z
T	O	G	S	B	U	H	E	I	Z	D	F	V	U	D	X	S	K	Q	X	I	U	F	F	D
R	L	R	E	Q	K	T	U	L	W	U	M	E	P	G	I	A	E	I	V	G	T	X	L	R
G	G	T	D	A	M	R	N	A	L	K	J	O	Q	O	V	N	V	E	H	P	N	H	A	E
E	K	D	N	R	M	M	E	O	B	M	Y	V	E	Z	Y	N	G	T	M	T	N	E	C	D
C	N	T	Q	V	Q	G	O	K	R	W	H	C	S	P	Y	C	E	N	E	I	T	B	T	N
I	B	J	Q	Q	U	V	L	Z	C	F	W	O	Q	J	Y	R	X	K	G	H	F	N	I	U
X	P	X	W	N	S	O	Y	N	C	A	E	E	R	Z	G	Y	M	J	Z	E	Q	S	V	H
A	I	U	R	T	P	E	S	T	J	A	R	Z	G	X	T	Q	L	K	C	L	D	D	I	T
W	M	F	S	X	Z	X	H	N	N	P	L	C	N	E	E	W	D	R	P	Z	K	W	T	B
T	F	Q	O	E	G	O	T	S	O	M	W	E	K	Z	Y	P	V	P	B	A	U	K	Y	D
Q	S	P	P	Y	O	X	P	O	F	T	S	R	N	L	D	E	B	Z	B	K	U	R	S	J
K	S	I	T	U	E	G	A	P	F	Y	A	U	G	D	T	F	B	F	T	O	S	H	O	F
Q	F	D	T	P	V	B	D	I	K	M	M	S	F	C	A	W	Q	O	U	F	U	W	X	A
C	V	P	N	E	N	B	M	L	K	S	X	D	A	O	U	R	M	I	O	Z	K	H	Q	J
U	X	S	Q	S	U	S	B	O	K	W	Z	T	F	N	X	M	S	J	R	X	P	J	W	R
C	J	D	C	H	V	M	G	W	M	A	L	H	R	G	H	F	T	W	D	S	F	X	D	N
S	L	R	V	A	I	M	M	O	C	N	T	D	U	N	K	E	S	X	G	S	E	E	R	T
B	O	O	Z	K	A	B	L	X	B	R	P	T	B	N	R	E	H	T	A	E	L	M	B	T
W	Z	C	V	E	N	A	L	D	D	F	F	A	B	T	X	M	O	A	Z	B	M	Y	E	D
F	M	B	N	E	Z	Y	Z	E	A	X	T	Y	S	M	C	Q	C	B	O	Z	N	D	H	N
I	K	X	T	V	R	O	X	T	P	R	O	F	I	T	A	C	J	W	X	W	X	X	Q	N
N	Q	C	R	O	A	R	Z	V	Y	V	V	O	A	X	B	E	Y	D	R	A	T	D	P	P
M	E	O	W	P	K	L	S	U	Y	S	I	U	S	O	V	P	T	Q	U	D	S	K	I	G

ACT	ACTIVITY	CALENDAR	CLOVER
CRACKER	CROW	DAUGHTER	ELBOW
FRONT	ICE	JAIL	LEATHER
MARKET	MEN	PAGE	PEST
PROFIT	PUSH	RAT	SHAKE
TEAM	THUNDER	TREES	VIEW
WORD			

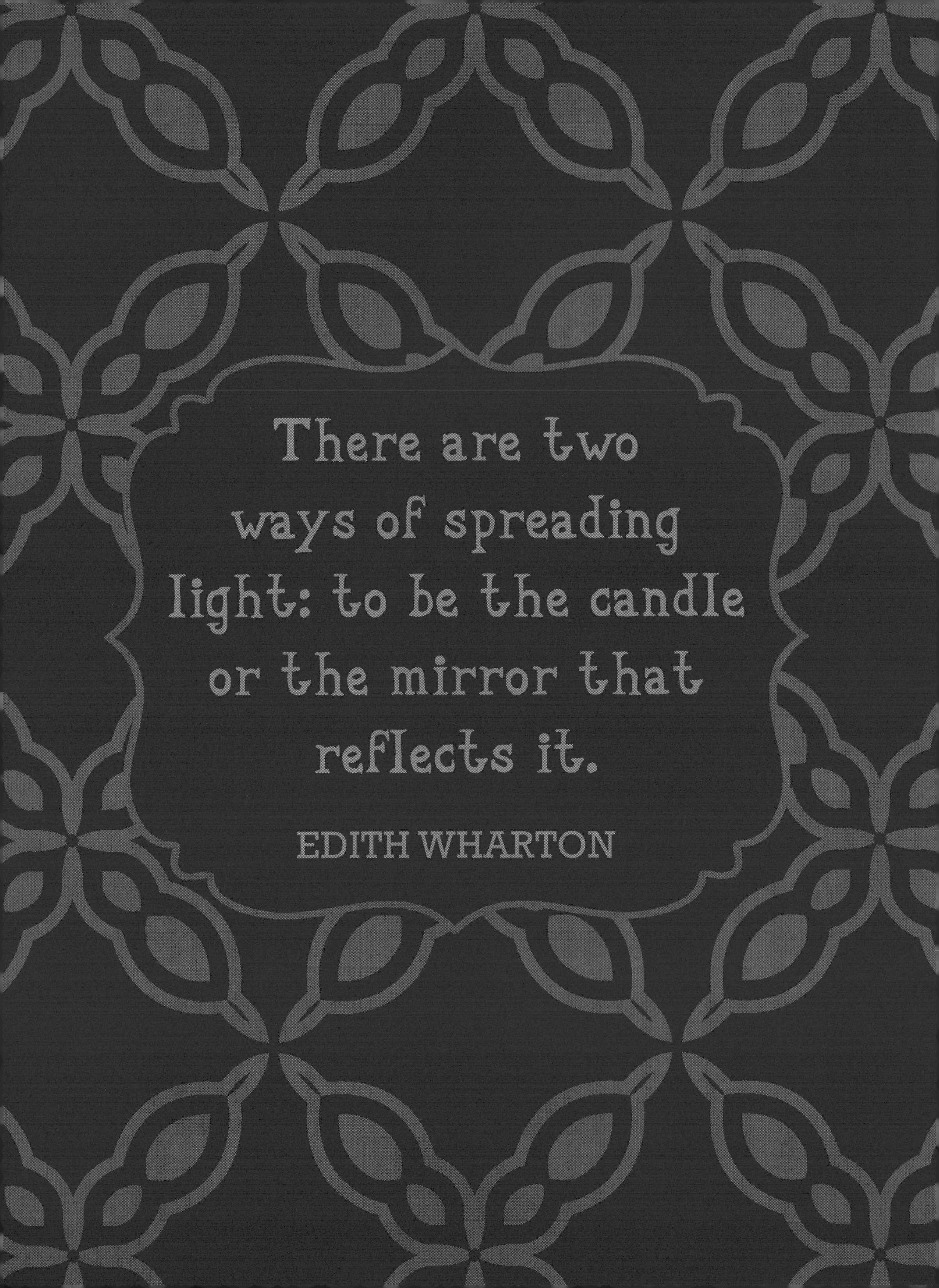
There are two
ways of spreading
light: to be the candle
or the mirror that
reflects it.
EDITH WHARTON

P L R Z L S K X C G M W C V L G Z U V T J B I D Y
A O O U P I Y D X O D P E H T X Y B Z O M O M E V
C A D I M R C E J E J Y G A A U A W X O T R E E I
B Y F C E N Y N R E K S A F H N J K W T M Q H P I
W I J W K U A T E K D E I V W R N Z V H T O L H A
Z U Q B X F B T S P X Y R U F H F E D R A W E R O
X N Q M T D D Z N S I J R C V T E Q L B U L Z W J
F O Y V T I O M R Z E T A V F Y F E P Q X A K N I
N O I T A V R E S B O N C T H I N G L R Q N O M E
R K R B X T D C G C L J R E E H D Z N E X P E Z Q
E L Z W R H V X U L O B I E N U J O U G I U Y M R
T A S A A Y P A I M W N M M D N M J X N E Y V E Z
R K I G V N H U N O Z A E P K L A B D G G R T S O
O L C I U B Q J R R Z F C R O M I C O X E G V A Y
P D L O U C T S X D N H Y O V A M W S N A D D V K
Y A O O D U W A J Z E Q Y D B A M O T C L W W W G
H C A L X H R X N E T L G U I B O R B X S W D V H
M W U E E X R N S R O M V C P G A U J B S E B Y L
P M L O V T J E B F O E O E I P G B J B B K A T I
A O D Z X T Z S E Y R M A D U B C L I L N W H T A
H N O R A N G E S G N O S W J T W P H B S V P H U
P K Y A Q J S Y M F H Y J F V H T X G Q A K E T F
O W K G P N Q K W S E U C G D I N F A X O B T U S
Q H P Y I F D R N W U Y C J Y D V H D V H R U A J
H V E H N Q M L I O L F E G Y H K I U V C T B C I

CARRIAGE	CHANNEL	CHEESE	DOCK
HOLE	JAM	OBSERVATION	OIL
ORANGES	PARTNER	PENCIL	PORTER
PRODUCE	QUILL	REWARD	ROOT
SEAT	SONGS	THING	TOOTH
TRAIL	TREE	TUB	WHEEL
WILDERNESS			

The bird is powered by its own life and by its motivation.

A. P. J. ABDUL KALAM

G O H T A L E F U K M R J E G N D K R A T C B W D
S G N I R N O S B D U K K C J P W E N L A M I N A
X E T R V W J J E M X A B N P H D O I M R J U N J
T A W O L O Y Q M E W U A I W R K M W I X Q T G L
H H U B O K O I K Q H F L U O W P R A T A C O T L
T A K N Q T L F D A U C V Q O U G X T C O W J S O
X W X C D X H S H D P A L S L V M O C S O A P T T
S H K T D T W A Z U K S C S B C P W H R N Q S Y E
F C A P F V G V T R Q J E O I P A C H C H E B H V
P I M M W X Q S R K S W B N M K G X V D T A E Q A
R J S E I J C Z C W Q P U I Q Q Y L Y C S P D R N
T G C N M G U N J D G A E M T Z I K C C S A F C U
A V P V O K M M X Y O K F O R I I S Z Q S C P T F
D P V Y Y B X O Z U K W G R P T E G V A P Z A H Q
M A W B X V K V P B G C N X A T G Q F J I I K R Z
N V S I J U J U C U E I Y T B C D P K I D V Z A L
N J G K E Y R Y P N T S R K O W E W F Y E W E N Q
T R A I N V X G H P I K N T H W H E O A R J N T P
G M E C V V R T O T P I K M S F N R G L S V J S M
Z D J A F V T E H H K V R Q H Y N A R J B G F C Z
V G L T Z H U U N C L A G P P X R C D S J N B A D
H U D L F H S G O I M R J T W S W Q I H H D O U B
E U M H D Z V Z L I L I W B O N C F T G K A D T P
W M T H P B U B Q X Q O O F P L A Y G R O U N D E
Q Z X P R P G D J Z F I Y S R A C V Z M L V S F R

ANIMAL	ANTS	BLOW	CARE
CARS	CHEESE	COW	DOWNTOWN
EDGE	FOWL	IMPULSE	NERVE
NOTE	ORDER	PLAYGROUND	QUINCE
RINGS	SOAP	SPIDERS	TENT
TEST	TOOTH	TRAIN	VALUE
WATCH			

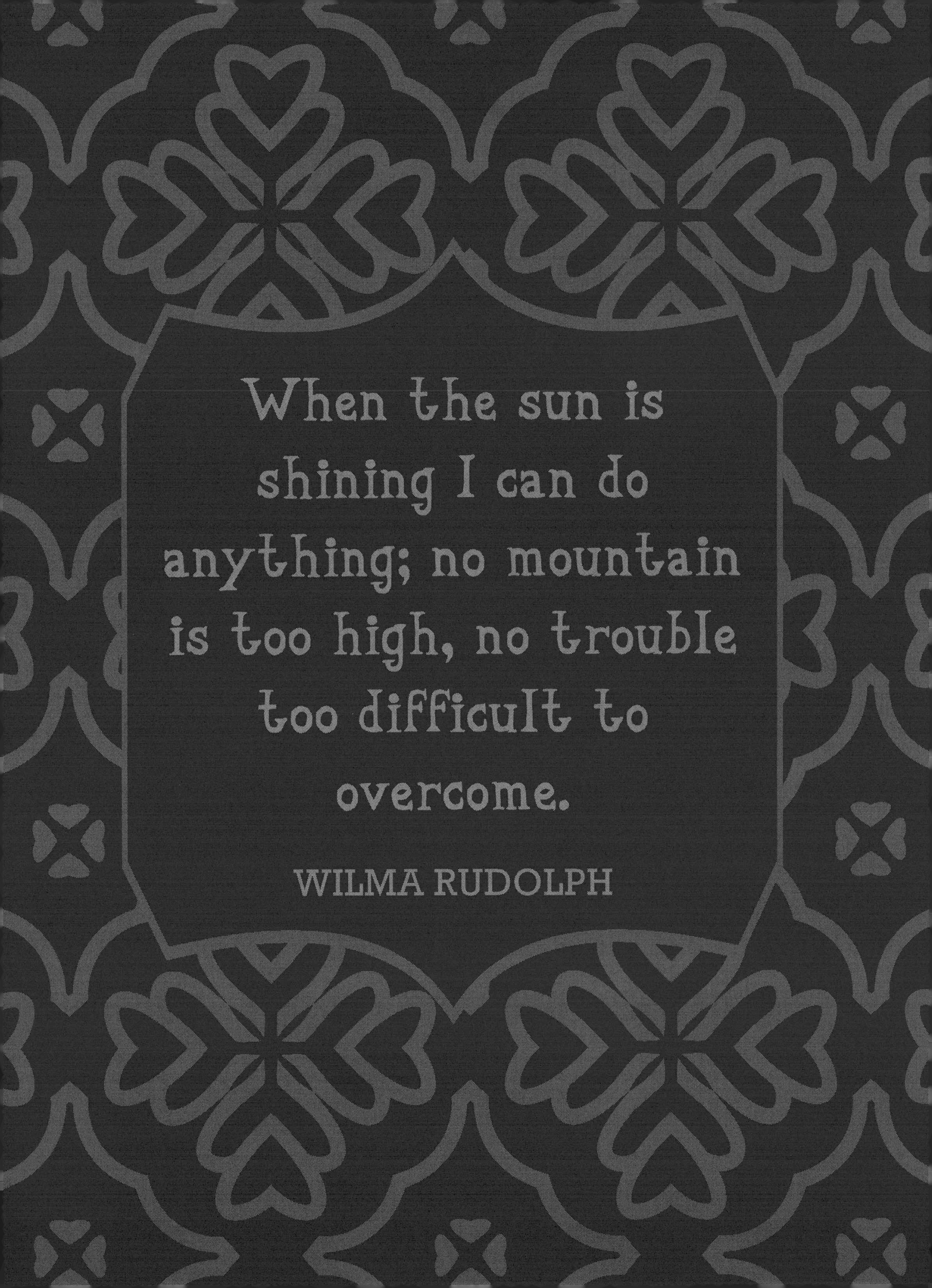
When the sun is shining I can do anything; no mountain is too high, no trouble too difficult to overcome.
WILMA RUDOLPH

K V M V E I A L A C D W I I P S N T L H S X E D T
K N U J V X G B H A N U P H L B U W A H W M Q R C
C B U P O G J E J I T C S A X B X L N K I Z G E H
V E W E L J S W O M O P T A Q I L U I R V U S S Y
Y T M E C S U X U N T K E X Z V B E C U N Q O S N
F D D E P U C S K T E S O R P A T W E U W U O R M
G A L Q T B D K O N W W Q H U R N S Y Q Y S O Z N
W D O R E E W O R B R P I O X G E H O S P I T A L
P O G N L I R E R L X T G J G L M F V K W Q P V G
L P L E U R T Y S P N T Z M M E N A W O F M P P R
P Y N G F N N U O E G C O L W H R R X K X F K L D
U C C E E D E Z P Z R P U O M V E G I L L R C B N
K B A P R P M W B G L O O K L R V U H D J A E L U
J W R K Q X P S W E L U D Z I G O M K Q I H T R O
B A Z Q E Z V U T D B I U N X D G E U J A Z E T S
C J N D L E A T K P V F J A Z S L N G V F P I P O
T M A G I C P M V K K K Y Y R Z P T I E O Q T S L
S E O T A M O T C A T K J O T A W O B L N A W H M
R A W U V X E U H L Y T J W Q Y R W Y W I D F Y L
R Y T D M I D O G O F J D R L U J J P A V M V S P
X R B A H S L I P C T P R U D D I D M B M A I J I
J Y Q H G C H N M K A A C U I P A L D Z T L H M L
X Q O F B G S X O G M S F J K I G T L W J E C P B
N X W I Y E P V U C Z M M E H E T P T T K V X D Z
H D U H R I N I A A I K N Q Q N E V U B Y O Q P D

ARGUMENT	BEHAVIOR	CAKE	CARPENTER
CEMETERY	CHESS	CRIME	DAD
DRESS	DUCK	GOVERNMENT	HALL
HOSPITAL	LOCK	LOVE	LOW
MAGIC	PRODUCE	PROSE	QUILL
SLIP	SOUND	TALK	TOMATOES
WAR			

Let your life lightly dance on the edges of Time like dew on the tip of a leaf.

RABINDRANATH TAGORE

E T X V G G P R M Y N D I T S P A R M Y F I F D A
A W Z Y Z G N W Z D R C K O N O R C I T N Y U G D
N O I T I T E P M O C T O N A R B K O C H X T S B
C C A F Q P P O R T S Y S K I T R L D I V X F Z K
X K F N N L K T O Q U S R U L E P N U E E P K J Z
W I R E G Y P I C T U R E Z D R R P A T M F N M O
D C Q E O E I H V A Z X K A E N H Q U A Q G U O U
M M P U E C I M N V A P C Y J P I B R J I O R M I
W E V Q X Q T S R G I C I B V E H T Y D C Z T C K
R B G X N O Y O P P I A C K N C B Y K D I Q D P D
S N A O R J R H P M F Y V J O H M O R C M Z H T G
O W A P F F N V R T M A N E I O J K F E Q A Y J I
O P U V T A R H E M U V P J H Y Z H C R P V U T P
N B R U L L B R D F J Z L D S B Z T T V A R N O U
V A S W E M T L S N C Q K S U C M G G E E M W P V
E T X N W H D I U N S L V Q C C X Y P K D E E T P
G H W S O S P Q V P V Q A A S T B A A A R I G Y Y
Z F N U S Y A D V B X I F M F L R C I S T P S C C
R H G J I E W J H E W D R A K L N Q W T Z K H L T
D H R X W K C I X K Q L L E E A M P H M S E U I U
T D N A L S I E X A M F I T P G Y Z N J E W W H R
C Z S N I Z Y N R V O E A B Y G N L I S Q V J E K
R L F U O B V R U B A P U X C W V T E B W Q D W V
S C E N E P Q J S D X C D E Z N C A U M H J W X H
V K T L H N H L U T K V T X K Z B W Z F X C I E I

AFTERTHOUGHT	BATH	CHEESE	CLAM
COMPETITION	CUSHION	FRAME	INDUSTRY
ISLAND	KNOT	MICE	PANCAKE
PICTURE	PLOT	PORTER	POWER
QUEEN	RECESS	SCENE	SIDE
SNAIL	TRAMP	TUB	WIRE
ZEPHYR			

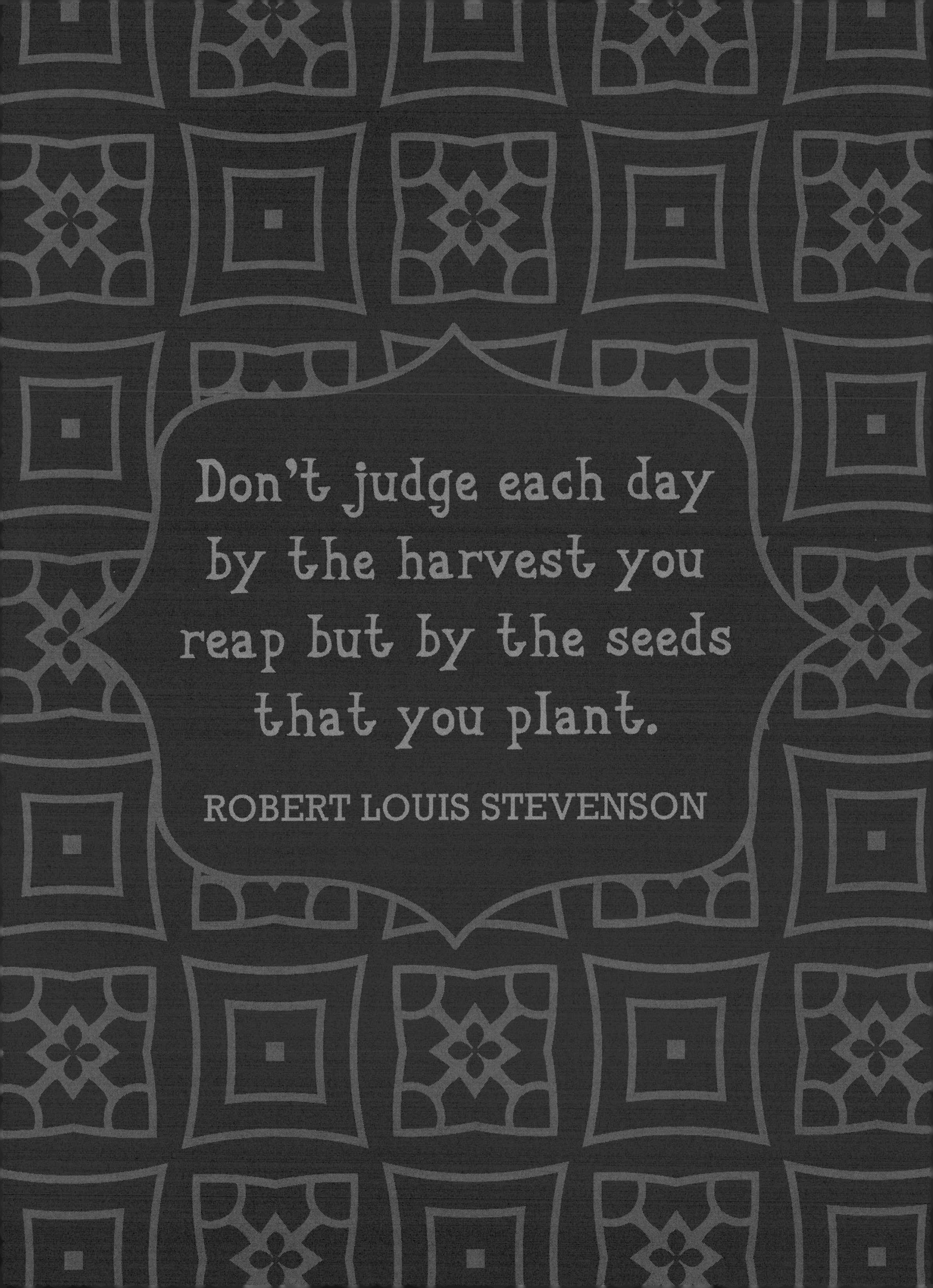
Don't judge each day
by the harvest you
reap but by the seeds
that you plant.
ROBERT LOUIS STEVENSON

```
S E R E S K Y Z T T T G Q H X R Y D N S I R F P O
P C J F Q C L Z E F E O U A P C G N R L K E X X K
S W W M C I D K C R E T I R D C U K Y G A W I B E
E G N O P S C C H A L I Y L Y O H R K R R A N T Q
M B O G Y O B T H M S B B G R G L I T A X R P Q Q
X C F C L I Q N R E E P M P H X Z L F A L D U N B
T L O C G V R I Y V L V I G A Y M J S Y I H C R A
N Z O A U C E I L I H B O N G M G R I Z B N O H S
C Y R C C Q O N R P R Z B U N O E V K I Y S O S T
P W X V R H F N E H S I G P H K V B V I S N B Y J
L N A M O W A A D F V N D Y K R J M Q U S L W Z T
V M F I Q S R P W Y K K S Z B R X S W E R B N H P
J B H X X G G P G J D S U C S T T M F W A I Z A O
I S L A N D T L Y P I D R K Q D F U D G A E Q V V
T G J O Y V C D C Y U K G U O X P X Q T H V E V Y
S K Z C N H O U I M G C P R Q J A I N M Q L V T R
F R S P A R K T C L M M L U Q M O U T G B S U A N
G O O P N M L E P Q A C I G O V O H L W R W U Y I
M L F T W E N K W T C N I S I M M U O L Q M M V E
V Q O F C W J C S P C S H T T V G H X S P O P L G
F Z U O A A V O Q E H H Y A U Q C H T H C R M J Y
B W W U H S O P Y E V S S Q D D L R M C A S H B C
X R Y X G C I B P Q I T U H Z G O T S Z R P J O J
R K D E J H S V D P E P F S I D E W A L K J A O D
I B E C F H X Z Y G R W U O T A N Y Z N L B I T L
```

ACTOR	ARCH	BIT	BOOT
COACH	CUP	CURTAIN	DOLLS
FEAR	FRAME	ISLAND	LOCKET
MOUNTAIN	POCKET	QUINCE	REWARD
ROD	SCHOOL	SIDEWALK	SLEET
SPARK	SPONGE	STAMP	TASTE
WOMAN			

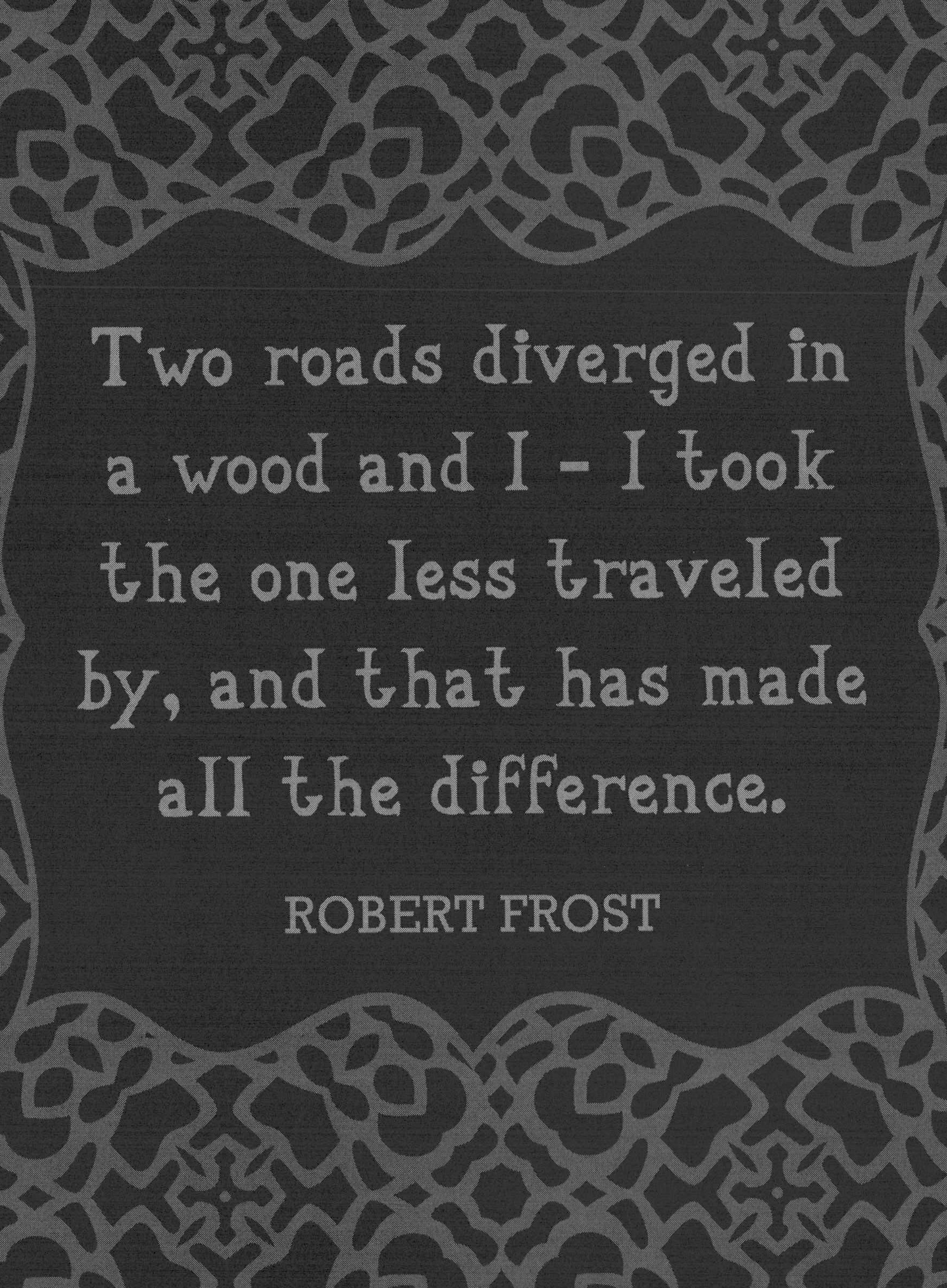
Two roads diverged in
a wood and I - I took
the one less traveled
by, and that has made
all the difference.
ROBERT FROST

```
T U L K P U D R O P Z U W A O J I H Z Q A V N R J
W S O N B M H F O P Q Q A Y M S S E Q J M E Z D T
W W D E O E I K Q V X N E S X C T U B M L U B W G
D I S T A N C E N Q E P C P I N O I T P A C E N Y
T H G P H Q L O B O H P L E M Z E O U R S G G G L
C S J A B Q Q P H D A A N H C N U L G O I K N E W
B K E T W I G O S I C C U I F N I R U T O G A L A
Y O G U H G R Z F E E J U M M I O P H V F N R S W
G U O X Q X V Q E U I X K B B Z Z N F E N I L B A
Z A W Y Y E Q U H X T T W E E M C E E O P T P P P
C M N N X T R H T V H B O H P G K D I E H E L T P
H U H Q Y O P B M B O M P A Z M I S C J V E J P R
B M R P F C P C N I P B O J K N S N E G B M I V O
M S L V K E X A B J N T O P N U D G N L Q H F V V
J B S N E A V G O X O E M B C T R A D E W V B H A
E Y Y Y Z N F E C C I H F S I M U A Q P R O V O L
C W B T M U J F D O T R I K M F Y Z C U J M T R N
G B W C C C C G W Y C D E I S O N O R C J K P N F
Y I Z N T A U E H J U A Y S E E M I K A C O M M C
Q D C X R H I R J X R V B H O D J E F E X A R L B
T Y U S T R K O H Z T W J R E R I F V V L Z Q M K
E I W C Y Y S P M L S E P N K H P P Y G P I R G C
P R P Y Y K P R C N E A I L P J P Y Q D D H W V F
M Z Q Q D R U P I I D P E P U Q W F W Z N R N Y D
O S Y N L I S Q D J O O I J C L G E E Y T W X U M
```

ACT	APPROVAL	BEGINNER	CAPTION
CURVE	DESTRUCTION	DISCUSSION	DISTANCE
DROP	FIRE	HORN	LUNCH
MEETING	OCEAN	PET	PLACE
PROSE	RANGE	REQUEST	RHYTHM
SCIENCE	SOUP	TRADE	WHIP
YOKE			

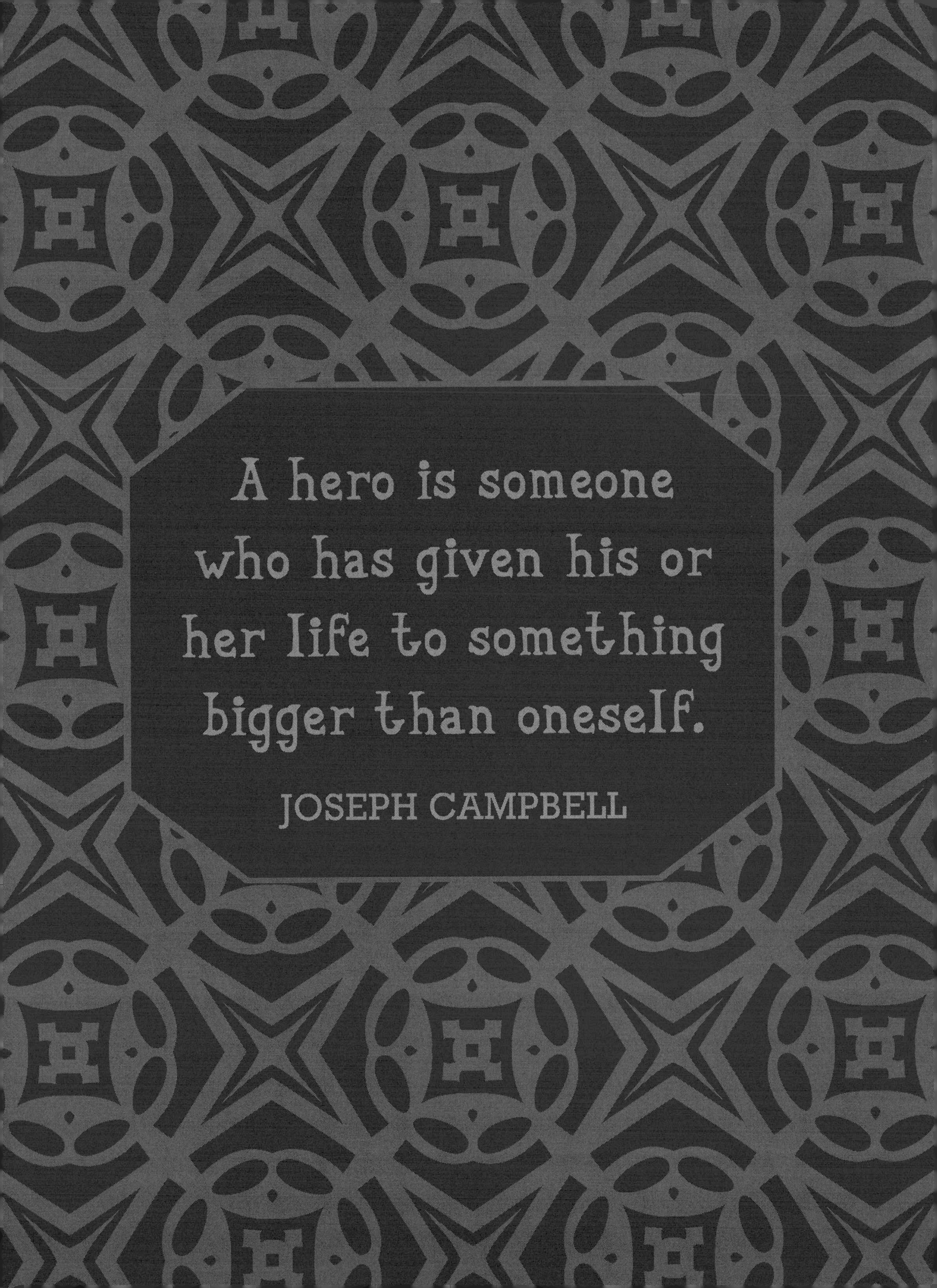
A hero is someone who has given his or her life to something bigger than oneself.
JOSEPH CAMPBELL

K V M Q C C J D C P M J B Z E O M X H A L N S R F
Y T B D M A J U Q H J D Y R L T G T D S E T E J Y
K M N A K T J B I U J S I J X Q K J M K S S K U U
W P R T P V V V A O O W V R S X U T Z O P S O D A
L W S O I S O H V U B B W U U S K D T E D I Y T A
D A I F T X C F I M P D Q P T O S C C N E V O Y A
P U D I B S I Y W E K S P M A S L T O V Y X P R A
Z J B C O M N D W N A J E L R W A U Q S G R N P K
P G H R P X T I F F Q N A F A B X B T N O S N T H
N Z Y C I X Q X A D T V D X P F W O I S E E Z T M
A P Q V N E O O U R N K U C P E V W E F S L Y D O
V X W Q A E O S E A K C J R A E S X I R L Z F V E
Q E N N O T R S F O J V Q J X L R S P E I O V H E
J T P L B I I W A P L A U Y B I Y B L H D G C T X
T Z X O Y R L V K U W W N E B N N R V Y H M J K N
X V V N P X J E A N S H N K T G N P E O A G W B P
F L J R Z M N T E A V J W R P P Y Z C R L C B Q B
C B U E J T P J J F D F Z U F Z O K T F A C J S C
M S U Z Q A B O Y H C M L T E H Q H A N V P A C X
Y N O M R A H I P U B L V O G L O E S T T L O N M
Y Z V A F O E E O J T S V Q D I M W A V E M O K O
A M B U N D A L H A Y H W L E J S R E G C L I Q U
G O A L D Q V D Y V U A Z K S R A M F P F I X Y I
T N E M U R T S N I N D B N P I C T U R E O F B N
U B A J G W Q T N W D E Z H P C U V N D K N Y J E

ADJUSTMENT	APPARATUS	CAN	CAT
EDGE	FEELING	FLOCK	HARMONY
INSTRUMENT	JEANS	OVEN	PEN
PICTURE	PROSE	RAINSTORM	RESPECT
SHADE	SOCK	SODA	SURPRISE
SWING	TURKEY	VOLCANO	WIRE
WRENCH			

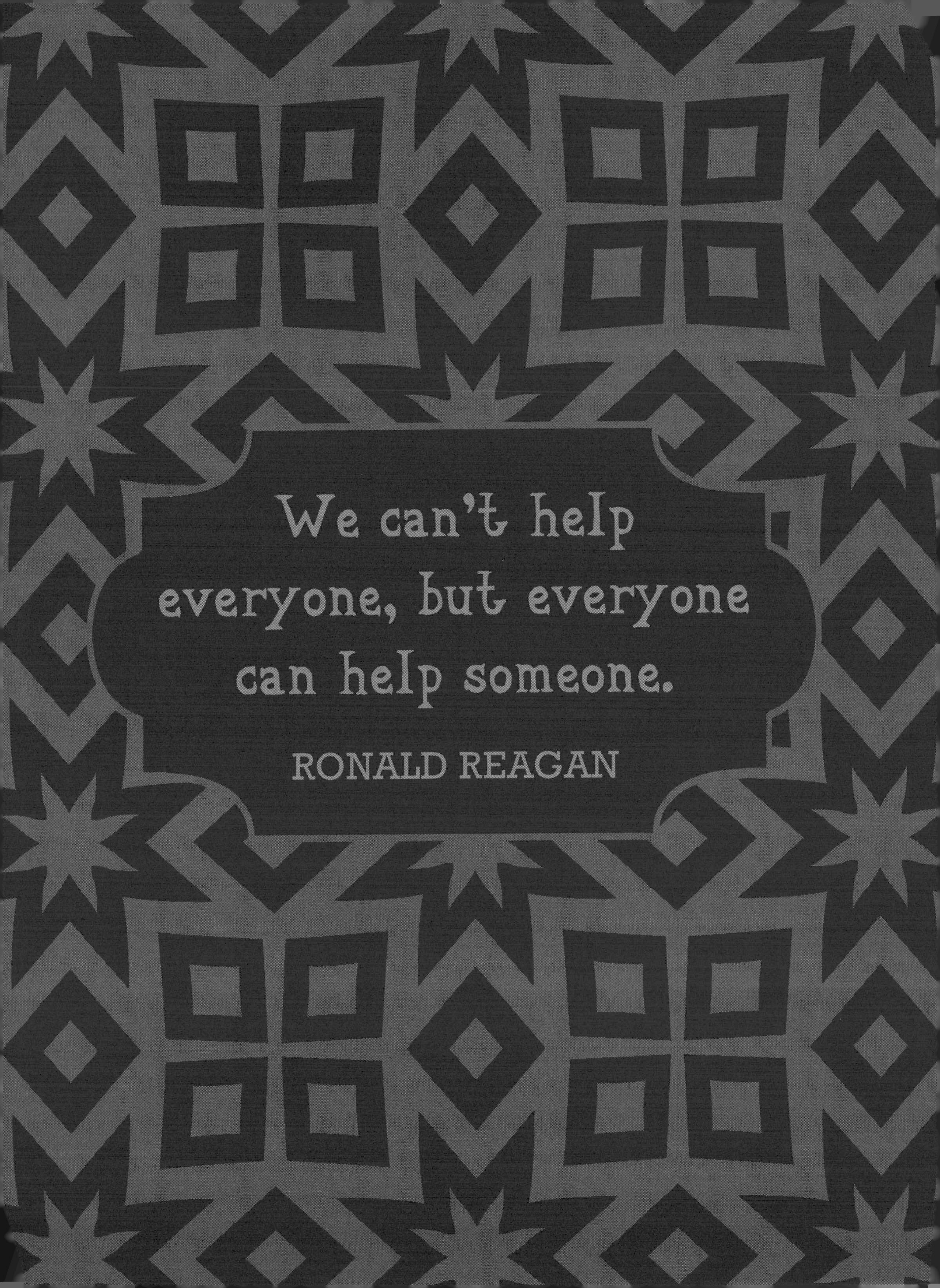
We can't help
everyone, but everyone
can help someone.
RONALD REAGAN

L	A	H	B	E	Q	T	F	H	M	W	T	C	Z	S	O	I	D	A	E	O	L	H	F	E
F	P	U	C	V	R	D	F	X	J	X	R	A	G	J	R	E	A	H	I	X	O	U	G	V
Q	K	K	S	A	J	I	P	I	X	Q	A	N	Z	O	L	N	I	Z	D	W	O	E	B	I
I	V	V	P	Q	N	X	U	N	Q	L	I	U	S	M	C	O	J	Y	Q	G	H	S	V	J
D	A	H	I	L	S	S	Z	A	T	H	N	D	W	Q	D	E	T	F	B	V	C	Q	K	E
I	N	O	I	H	S	U	C	E	T	B	S	U	E	O	U	Z	A	W	I	Y	S	Q	U	M
E	G	F	T	D	K	B	X	C	Q	L	U	Y	H	Q	O	J	Z	U	N	H	X	F	D	F
C	Y	E	N	Y	F	T	C	O	V	H	U	S	S	H	Z	N	K	S	S	L	J	K	F	S
G	M	J	R	S	U	Q	C	H	M	R	X	E	H	E	K	T	Q	O	T	D	D	J	X	I
U	V	H	C	R	I	M	E	M	P	A	T	F	O	E	E	R	M	M	J	B	E	J	R	Q
I	B	C	E	L	W	B	H	P	E	A	Z	D	E	K	S	X	A	K	S	E	D	B	L	G
D	J	O	W	Z	D	O	G	K	V	V	H	W	C	O	S	X	E	P	Y	B	U	Y	O	L
E	Z	N	M	X	G	U	E	G	W	Y	N	F	E	L	Z	J	C	W	S	P	C	M	H	V
I	P	V	K	S	Z	T	C	I	Q	N	D	N	W	Q	Z	A	A	P	Z	K	Z	M	E	V
F	O	U	L	C	B	J	U	K	S	V	A	J	L	Q	C	B	S	Z	T	D	V	F	R	T
W	D	R	O	P	A	H	A	J	S	M	E	K	A	X	R	B	P	Y	C	H	P	C	K	O
M	Q	Q	N	X	T	T	L	C	N	E	H	U	T	I	F	K	Y	T	B	G	R	E	E	O
K	M	H	W	R	F	K	T	S	Q	A	A	N	F	X	L	I	H	L	P	Y	V	J	B	Y
S	M	P	C	J	P	I	X	A	U	L	V	L	J	G	C	R	S	A	K	A	B	L	U	H
H	H	R	K	Y	P	J	A	T	G	L	V	N	D	S	I	H	R	I	L	H	M	M	C	A
P	S	V	O	B	N	M	A	U	S	I	N	I	N	L	Y	T	V	S	E	Z	C	F	U	E
T	W	J	B	K	F	X	K	U	W	C	J	N	L	A	Y	W	T	I	X	H	I	K	K	A
T	M	N	Z	E	O	N	N	J	Y	X	A	Y	G	A	T	X	C	K	Y	K	Q	Z	C	S
N	X	P	P	G	G	M	P	K	S	E	K	A	C	J	O	D	N	Z	U	G	A	I	T	Z
I	H	N	V	J	J	U	R	I	L	D	N	N	T	F	L	I	G	H	T	O	B	R	Q	N

ATTACK	BEDS	BUSHES	CAKES
CRIME	CUSHION	DESK	DROP
DUCKS	FLIGHT	GUIDE	HEAD
JAIL	MEAL	OCEAN	PART
PARTY	SCHOOL	SLAVE	SPARK
TAX	TEXTURE	THINGS	THRILL
TRAINS			

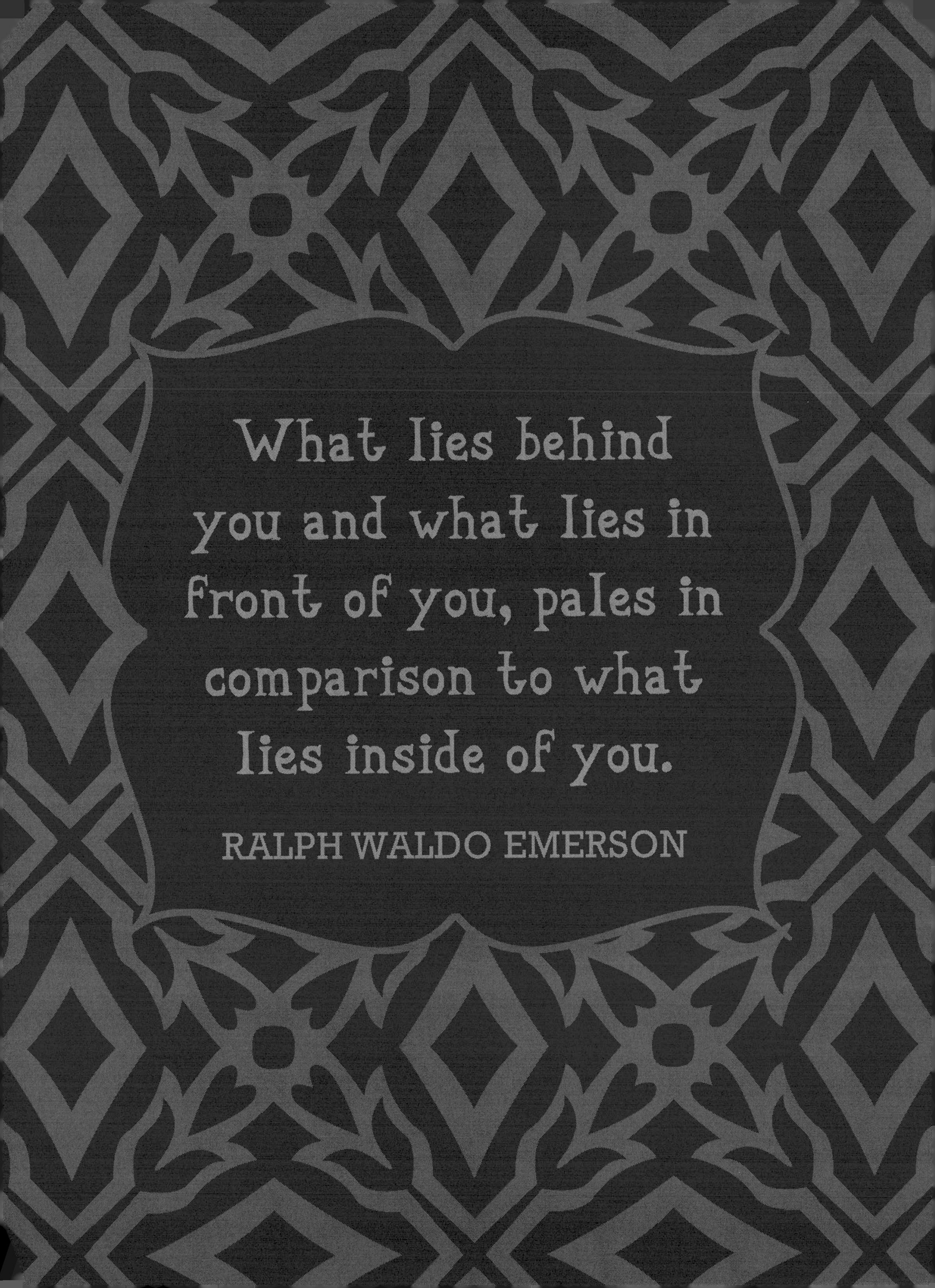
What lies behind
you and what lies in
front of you, pales in
comparison to what
lies inside of you.
RALPH WALDO EMERSON

S I E R Q X N B Q A D S P T K S Y T N A H S S N D
Q S R W R N S A A Q W O F F R A U O W I J X T Z Q
H X E W S G T Q S S O D V J F V C U H F P S R T K
R Y O H H Y D Z L N E K H I F N Z C Y I M M E S M
V O E V C T N X I H A B R H B A V H J U A T T F L
R D V R Q P F X W S W E A J G C D V A B X J C C F
P D O A O E K T D K M K B L L B Z C M V T E H J A
O E O B L V N M L A K V U K L M C P L H M G M U B
A L H N X F F U N V P L P H E F R T G I Q B H H V
G L I P I E M C O M P A R I S O N U R G H U E F K
Y O E E X A W B N W Q H S V N P O C I W Y T R D R
G W G G P R U C Z A M E D V U H M J N X V M G U S
T A N K E L V H S I P N H W T X Q K X I U U S I S
H J Z C B A R B X Q A G Y R O O Z T H I P D J H G
Y C X R G T P M E L L D E P Y B E G R M K L Q G L
M M A D N E A M S Q B T C S Z M O I D M M C H O U
S S D D R M X I E Q F S O W Z I L W A K V B T P J
S N L K L I U C F A E G O J D W Q P J X U O Q E D
R B P Y E Z D S A A U A K A H M D B E Z I O R B W
Z U U N Q E S D T V S X D V S M S G C V P I R T O
O E E T U N I M L Z C W Q S X X I H M M Z H T A K
E W N R K B P X R E U A V K K H C N O N M M M N N
P X H G K R Q L N L Z T U N Q K E F B B T D O U C
T H R I L L B G J K V C C Y J G J H M X U F G Y Q
T N O R F U F H J N I C L Y S Q I G B W Z O V W G

AFTERTHOUGHT	BASEBALL	BEDS	BOX
BRASS	CANVAS	CHESS	COMPARISON
COOK	CRIME	DAD	FIREMAN
FLAVOR	FRONT	ISLAND	METAL
MINUTE	PIN	RIDDLE	SEAT
STRETCH	TANK	THRILL	TOUCH
TRIP			

You must do the
things you think
you cannot do.
ELEANOR ROOSEVELT

O	G	B	X	I	T	S	O	B	F	S	X	V	O	F	S	C	P	I	U	A	X	K	T	U
B	G	N	W	V	B	H	X	R	Z	J	B	M	Y	S	E	N	R	P	E	E	V	C	A	T
X	O	T	I	J	Z	E	W	O	A	W	V	S	H	N	A	W	W	D	B	G	M	Z	F	U
H	F	X	E	V	B	L	G	Q	P	N	J	K	Y	A	S	H	U	N	Y	O	T	D	S	D
Z	Z	Q	C	H	I	F	U	A	E	V	G	B	U	R	H	J	W	M	U	N	C	Z	J	M
S	C	R	W	Y	G	R	G	O	E	F	C	E	O	Y	O	U	E	N	F	R	T	U	V	L
Z	Z	U	D	K	P	E	D	L	W	O	K	U	V	K	R	T	T	W	S	L	O	V	C	Q
L	S	C	V	C	F	N	I	T	I	A	U	K	U	G	E	A	N	G	Q	L	T	P	H	N
V	A	L	U	E	U	L	F	D	Z	M	V	R	L	N	I	T	F	I	A	R	R	M	E	R
S	G	S	H	D	J	L	F	J	I	J	I	A	U	N	X	V	T	E	O	O	J	I	E	T
C	O	M	P	E	T	I	T	I	O	N	S	T	N	O	R	F	M	G	L	P	B	C	S	U
C	A	T	R	H	L	J	C	L	B	S	O	Q	J	O	H	T	X	P	C	R	B	E	E	W
C	L	I	L	O	J	E	X	G	D	Q	K	S	I	K	A	K	P	W	W	A	S	W	P	C
K	W	D	L	B	H	F	N	V	O	A	P	E	A	O	V	M	V	Y	O	E	S	C	K	M
B	S	W	U	R	B	J	B	Q	P	U	C	Z	J	U	D	K	F	O	E	B	D	P	Y	U
U	M	W	P	N	W	O	T	N	W	O	D	K	Z	Y	R	V	T	G	M	T	I	G	Z	Q
M	F	A	W	Y	W	X	T	Q	D	W	S	G	X	W	A	S	N	T	T	R	M	B	L	R
Z	J	P	M	N	C	Q	F	O	B	G	Y	S	W	K	E	I	P	U	O	I	W	E	T	W
O	E	O	A	A	K	A	E	F	H	H	T	N	N	L	Z	R	L	S	K	K	C	M	D	V
A	H	B	H	P	F	T	B	R	Z	H	A	M	T	Q	F	I	E	D	T	S	T	W	C	T
F	H	S	U	M	P	M	A	C	X	K	E	I	Z	E	Z	T	H	V	U	H	W	P	D	L
E	T	Q	K	O	H	S	H	C	I	M	I	C	R	E	A	T	O	R	B	K	M	W	Z	L
K	E	A	P	C	K	C	W	R	P	N	R	X	U	N	O	C	G	G	W	Q	G	O	J	H
F	K	B	T	M	Y	Q	T	K	N	B	J	K	E	G	L	M	G	J	K	Y	F	Z	H	F
W	U	Y	H	S	H	Q	Z	P	Y	T	R	S	M	V	H	L	P	V	P	B	O	Q	J	G

CAMP	CAT	CHEESE	COMPANY
COMPETITION	CREATOR	DINOSAURS	DOWNTOWN
DRIVING	FRONT	GEESE	GLASS
HOUR	LIMIT	MOUNTAIN	OATMEAL
ORANGE	PAGE	POINT	PULL
SEASHORE	SHELF	SKIRT	VALUE
WIRE			

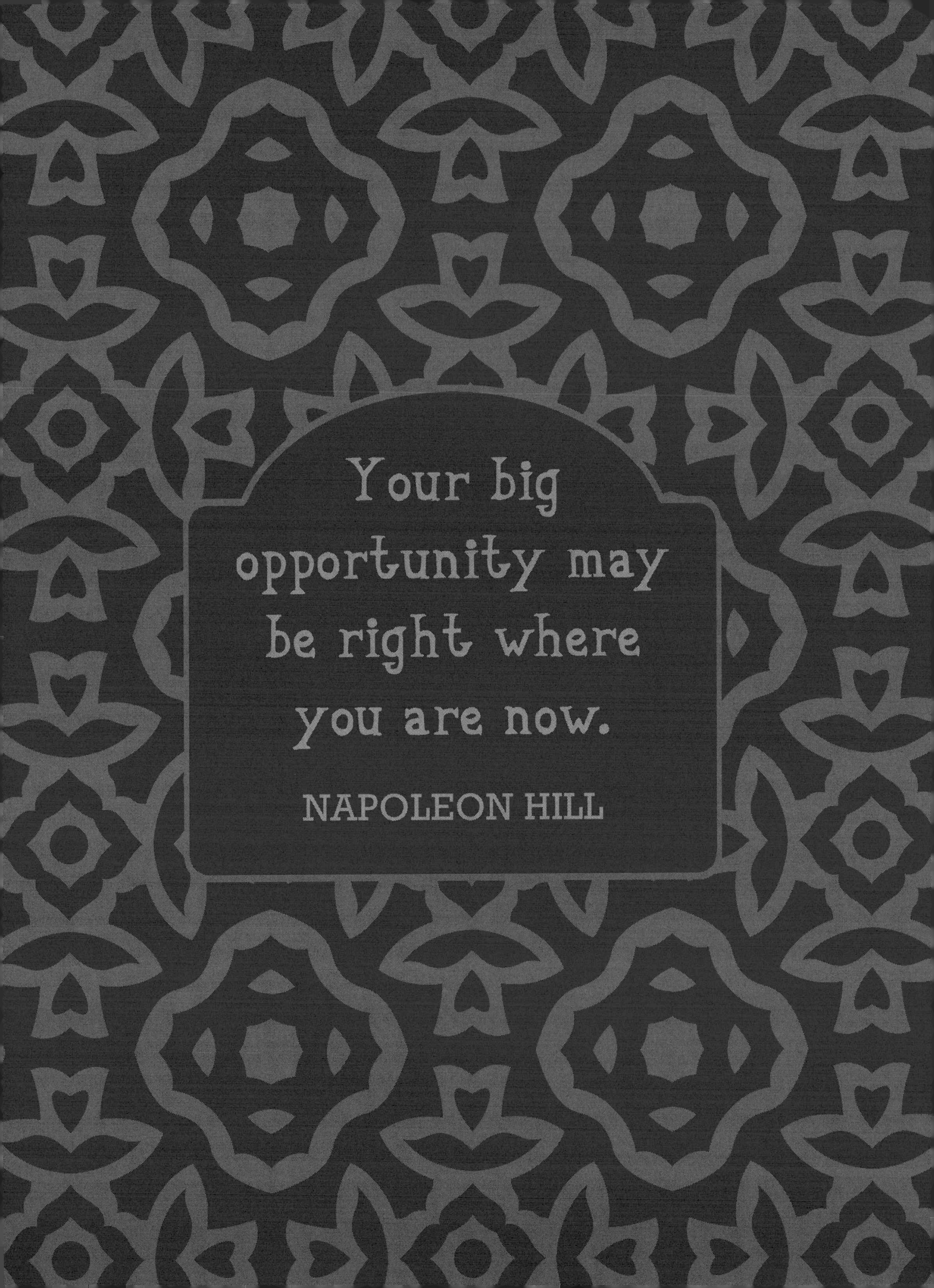
Your big opportunity may be right where you are now.
NAPOLEON HILL

L V I N X G O U T H C G J E P T U F W W N W A P Q
D L B C P Z A P I K N D R U E A M I V U O N E S T
E O A V I Y R Z E Y Z U O Z M J M C Y M I T J J C
B H L B I F A U U A T D Y X E I H R E B T H O N H
G A N L Y K T G O I R H V O K I B Y L R C F H N A
T Z M C S E Y Q N G A Y T C C G N E X E A U E K O
S U U G H T L R W D U N E K B V Y M N L R W A T F
I A X O N E U L P F Q W E S H G I S M L T K A O M
Z Y P Z X F A Y O I F N T C W N B R Z A T W E C Q
M E P B M U I R J V S E H M P R E U D B A I Q X D
A A R S J F Z E W V B P U V F Z N D T Z S K Y X X
C F A Y B I Z J Z G S D H O F O M Z C F L H I Z R
N I D U T H R A O K O O B L U M Z T D Q O C E V W
V X F P G U F N W M B T F E Q Y Y G X Z T R P X D
I N T E R E S T W O K U R Z P W R Q E Y L Q K N J
F G I G T S T N M T R I C K B R V M E S E E H C Q
E R A R I X Y I M K U V A V O Q D O M E M I Q L L
A H A K O P N S K X I E P X Z P L O L K Q Y J P K
R I W F O H B F C E P A Q C S V D Z W B B T I H T
N E W T K X R U B V M D Z B F C Z L Q N T O O R Z
J S K H X N V E I T U X B W R C A B I E T E F V Z
X X O I S D Y H G B P T J K Z M P G X L S O Y Y A
X Q K I B L Y S Y N G X C G I X D Y H K J K W O S
C I R Z O I U S X H I H E N Q X F J K Q F Z W N U
L N X Z E Y E R W N Q F A F T O Q W C A C E F T Y

ANIMAL	ATTRACTION	BIKE	BOOK
CHEESE	CHICKENS	DOLLS	DOWNTOWN
FEAR	FINGER	FORK	FURNITURE
HOPE	INTEREST	KISS	NEST
PUMP	QUARTZ	ROOT	SPY
TEETH	TRAIN	TRICK	UMBRELLA
VOLLEYBALL			

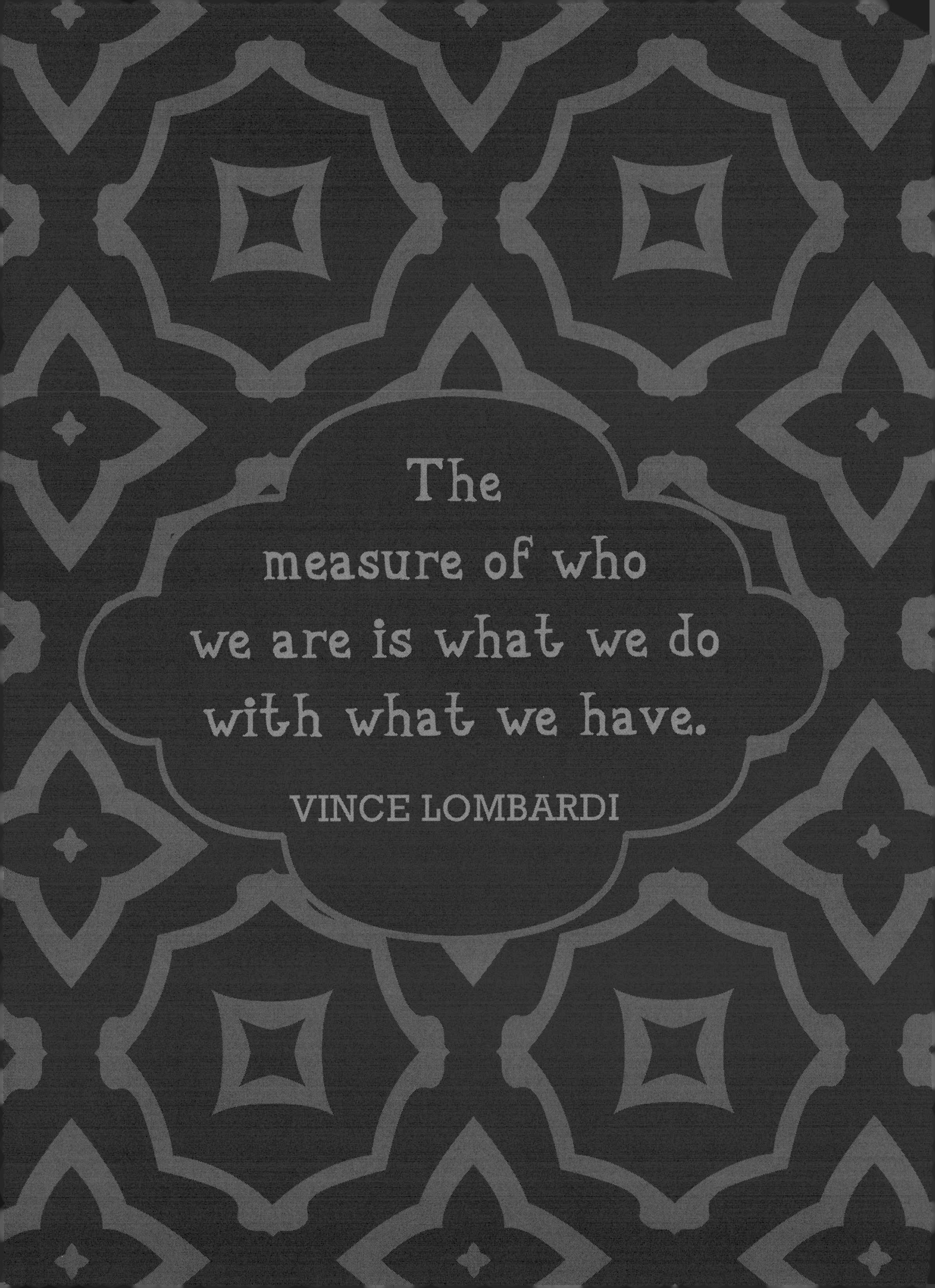
The
measure of who
we are is what we do
with what we have.
VINCE LOMBARDI

G D E A T H K S L N I U P U E N K W U R W P T X H
L N B L R H Y T H M K A Y M R C U N K W K U T U G
R T I S T T H I O L I D F O O Z L Q K K B E V F X
F H O D Y F H V O L G S O S C D N B W S S H O E W
A X Q B A U B T I A Y L T H C E K O A I E H B K C
S Z I R G E S I L E F Q P C B T W A H D I U H P W
M Q S Q H A R N I M Q Y I R U Z D Y G G P T Y Z A
P G Y Y T J B M V T I P Z N S R H K T M H F B U Y
A R V K Y C H T T A K T N E M T A E R T S K O O B
M G L G P H O M L O M B T H A J O D C M H X Z P X
F V Y L G F Q A V Q A D Y I G Z F I X F Z W E Z F
W A X E X R W T D N J P Q X A S F C R C H P M D H
Q O M M M Y X A U K I H L I L R Q M D I E Q Q J Z
U X O K T G V W O O Y P C O P G T U A D X C E N O
G B K R T X U X I V H E H X C M Q B H H L B B S A
G X V S T D J U I B L E U Z U W C C L F P K H N D
N D L Q Q U Z T E E S P A X S V K Z U I X Z U Y V
P I L W H A W P R F B S M L T G X I G H M R U Y I
T I E X Q X U Y T B U X K R T I N X B X P D J G C
X I U V A V J J K R O Q O O G H V I Q D R H J Z E
I A G J T N S H A H A P P D L Q U Q R W R Y N I E
B R T T H W J U N G P M B I R D S J G B Y P S G C
S Z R G G O P F O U K Z P X F K O J K F L G K K M
X M I P C R R V S A G Y V K Y S H Y C O W U S M K
W W D E K K V P I L S R M X F B A S C W L W I K Q

ADVICE	ART	BIRD	BOOKS
CELERY	DEATH	FLOOR	HEALTH
LAUGH	OATMEAL	PAIL	PIES
READING	RHYTHM	RINGS	SKY
SLIP	SOCK	SPY	SUPPORT
TIN	TRAMP	TREATMENT	VEIN
WORK			

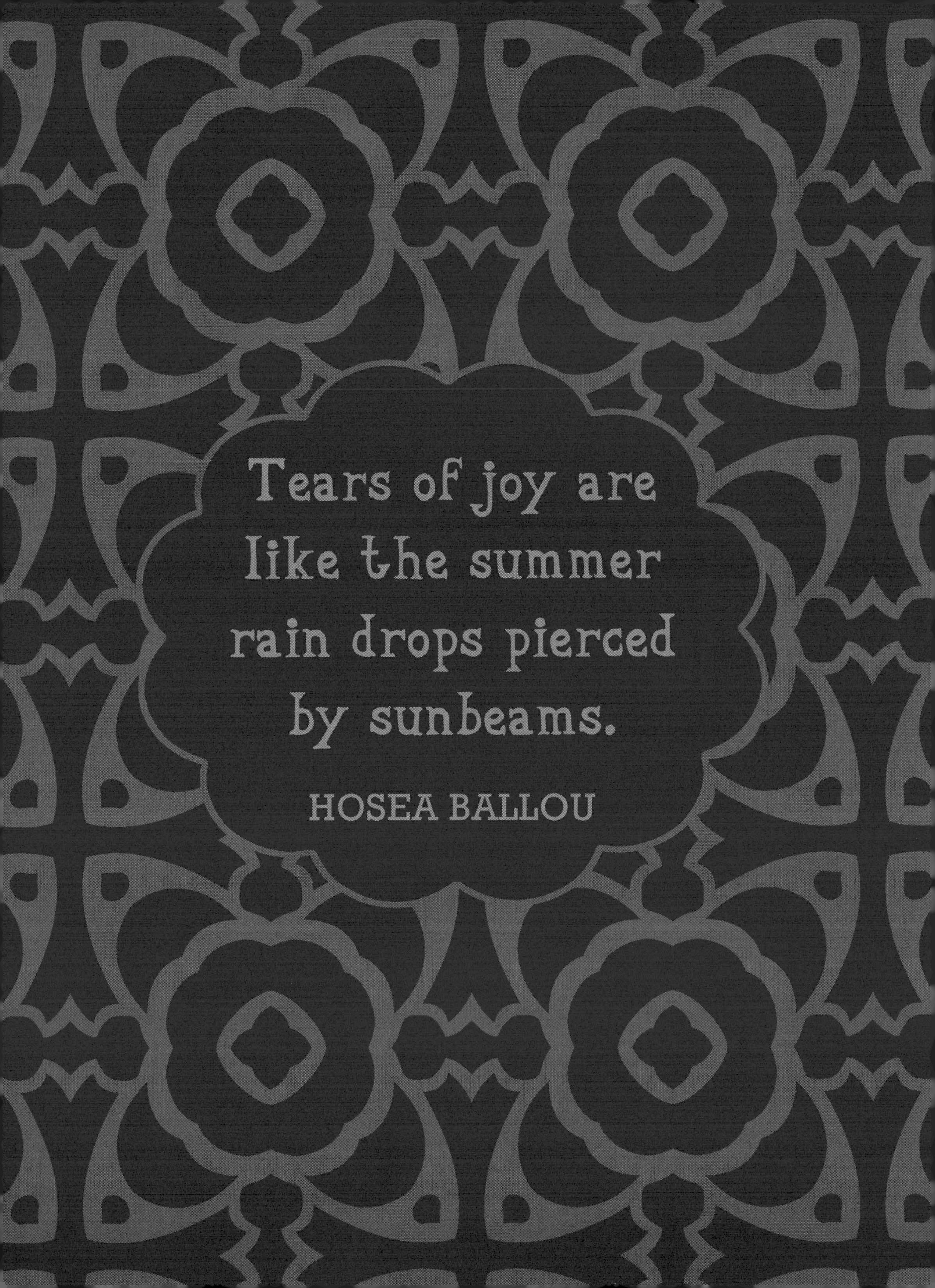
Tears of joy are
like the summer
rain drops pierced
by sunbeams.
HOSEA BALLOU

L L A W T O L D H N Z Y Y M T Y I L V C V J F C L
R O L L Q U S A R C S R E T F W X H E L F I R F E
D D F S K A N C R A F J T V S N A I L S R L E M V
Y Z P P S S P O I I I S A J Z R U X F E T Q L N I
B F P N G H L N G T G N R D P A J X O R D R K F C
Y F S A C F D I L A S T C V K B D H K C F T C Z V
V R G N N G D G D W Q A Z V M A H L Y U T C I K Q
C Y E P F Y S P M M K R L T M J J K N F Y T P S M
Z R Z B K E K P Y Q J A B P P X G Z Z K D D G Q P
W O U T G S H C R D W C X X B Y I F Z Z E C F W T
X N D U K U I W M D A N P V A H V L M O B N A U M
M H V A D Z E C X U M D Z L N R Y Y V U J F I H E
F I P U D M A U L S N P R N W K R F R P A V H I G
C W S A H X F X Q C Q L G R Z B K S Q E T M G V P
X L C K Z B T D G Z H B N Z C I T Q E G Y R Y O O
V U M L D J E I E C N A L A B K M Y U D R T K X V
K E R G W R R G Y A K P R Y J E A M M J T I C S S
X Q G W O A N W N C G B O H W S S S L I L K P I Z
A E D E F V O P B X F T Y A A A K A K H H M F O G
M Q S F T W O R K X P A I I Q S A M W L W A D C U
V I E U C A N G Y M W K K S Y Y D V V N T Z O Z S
J U J Q A T B P P N P S H I R L W S M G U B N E E
S H Z S M C U L Y Q O G R C H C K R Q A C J O Q J
M W B E A H V D E K N G U C Z S F S L K C N C J P
W U R B Y N R J B I C Z V D O E U C D C H F P T J

AFTERNOON	BALANCE	BIKES	BURST
CAUSE	CRATE	DRAIN	FIRE
GIRAFFE	GRIP	KITTY	MASK
NUT	PAN	PICKLE	PLASTIC
RIFLE	ROLL	SNAILS	USE
VEGETABLE	WALL	WAY	WRENCH
YAK			

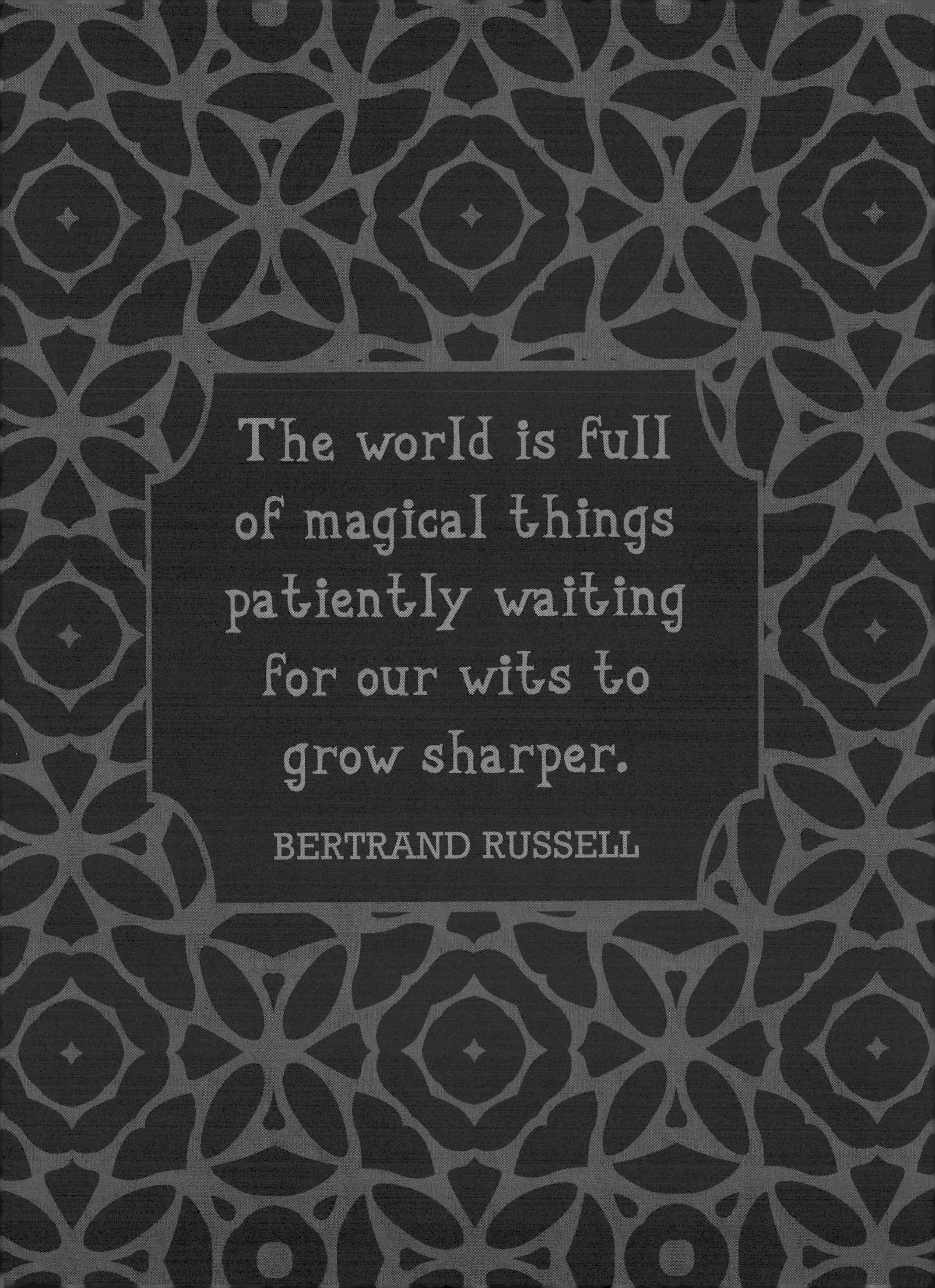
The world is full
of magical things
patiently waiting
for our wits to
grow sharper.
BERTRAND RUSSELL

C R A C K E R S T M I N L D Y Z F W N V U P O J S
J X O R J M N N C J X Z Y J E E A L O J X K S T L
U L V L I M U O L I O A D O E B H U I W U T Z K W
N V V B Z O T I R Z T C T L L I D X T Q E R C T D
E A F H M F N C T H P S I A H P G J S K U X Z X M
P C L A M C H C C W T N U A E W T B E Q W Y H O G
N M N B C C A U R I G P L O L T C P G X K L X G U
F B S W X O P F X L O L N S C N F D I S S Q M V C
M K A V S R P F O M P L M D A A L M D O H Z I C Y
N F G G K J K A T Y A H V M A Q I M D X T K V Q R
Z O J N X D W P Z X T P E J M C I M X T R S R G Z
M I M E A R E E R Q V R P W X O N N V D D C E E V
R X Z C S H C J B A I A M A H Y R M T S W U H R E
L I W K E D M W Z F M F J H R A J C Z R U I Y Y Z
L J T R J V Z K C X X F E O W E W V C Y I A N N R
P Z B Z Z N O N N A C F P A C L L K H K A C C G G
V I C V L M L K H Q N Y N V N I M W S B T X K E R
C L N V D R X N U R L Q J N O Q R S N D I T X Z E
Y L S A W V P Q R X Z Q F P C E E R T U C E E W N
Q A T F X F I D W O O N U U A H P A H A N D H X N
L E L Q S S C Z E L K P Q Q U O O O C O V E R H I
F M F T Z O T A G S B O O K S C T R L V U Z U F D
T E A I S E U K K G I R V V E T S A T S N W G R U
O G Q F F P R B S X E L N Y C Z K Y G L J F L A F
E C L C A Q E C Q J G Y M X U A D K C V S V J O E

ACOUSTICS	AMOUNT	APPAREL	BED
CANNON	CAUSE	COAT	COVER
CRACKER	DIGESTION	DINNER	FEELING
FIREMAN	HALL	HAND	MEAL
NECK	OIL	PICTURE	SLOPE
STAGE	TASTE	THRONE	TRICK
WING			

Happiness
is a butterfly,
which when pursued, is
always just beyond your
grasp, but which, if you
will sit down quietly, may
alight upon you.
NATHANIEL HAWTHORNE

V V R A D L G U X T P E O E S G E Y J K F C G A K
F V Q L Y A S V R D H V U E L L X Y H I R O F I Y
T O O F S N D K R O E O Z M T O G T G O F X T P L
O O D R H G E Z U B O F O T S P H N W B D T T R A
M M G C X U I S U P I S A Z G H V S Q I E K I X F
O O A M E A E A E P A B H J I D D U L N S N K X U
X N C F K G Y D V A B N X F P G U S S H U T D E R
K B J Q T E N D G R A N D F A T H E R W A Z M C S
N H X X C E E N M N Y M I H B Y K U O N B Z R J I
Y N Y P P R R F S Q M H F G P H M R S P L T X A I
A N H O I Y I M O F A C P Q P J D E U K C R P M Q
Z A K M T Y D C A R C Y B B M N M Q R O P P U K L
M V B J Z P O Q A T A W E N M A N W A L L K J W U
E I Q J E B C V F U H L J D Q M V N L G H E O W G
O P S A W W H J A C O H H L M B O C F A O F O R I
R S D T E G C C C L P V E P Z W N L W Z A Q M W M
H E T W O X J R T B V T L K N W E P A R G Q V I L
I B H M C H S D P A W L T A Z E L Y D T C J T O Y
D V G T D Y L O E B M A T A Z O D E G R Z G S P R
V B Q N O W R U A D U M O R W H T S E T O R P D P
G D G K M R R K C C B P B H Q S G N P G J O J L K
U Y J N M S B F E Y J T H N H O S E P S P A C E K
P M U N J Z I G L H Z V H E H H E V M I L L Y L S
X P M V D R J J F R Y B Z U G D Z J Z W L O D M O
M A L E I K Q Q B C D S C K D C H K Y U E V L E Q

AFTERMATH	BATTLE	BOTTLE	BROTHER
FOG	FOOT	FOWL	GRANDFATHER
GRAPE	HOLE	HOUSE	KITTENS
LAMP	LANGUAGE	MATCH	MIST
PEACE	PIGS	PROTEST	SHOE
SPACE	TWIST	WALL	WORD

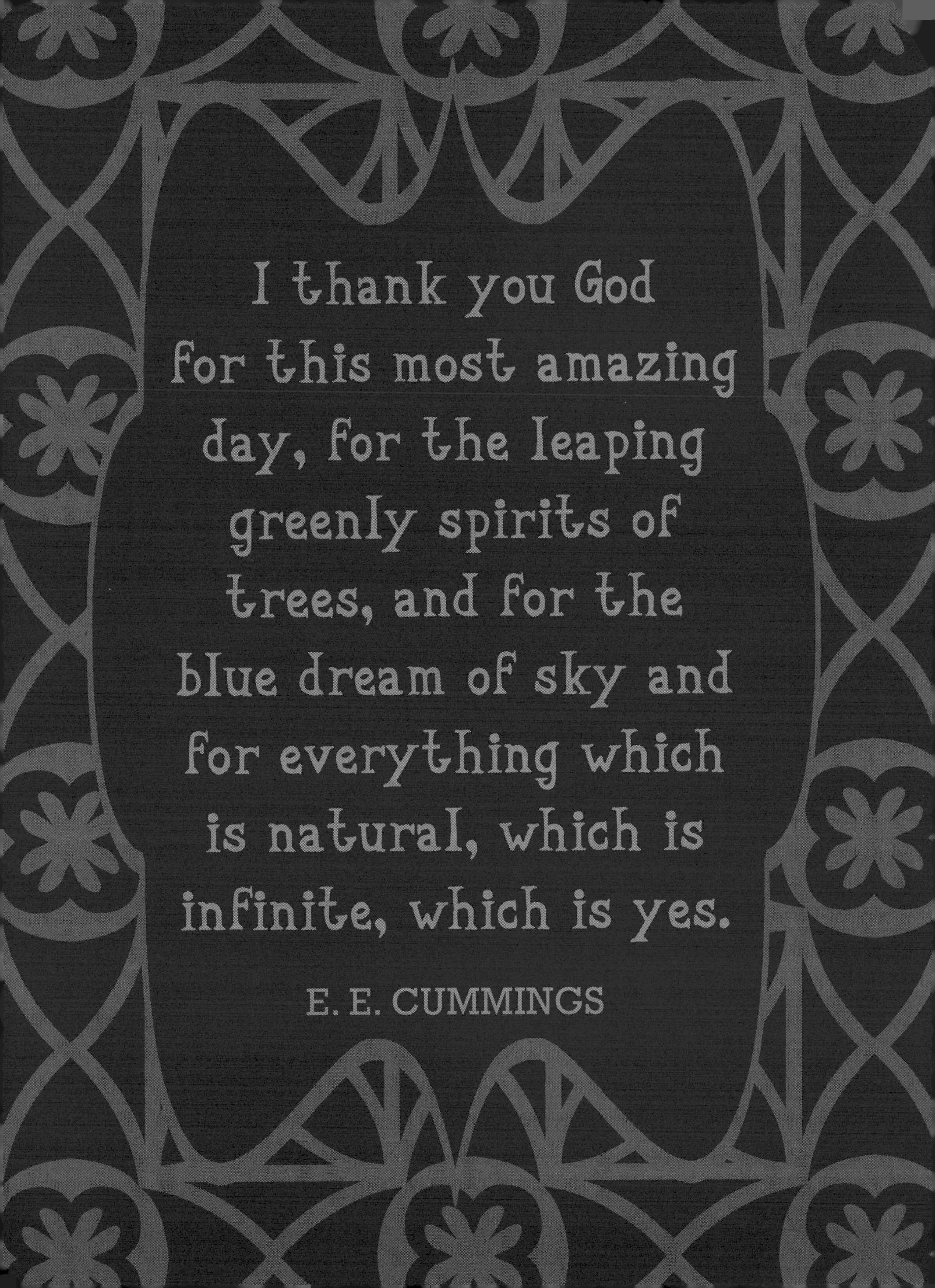
I thank you God
for this most amazing
day, for the leaping
greenly spirits of
trees, and for the
blue dream of sky and
for everything which
is natural, which is
infinite, which is yes.
E. E. CUMMINGS

C N I T H O Y I R C Y J Q Y S C E T E V Y F R Y Q
B O Y V F D A R N E Y M S R B H L G D R R K A V Z
Q C K F X V D R O C B Y O D G U F Z D S S P Y U X
Z P I Z D M H I X T O S U L W R L E Z E S G N O S
H C E H Q W T B V P S M Q C P C T Y J X L W M M O
E B G E K F R A Y I F Z E N A H F P I C U W B S X
T G Y I H B I Y C X Q J K X R Y U I P Q Q H O J I
O P N B P S B S D V G E Y N T V C H K V J T F N V
E A P H H L C W S B B C T Y Y Y Y X D O S V Y U K
S M N I X Q S T D U Y A H A X T T H M E H L W S S
G H A N P R R N D O T P J N C F W S U U O Q B D F
R A O I A M L J M A O S L M Q Y R U Z I F Y F Y X
Q Y I C D G J G Q S Y E B J L Q B I W L O L F T U
J Q D Z K F E O N W E O W Y L L D O O S T M Q G I
S F P B N H J G O I G K J N Q R V X P L I M I T U
M X A P E U P E P L R L S F Z O H X Y A L W O C C
D L B T E R N Y X U Q P L T F V X A R Y I G C H A
R E M K R U R W N U O L S K Y D L F L V A J X C S
G S T V E I N A A M I A E U M X G N F V R H M B W
S T O C K I N G A E O Y A H S Q R R Y G T C W K D
A I G Z P S G T V C U R Z Z K Y C A B T T B G P H
N Y A Q C W C Z M Z E P K B P L N S O S M Y V J G
R Z U B C H U D T C W R E G N I F U A P T I J B U
A Z N F T F L F W V A K Y Y Y A A A E K B Q E C B
N C T S E R G M J X P O A L S G D Y Z N L R W Z C

AUNT	BIRTHDAY	CHURCH	COAST
COW	FINGER	INCOME	KEY
KNOWLEDGE	LIMIT	MAID	MATCH
OFFICE	PARTY	PIG	SCISSORS
SHEEP	SHOCK	SONGS	SPACE
SPRING	STOCKING	TRAIL	VEIL
VEIN			

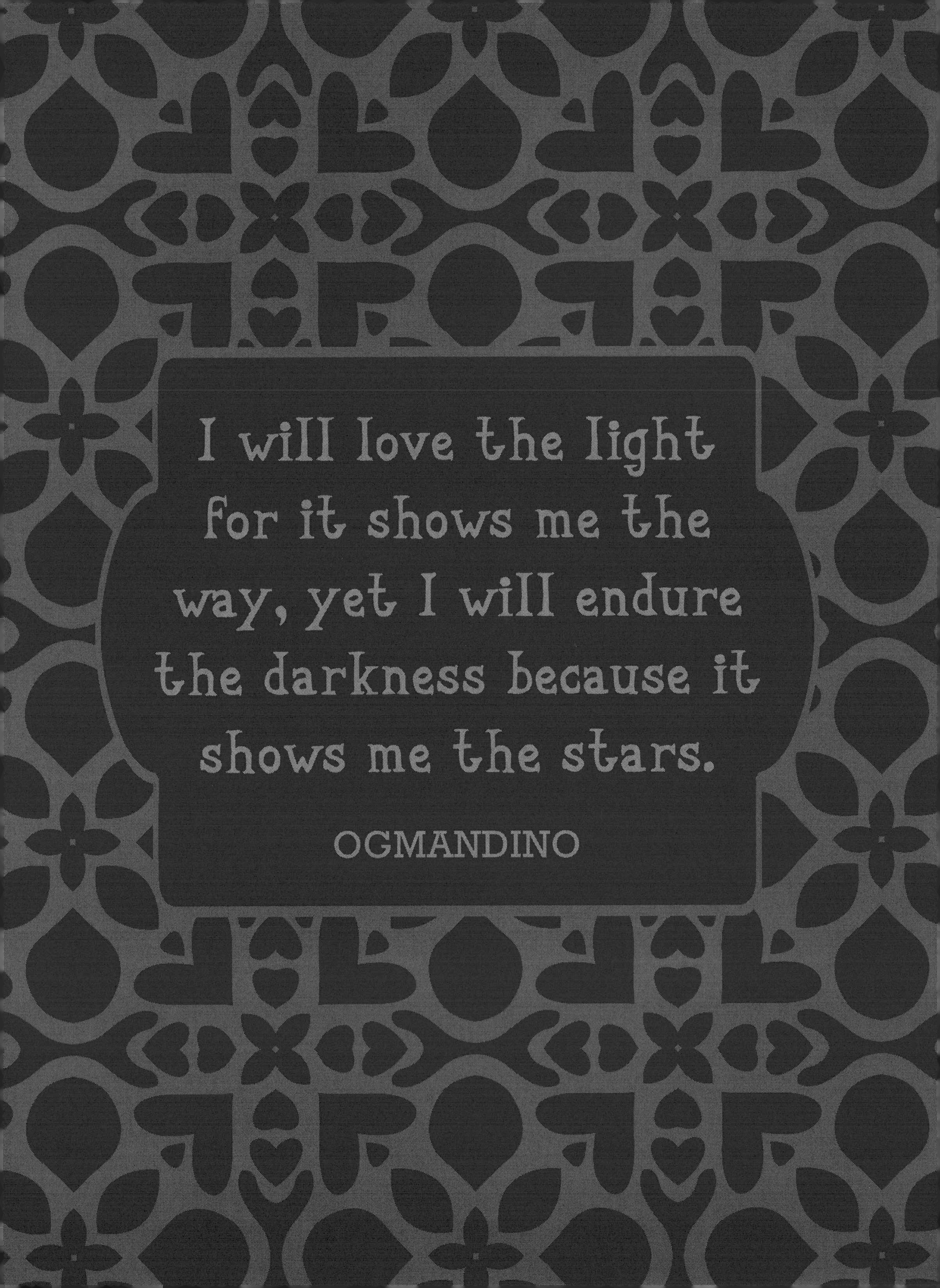
I will love the light for it shows me the way, yet I will endure the darkness because it shows me the stars.
OGMANDINO

P S M K U C J S Y H B W E U T A G F F R I E N D F
T L C A A A N R Q B H L X G E B O Z H E Z I N U J
S O O C X X M E C N C Z E V H V Y M P O K R D N L
R N T T Z K E W B N R Y Y A C V B M N M M K L N R
X U I N K M C O U P G N L N A D Z E T B W P E Q K
S H F A C H A L A Z L D I Q E V Y H J A Y N I A M
V L S A R Q F F G M B A N M R M Q L L N S W F F B
Q Q P F Q T G C B F O R C S O U S H A H W I N G E
L I G P O C T C H H F U Q E Y U U G K Q P V F D M
O U K X O I O L O O Q J N T R D L L A N E C L N O
T Q C I U G H I D Q H X U T V K Q E M J E G I F N
U K A R A C J M V I F B N D F B M R J M Y V R S E
Y H S P F Y F J S S R U A S O N I D O O Z A O C Y
M L F A N A O R U Z P E E G N H Q Z P P Z I S B O
A H O R K G E W W W W C C V P K O A K V C X N O W
D J M A C K O X L O O H C S I W P D F F D G D W Z
N E E N C V L C X N D Y X B P E D J U A X T B E T
I X G A C R M B E Z E H T W E Z T T Y A A E H H U
K J R A H K Z P V I F K Y D L Q U D C D C A I B T
D C X Q I G B Z A S Q X C B D L V N R J Y P E S L
S C I V F R Z T M L Q T Q R P H B H E Z Z T J B B
S B R M A S R G L A I K I I X A F N Q F U U H G B
Z W J N O M M A J N R N J K F K V H U F B D E T N
R Z Z A T B G B C D K N A M O W K E Y A R G F Z N
O Z V W K G D A V M Y I X J U D G E N C T Q B R L

AMOUNT	CACTUS	CARRIAGE	CRACKER
DINOSAURS	DRINK	FIELD	FLOWERS
FRIEND	ISLAND	JUDGE	MONEY
OVEN	PIPE	PLACE	PLOT
ROCK	SACK	SCHOOL	TRAINS
TUB	UNCLE	WING	WOMAN
ZOO			

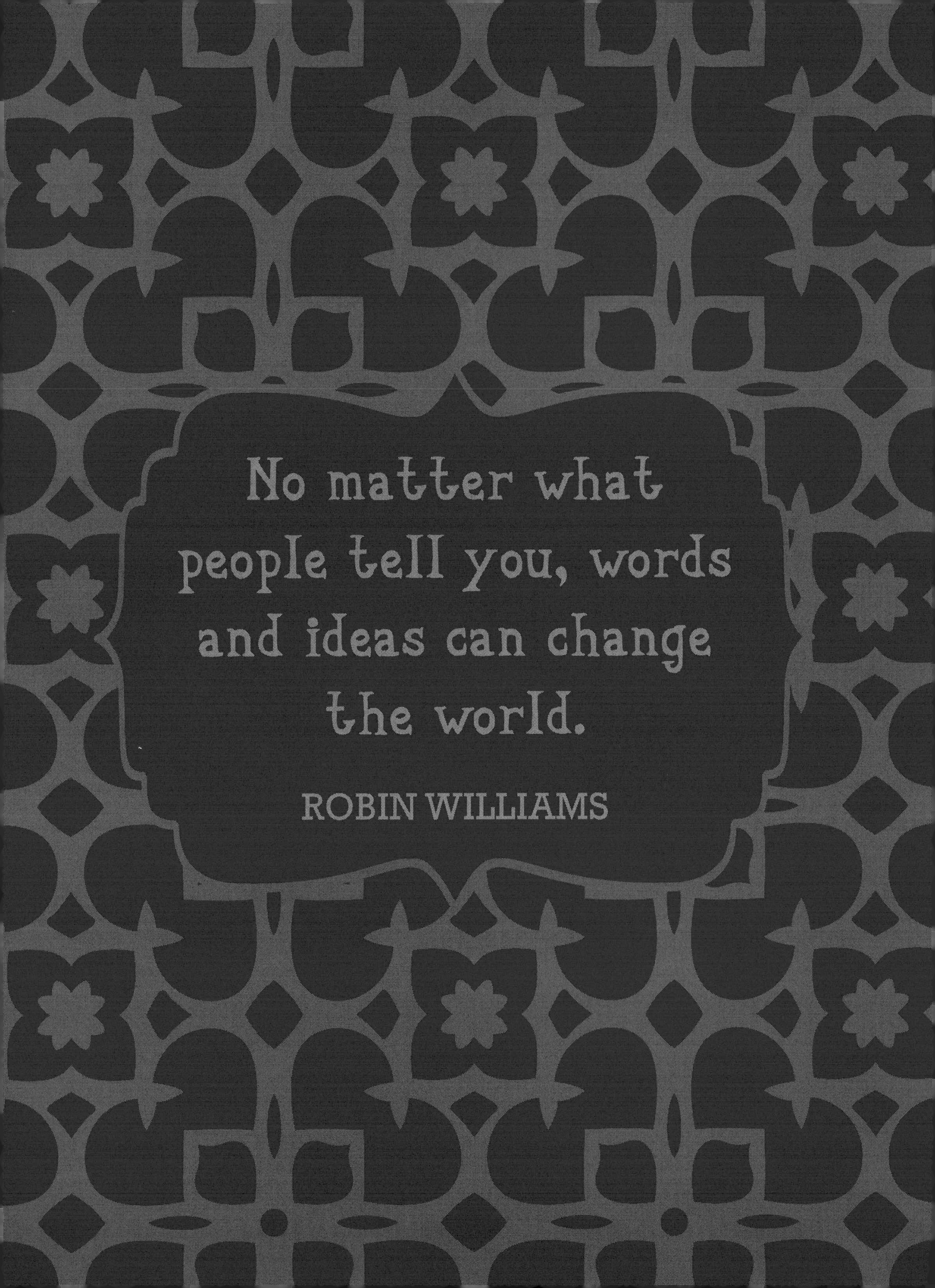
No matter what
people tell you, words
and ideas can change
the world.
ROBIN WILLIAMS

Y Y D U F E Y A G G R P B X R Y N L P P O K S T P
V H R K C I R T C L K N V X E T M G J P I K C D X
V V E T D M B R O T I S I V C C P N C L L E N Z Q
W G A R N R A Y A O E K O C O F V I F E F Q I M M
M F Q E N U V X Q Q S S U Q R M M R L F L B V Z U
O A R P E J O W J O W L R V D I Y P E C L E S Y T
K L Z R M A L C N U Q V U S N E P S Q U A T R X O
V S Q E E A L X J Q E G V I V H E K M R E H S Y Q
P W I S V U C L M F Z N S J O F Z O L W Q I B P X
Q C V E I B X D L W N T S R K D G B S A J J S W N
E K S N P H K A Z U E L O R U G V Y A N H W R V O
U H D T I Q P S C R Z T W J M S Y E Z U P C N H J
N L M A H P G I C G B Z M O G I S H Z T L R Q K E
Y U K T A Z B E D R I W B X U R A J T K D H O R L
F J N I K H P S N E K O A A W Y K J O C L T G G C
R D D V E A H F H N E W S X U M J I L E Y N D T B
X P S E R A S E F P Z R U G G E X W R K E O U Z J
A E F G M X X I P K K C Y T S I B I O L X M H C M
R I H E K B H F F A L B B P Q A X N C Z O Y N Q Y
T E D Y C J H R M Y U Q J D B P L I K Y E N W K H
Q E V X V D R Q F J Y F T J L N U P W M W I Q M M
X V H O A Q Z B L N U M B E R V N V Z I C S T B E
A T P X M W A I H J A F M Q W A C W L U O A X Y N
Z Q G Q S L E E T Y V N O C W S D P O D P O V Z M
B I Y Q R E H U U M X A J H B E V D O Y L Y S Z Z

ACT	CELERY	CHALK	CLAM
COUNTRY	DEER	EFFECT	GRAPE
MINISTER	MONTH	MOVE	NUMBER
NUT	PIN	RAY	RECORD
REPRESENTATIVE	SHAME	SLEET	SPRING
STEW	TRICK	VASE	VISITOR
WAX			

Thousands of
candles can be lighted
from a single candle,
and the life of the
candle will not be
shortened. Happiness
never decreases by
being shared.

BUDDHA

D O W U P Q Q V L I V X H G S S J L Y G I X N T F
E C N E I R E P X E E A K I D O L L S M E D T Z I
G J F M Q X Y J A B S L C R L L A H P Y O W N X L
A V E L U L V H D W E M Z A P Q O U B R L H E K Q
V S R H T D Y B U C G E B F T C X V R W T Y M N D
D P D P O F L N A V J M N F Z I T C P D I O T X L
Y K E M H Q L L M W W M U E Q O O H Z U H T A V S
L T Z E S A C M B X Z M W I L G I N S B L V E D I
S C R P B U D D E I R Q Q I T S X E G E X G R Z E
N Y R O L D U E G Y F K E M O O O I O J V N T E C
F A R A Y D E A Q I E R C B S Z N A P E P Z K A L
T E T J M H T F W R H P U W S M X M M G A I K I M
R O T V K Q P T D M B M P K D A B R C X N J C L L
R L P F T T E N C P E E L C H Z A L X O L P E X H
Q K I T B Y A E X C H A N G E L L O R H I L J L L
S G X V E S Z O O H I Y M I A L Y T C V T Q R W B
Y J J N K H T L A E W N D Q M Y R S D W I Q Q A M
W T G C Q P X K A R E H V P G W Z M M N U A V P D
Q A I P O R B P X I E K Z W O Y Z D C E R U L E K
Y U V R Q C M W B N N T L K E U L J T Z F L B T Y
Q Y D E O V E I U Q P S T B F Q Q Z J P V M X F I
D S E P S H G N R P P Y S E T N B S Z O E U N W E
P U D A J J T E S Y Y N Z N L S N F H D M C O B M
Y C P D R N O U T F M W G Y D L D P I U Q X H O I
B E A D S S C T A P C A X P A W X D X T U E X Y T

ALARM	AUTHORITY	BEAD	BURST
CALCULATOR	DOLLS	DROP	EXCHANGE
EXPERIENCE	FRUIT	GIRAFFE	HALL
LABORER	LETTER	MINE	PETS
QUICKSAND	SPY	TIME	TREATMENT
VACATION	WAVES	WEALTH	WINE
YEAR			

Tomorrow is
the most important
thing in life. Comes
into us at midnight
very clean. It's perfect
when it arrives and
it puts itself in our
hands. It hopes we've
learned something
from yesterday.

JOHN WAYNE

I E G C S K Q R E X Q M N R Z Z R C A N R P H T W
N L T L O F J E T G R G O U P G Y Y H E R Q Y O L
C W X A U M Y K N L J Z I T U R N P F I D E L S X
R M Q M E H D P O S T X T Y X Q W G S O L I I L S
E A U T X I K O I R S N I M O U N T A I N D T X Y
A U J G M C K Q T C B J T E K A R J A C C Y R L L
S A E I U S B W P P Z M E I J Q Y Y T Z P E A E F
E M F H X M S N A G N O P G S M R R O A D L X V N
T D G J O E R O C Q H T M M S R S S C L A V N L L
H E J T I I L E J N D J O B Q H E Q F P R W B Z M
N E M L C C P F W N C N C P R Y H T P C H U R C H
S D F P R E F O U R E J F F K P B R S E H P I C W
L I O K E H P K V U R J V R L S O X K I X S C Q B
D L P D A R R P O E X P I Z U V W F N O S Z Z C M
N J R E H T O R B K N Y A D A Z A O R X L J P S S
A L W P O O V C D L A W U L W E S T N P A Y F E V
H Z G J N E S N R A Q R C X L I G O Z D I R A C C
P Y R U N I F C A W E R C T R I X E H G H Y R O F
A F B Q L D Z N G P T B T A R T G V W Q W H E Z X
Y R L K A S N Y V Q V A P U V X L R U U S I U E B
C V N L S X Q H V Y C M N U H P J M M K F L V H B
Z A F Q Q C G F B W O D A L L J X J A Q Z A R Z S
K U O E Q O K U T C R X W C D B Y H J L C X D T N
Z G S C H N M C O E Q R A S Q H R K O K T B I F H
R X P H S X I T M O V D T O S G R O V X W Q Q J X

APPROVAL	BROTHER	CAPTION	CATTLE
CAVE	CHILDREN	CHURCH	CLAM
COMPARISON	COMPETITION	DAY	FLY
IDEA	INCREASE	MOUNTAIN	OVEN
PAN	RAKE	RUN	SILK
SISTERS	TEMPER	TOE	TURN
WALK			

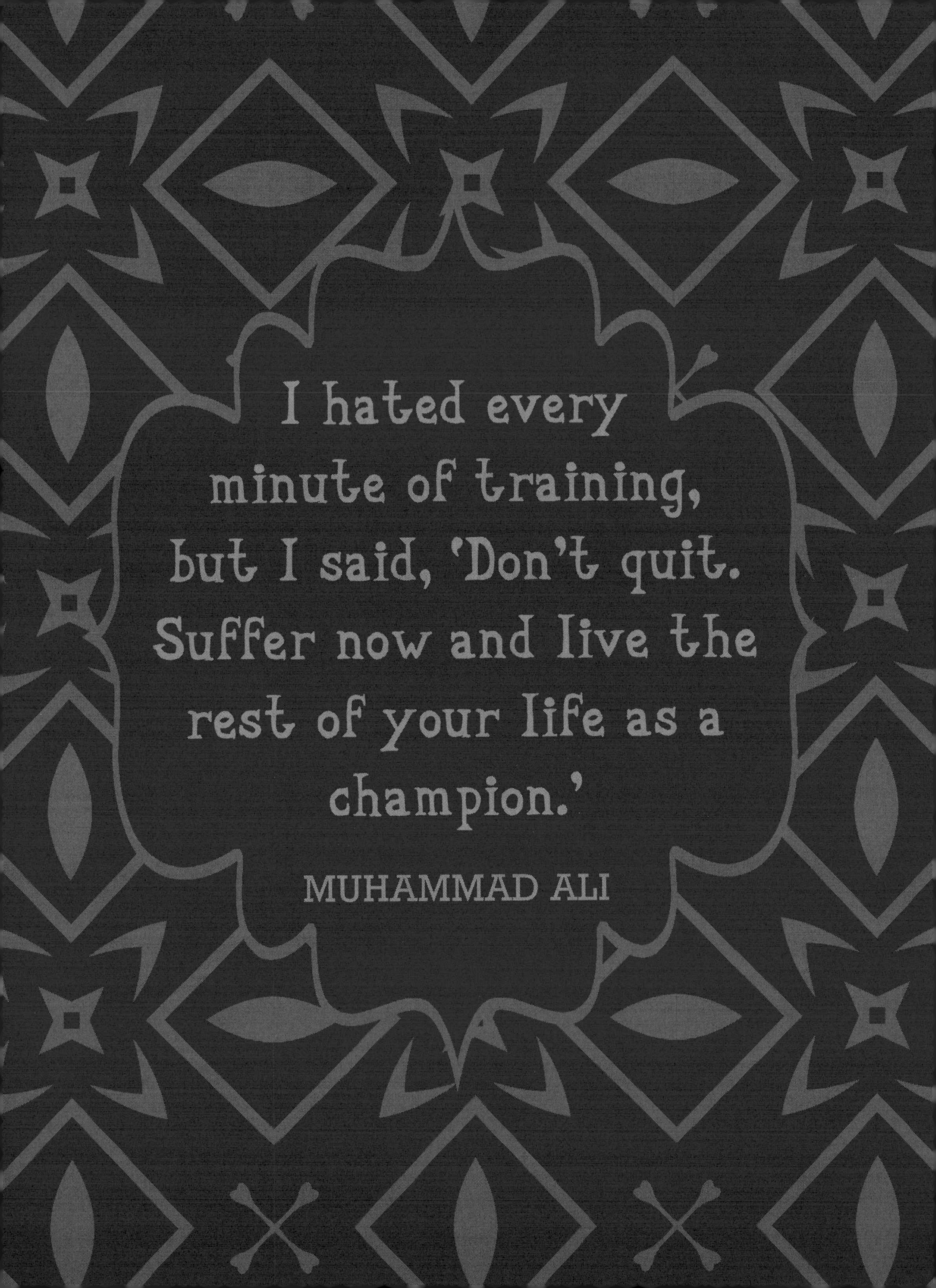
I hated every
minute of training,
but I said, 'Don't quit.
Suffer now and live the
rest of your life as a
champion.'
MUHAMMAD ALI

V X E Z C O J E I Q V V K Q T C D R K D R P M B S
Z D T U R T F U B F F W H I Y N O C V D O Q M U R
W M C X U X M F O C M H F X U J O B D N T V E G Z
N J C H P B F K U B H E W O Z L M E W M C N A B D
U E G E R S R E W O L F R D F V D Q K E A I A U X
C Z V E B I T Q N R M G T L A S E B A W B D W I M
V E L O I W W C U U K W S S Q D Z X M S K Q P L R
R L S C F H I A K B Z J M N U M H A X Z C S C D R
A N I A X E R F V E B D T R J D F G W U W A R I Y
M D Z S S G J J G S G V F E R L A K U S V W C N F
R B E R R Y L N V U F Q N L N Z Y D C O S U M G S
D R D Z Q L H P A W I T A A W T X E P N C W Z K P
Z O D F T H Z B S N I A Y Q O S X D A L E B O C X
B H Z H B Z A C C O M F X U D J J I V C M C E L Q
P O T A T O F J Z E X B I W N A L Q X I P A G E J
X E B A F R P T A L A S V D I S C V K Y H T Q W D
I T Z O E T I L F J L P N E W H L P R O S T Y S N
M U W I T I N I T G J R R A G Z J E W T O L N J Z
Z Z Y L I D I A A R E D W I T E W T X V V E P H X
T I P P J A N C R D B R J Q V O T E W O K P T K R
V F Q E Z H L I H D I N Q T X J Q A O N L O H W X
Z A C G A S O O K A Y Q S F E W B F B S E I B A B
G M D P N U X J H J W H S T T X W A D L W T E O K
W M B R V P Z I D I S T R I B U T I O N E X D P O
D Z W K W I U H S J X A D O A V H Y W Q Z P S Y J

ACTOR	ART	BABIES	BEDS
BERRY	BUILDING	CATTLE	COBWEB
COUGH	DISTRIBUTION	FLOCK	FLOWERS
GROUND	HYDRANT	MEAL	OVEN
POTATO	SALT	SNAILS	TENT
UMBRELLA	USE	VEGETABLE	WAR
WINDOW			

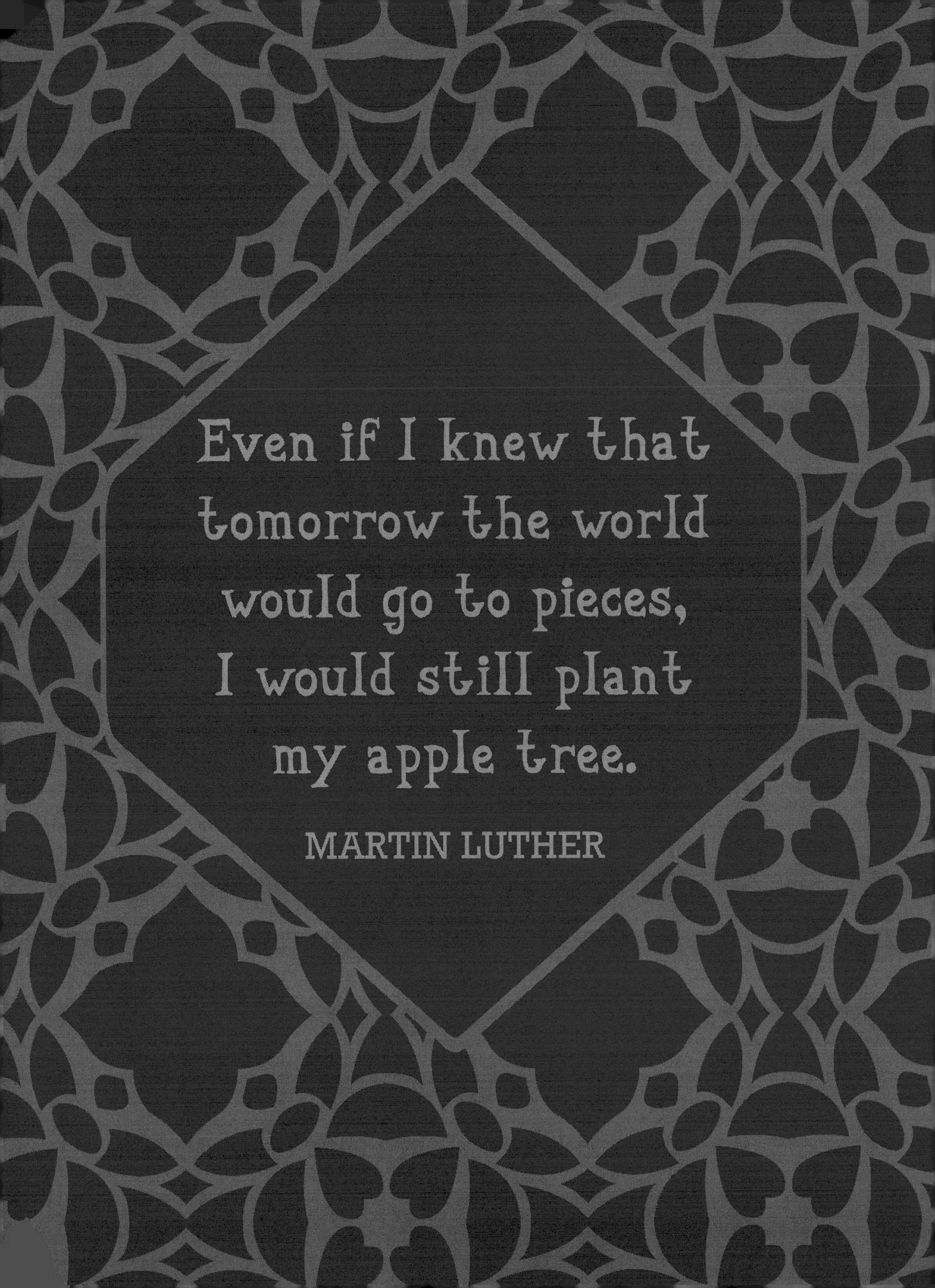
Even if I knew that
tomorrow the world
would go to pieces,
I would still plant
my apple tree.
MARTIN LUTHER

K G Q J J D A U Z T T I R Y S K D R S F V K L R Q
V B E C I S W S V N H O N I S D V O N C V S T O V
P O F U J O Y Q E T D I L V T Z Y T L O Q W Z W F
B Z Q D P K R M C Z Q X N W E P O C T K O D T I L
U I L K C P P R Z B K F T G A N J O A R N M A R Y
L M C A O O O V Q W W Y P H S X T D C V B U C R N
R T U C L T L D S N O I T A T S E I V Q S D I D H
O D W E C B M W H A Z D H Y A X O V O O E M F Y S
G X V A A P S N X E B C E Y I C A Y W N C L S F G
M E A F S D I R N J W P F X K P S M A F O R F D Z
D I U Z C K K Y A G E S T N A T I O N O K N O T L
X A Q H T G P U N I S H M E N T W O R Z R S V Z Q
O E M U Y Q U G W Z J W G W C R S W S E N S J V R
G Z N E C R E A J R N Z A K E M T W L O D R U C W
O Z Y S O J W Y V G T T I N K M B I B J G D C W J
T F R V Q J S K E C Q G U F L G G J X J Q F X F X
H H J B F E L U E S E A N Q J I O C W J T E S T B
H P G O I Q P Z D F B E D C O A R J M E Q K X N B
G O H U R W N F W N E U E N U Y G S Y E T R R I P
T K L I O V D B C H Q X R K O C W X L R O O L F O
E S U A C H R A F L F T W E I N F G V M F X R V I
W I A R B Q T I W T B F E O M P L P P E J D V Z S
D O C O R G S T E W P E A R D T E E M K E K N L O
X W N O C J H C N O S Z R T M H H M W R K H G F N
X O D U W T L A S B T B F T R K S X P T U G K W U

ACTOR	BAIT	CAT	CAUSE
COAST	DEVELOPMENT	DOCTOR	EYES
FLOOR	INVENTION	KNOT	LIQUID
MOON	NATION	POISON	PUNISHMENT
RELIGION	SALT	SHELF	STATION
THINGS	THOUGHT	UNDERWEAR	WREN

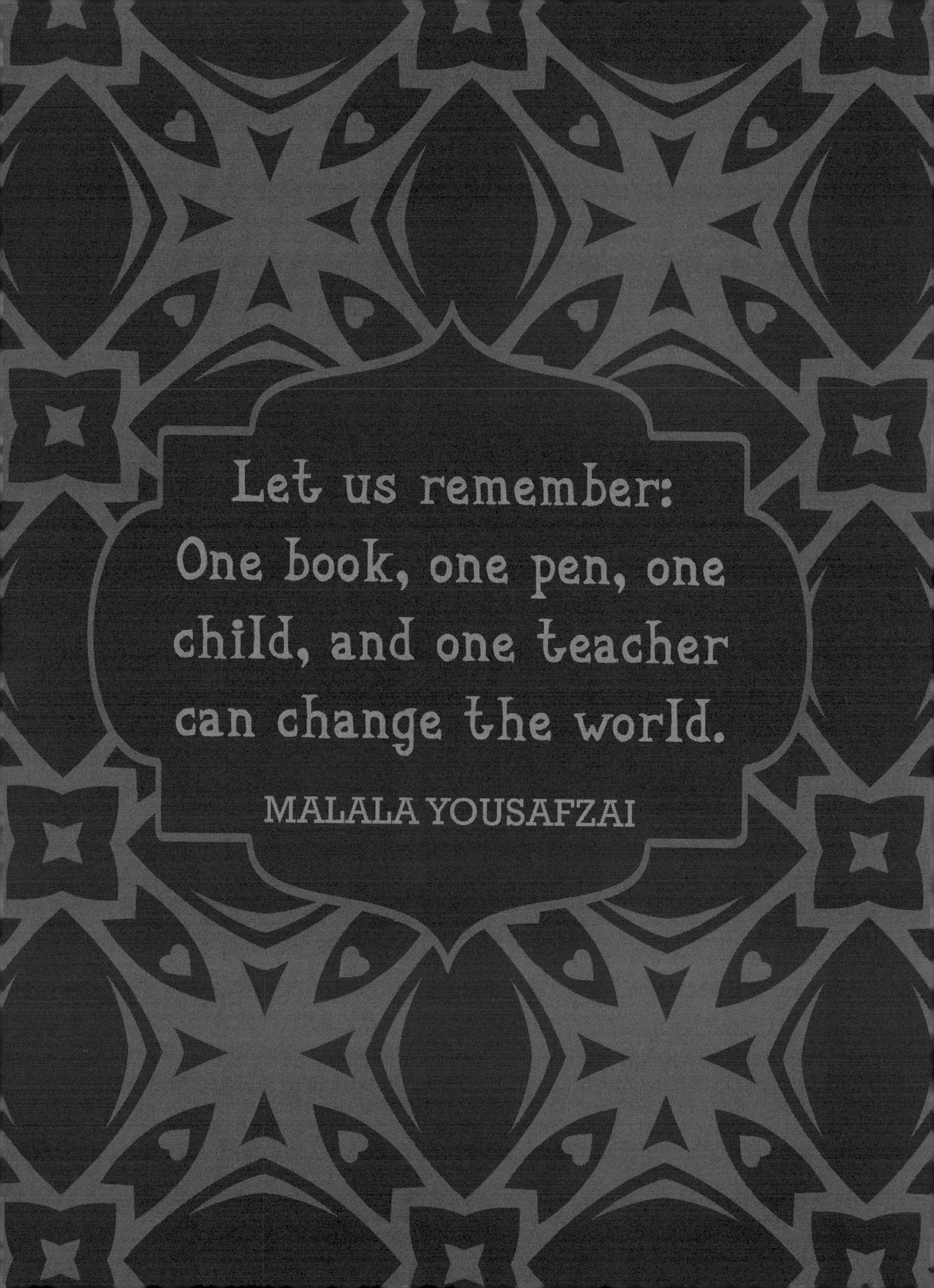
Let us remember:
One book, one pen, one
child, and one teacher
can change the world.
MALALA YOUSAFZAI

E D R T M M L K W S W W L F T J X E B E P A H S P
T D C X J X E N A Z O N Q M B E P V H T S B S K J
Q S A Q U Z T U Q T H G F L J Z H O P D Q G Z K J
W P N P K S I U A T G B B M X S G T K U P H A C D
F R V E S V B U H N H Y F C E S V S E G E L S E L
V J C V K C M V N O U C G E C K V E N G T E O H G
Z K X F A C A V G I P O T A T O N I I F U F N Y W
B A S I N S I H H T W A L G X D D M H T E D K F I
H K A F E Q J H F A T U R N W A T T C A R W K I F
B R I D Z T E P C T D I M S E X S Z B R K N N E B
D B O F O X K B N S W R A R S E C W L R V C Q O C
M S U G T S U M S A G T E J N B K R K O G G O R L
G L A C Z P S M X S P B P S P O Q V N G N O L I C
S A N V M D X F C P G Q T Z S D F D B C D T T L A
H V S E Y B A B D E P E J A Q Q S U G Q V V Y L C
H E Z J F L N F S B L D W B N D N H E H O N Z O X
B Y E Y P K Q C U Z A L Y T Y L A Q I L L Y J A C
V T N Q D O X N O E D U L N F S E B V R K G Q C E
C O R C Y U Z G M P J V F H A Z T Z K T Z W D A P
Q S Y M A F U I S H Q Z Y I A D P L J O G T N R M
E C N A T S B U S Y E R U K D I F B I Y D I X Q H
E U H X G E R D B R O T Z F V Q C L X D T V U H B
S W K C W E W G G T R Z K O M Q P W J T C Z N C T
D R W A Y T Q F S E U M D G F J Y P I W C L Y W X
X H X W E I K Q C D N B W Q S P D O F S E O F X K

BABY	BASIN	BITE	CAR
CHICKENS	DRESS	FUEL	LEG
NEST	OIL	POTATO	QUEEN
READING	SHAPE	SLAVE	SODA
SPADE	STATION	STORY	STOVE
SUBSTANCE	TURN	VASE	VOYAGE
ZEPHYR			

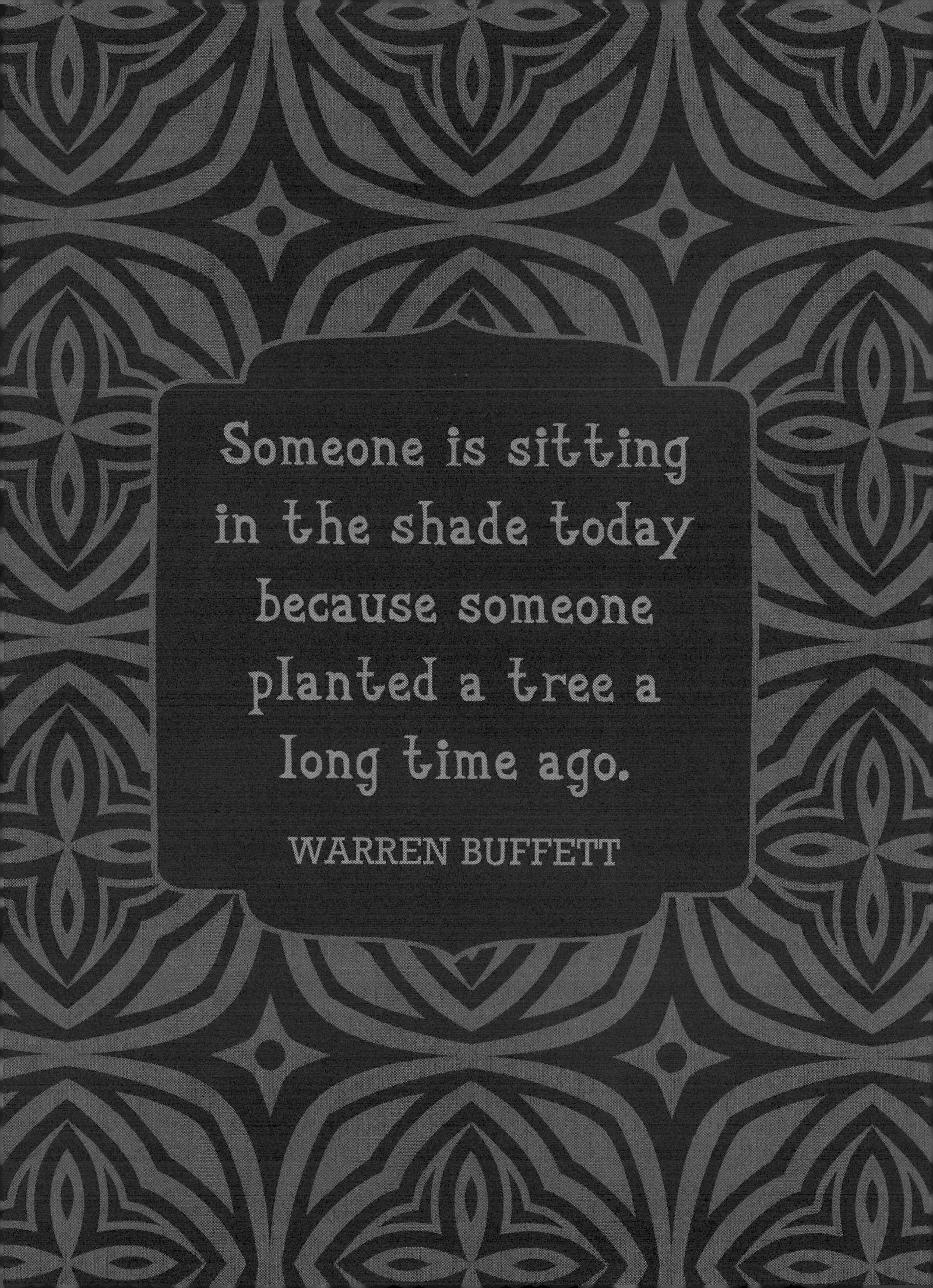
Someone is sitting
in the shade today
because someone
planted a tree a
long time ago.
WARREN BUFFETT

M Q R W P X B E G D B O A E K G G E L O M Q E E W
G R O A Q K Z N E V U D G C X D S O Q O V R G D Z
I G O N T Q U Q I D V P U I I O L W N P M T D K O
C I F T X G V D F E H L W V R P I K E L A P E T S
M K B Y S D V R R S J A O D O N F G R A E O L A R
B M M U E N S T A O B S Z A D W A F P Y T Y W L S
S L R I G W I C I F D T D O U I Z M J L J Q O H Z
G V Q M M S F A O S V I W G R N A T I O N F N T C
P E Z E E B R D R B V C Q R S F B F P Z O K K B U
Y C S M S R H A K X J A A Y V A A M B B V O T R E
S S E N R E D L I W A C A X I E Y H Z Z J W K T E
P N G V W Z J A Z U V H G X D Q S W E A T E R W K
T O S Y C N L W C J K O M D T X R E Y V Y P D Y J
T A P C Q C Q V W E K C W B N R O Y I D P X I S L
R R G C R V G T O E F C D U U H A V Q E H Q P A O
Q V E K O W V Y Y Q J W W X P L L P X R N J O W W
R T R P J R I R D K D X J X B A B G A L W R L W Q
A O Y F X S N B M Y U G S S B L Q Y P I E Q B A B
D W S B K E V Z B M O B T I G O B L Q P E P X T E
E M E A Z A V R S K U A Q F G I F W P A K I E E Q
H Q I R E T N I W P G Y J R P M W O A E B F M R D
N H I P E G A E A E A K Q G G L C T M B Z A O I H
F A A Z V F J K L X B D F S H S A H O X N A F K W
Y U T P K X O G M O W S E N P Q X K J W P B I D U
V B W Z C X Q Y P K K D C B F M S I E I S N W H O

ADVERTISEMENT	ADVICE	CARRIAGE	COPPER
EXPERT	GIRLS	KNOWLEDGE	LAKE
NATION	PETS	PLASTIC	PLAY
POPCORN	RAINSTORM	ROD	ROSE
SPADE	STAGE	SWEATER	TEAM
TWIG	WATER	WILDERNESS	WINDOW
WINTER			

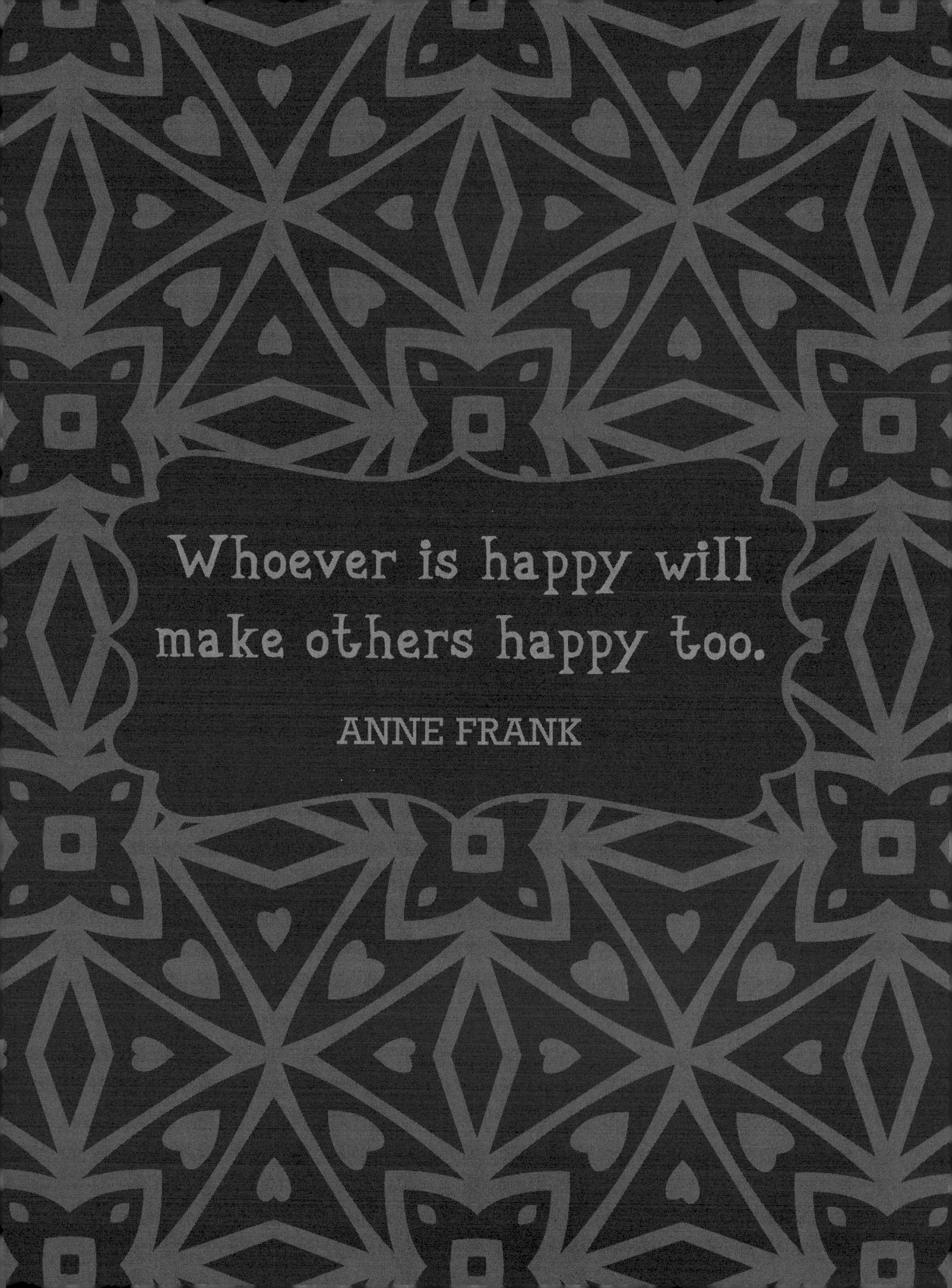
Whoever is happy will
make others happy too.
ANNE FRANK

C E X A U N U D D M Q T I W V Q T X Z N N N C K O
Q T P F D I P I H T E D I U U F S F H W O A C T P
N U E X A F M N Z R N W B B W T K C O L P I C O F
U O X A L K S O S T R E A M D Y T M R T R A Q N I
S R M T Y K A S M R Y G T E E H S D I T Q H U K G
F W M C G P X A F O M A S S R A A O C T S Y E Y J
X T Z K N R Y U M N O L Y W I P N B Y I E G R D J
R P E P F K T R Z X W N V L S Z A A M S P E W A Z
G O K V F T W S L I K W S D U T D S K W L J C G F
T P X B C B Q I I V R I L N W S J E Q E U T F S K
R U Q A R B N S Y S W N S J N V E R C C L A N Q J
Y E B Q O U P G L K F B J H N P G E F G F E I N V
M K T P O X R Q O Y L Y N I C J H N U L E K H W M
E I E S K T X L Y M F O T T J I Z N P F V Q F A R
K L A Y I E T P W O G I L Y Z T K I L O X K L A P
L C T I R S K T A F G E K I P N Q D C U K V H I R
O U C B R Y M Q R Y D Q X M H G O M O A C A S K S
F H N Y Z R J L Q A U K D D N A L A W V F E E A P
L J K R U W R W L I I F E I P T E G A D K Q A X B
D K R E M M U S L O M L W S H R J D Z U J H K H D
K Q Z F A S B T E Y R W G U U S W Q Y O R L Z F O
G H J G H D Y G F U D T W S E A L L G V T Z N S I
W I E R V O H F A V B I M F A B C P K A M F Z D Z
S A Y E G W E R R G H R A T E M C T Q C I C S S B
F P S Q F S F V U Y E C P V P W L C W H Y K M A G

BASE	CAPTION	CAUSE	CELERY
CROOK	DINNER	DINOSAURS	KNOT
LOCK	MASS	MOON	QUILT
RATE	ROLL	ROUTE	SAIL
SHEET	SISTER	SKY	STREAM
SUMMER	TRAIL	TRICK	USE
WING			

Follow your
bliss and the universe
will open doors where
there were only walls.
JOSEPH CAMPBELL

B Z I A V E H E T U T M Z P U E B E X L R Y C R V
K J J V L I K W A H W A V R F P X B X X T M J K R
L J Y C U A L U Y J A R D W A C B A W A J W Y F W
Q M S G R W D Z S F J B V T Q U V L M R I H X Z T
K U A B S I M S M X A L T G T W B L D P N V U M E
M N K R N S U T C A C E G U Y J X L K O L U L Z D
U F T S K F T D O G N O L O H L X D I B Z E A O A
L A E U E E R V K T E L Z M K L B T N T U Z O M R
S C H M N I T A X A S N Y W P Y I R X A E E U O T
T P B D N E W S E G K O E M N T E T O Y W K W T T
Y O C K M Y L E E M K Q Z G E W F Q L D I X C I U
T T X E Y O U X L X F L X P O J A I A W W W N O P
M U R T H T Y K G M Z W M G H H Y F G H T S J N P
K G V E P Z G N Z S O O M Y U U Q D L I R C L Z D
W Y E J Y U T U R N C Q P M Z U V P Y M W B B A X
A C T I O N X D A G H U R J A V K U A P Q O L W S
B I R T H D A Y L C R O W P R T I C F X H D N O R
R I M S M M M L L E V H X O Q I T L Y S Q T P S M
R T F U M Q Z P E B E A S D G I W T V P T X X E Q
T H X L F E Y I C B L B K S X J P D Z N N J E B A
H Y O A A C D A R A R S U P R U U B E C J N V C O
N T C W B M Z A G O V U L U Y J Z M K C A R C N X
Z U R F S N P W I U H S L N C P I R L L J F D M B
O X Z I E Q Q B P T K X Y D C K C H F O C C W T H
M Z S T B I X A Y K A Z N T Y H M J S L S U I E K

ACTION	BIRTH	BIRTHDAY	BRAKE
CACTUS	CELLAR	COMPETITION	CRACK
CROW	CUP	DRINK	EXAMPLE
INSECT	LAMP	MARBLE	MARKET
MEN	MOTION	MUSCLE	POCKET
SNOW	TENT	TRADE	TWIG
VASE			

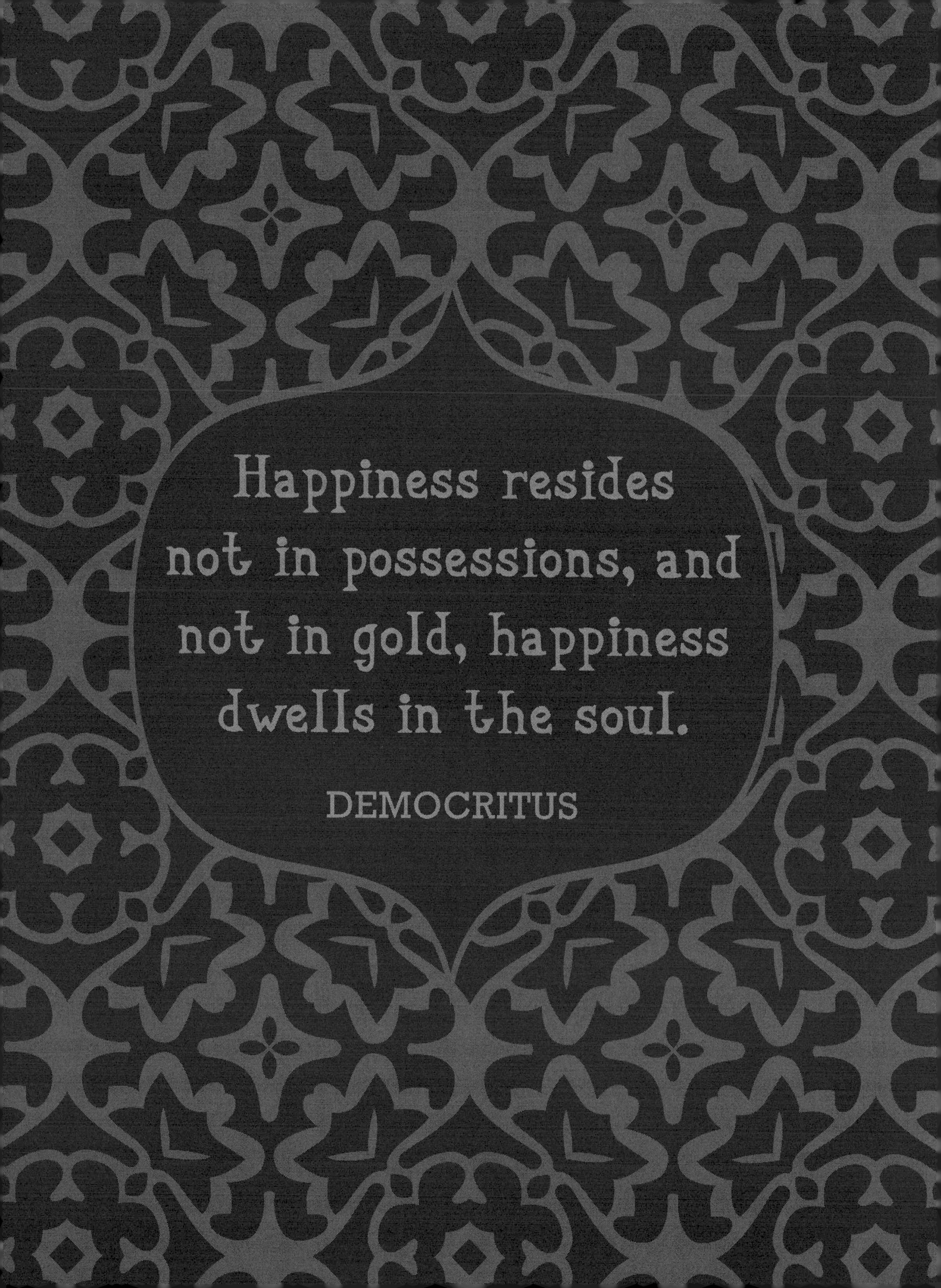
Happiness resides
not in possessions, and
not in gold, happiness
dwells in the soul.
DEMOCRITUS

S D G R O H S H N O A B J N E Y I S C S O U Y T O
Z B O X O O X I P F N P B E O J L U T P E B C P M
V A I U T X E Y T B W N U V C I Z W Y E F E E P Y
Y C S A E V I E C F P E F R A X T S R M X J D C C
I E T Y C L B C W J O I N U R D E A L E T T E R F
S O A C X K T Q I Z F F U C T A H E C Y X F E A V
P R F T N V C T S T W E G Z G T J M O A R H T D K
D F F F Q Z J E A M E X M Q F L G Q P K V D U X L
J J W Q U G O J E B G O K H D I F W W H Y W O I Z
Q Q B C Q H E B S M R S U L K Y F D Y P N N Z B R
S V R R S J Y L H J V P P O V W X J Q K Y U A M F
P V L K C G N H O H K P F Z F D U G R D Z L B G B
H F O A C C M Q R N G O W W U Z O M K F B T H S G
J F R T S S L R S P W W X Q R Z B D N O I Q K A M
S C R I R U E O E R U E L K O Y T H V W F M U N R
Z W X B E Q U T S U P R J U T C I W Y H L S F N Y
P I V G T N P C M P T E C O R I V A O C S E Y K K
G J S H S P D Q D L F Z B G G T Y Z C E E Z G P N
O Z K N I Q T S E G E M F Y M N L U S O B R Y L D
O F L A S W O N S M R H T E E L Y C I H O V R A G
H U E N O R H T E G I H N H I L Z I F C L G E M V
O Y J U D F U E X T W E I P R E H P L M Y F C H G
C B U W H V S N E E U I P O B M N X U B S X O Q M
F R O N T E D I R L F H W X X G F Q U W Y B X M H
G N I W P W Y E L B P T G E X Y J A E I D K I H J

BATTLE	CART	CURVE	FRIEND
FRONT	HORSES	HOUSES	JOIN
LEG	LETTER	PIE	POTATO
POWER	SEA	SEED	SHOES
SISTERS	TENT	THRONE	VACATION
VEIN	WHEEL	WING	WIRE
YARD			

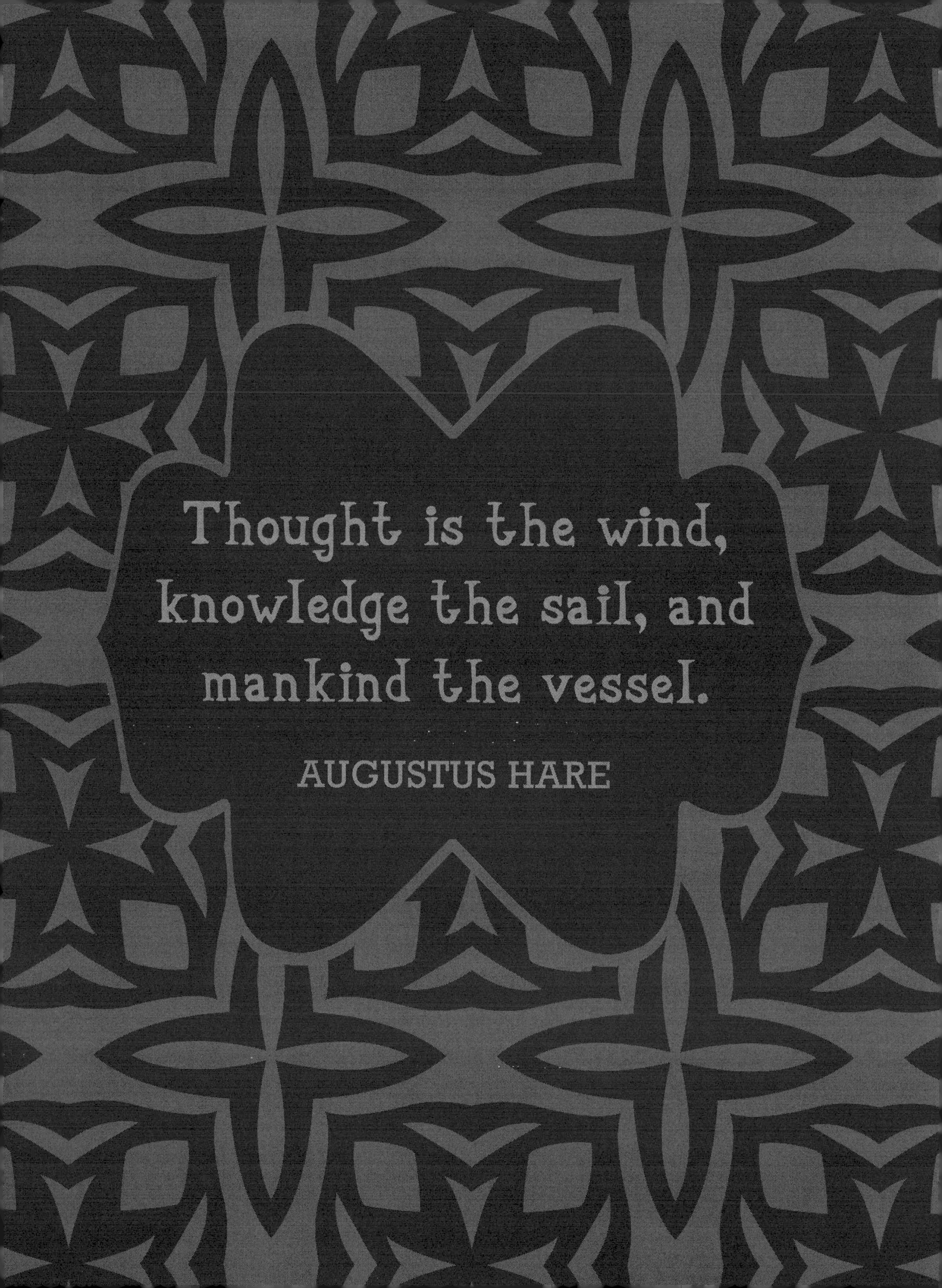
Thought is the wind,
knowledge the sail, and
mankind the vessel.
AUGUSTUS HARE

T H F C K E R O S U Y T K M N I E W Q P P T K O J
W C X T Y B T V N W X O Y J E V G S O O R E O J D
S Q E H D M E T E W G L N I U Z O H C Q C V W V W
M E N P N Q R J E D V I Z V S N N K I D H J G E T
Q V N V S D G S Z C C K L M L O E Z Z F K Y W U G
C S K D I E K M E S N M N G F T C S D S E C K P R
K Z N I H I R M P F O H I A F D O K F H E T Y E O
S T N A L P G G Q E W F M P S K S T E R L B N F L
P U Q O D R H I S T O R Y U Y Z O A Y E O T S X E
E E F P Y R O G Z P Z W U O H N J C L S R C I R W
I N W T A X D D R A A G G X Y X O C Z A A W V Z L
Q W I J D L B A P V V I D Y J M G E P Q D V Z F U
F A R M U J C Z U C G T E E P C Y Z R W D X E G U
R T S W P D H M K D R E G E L I G L E S A X K I N
O W G E B L O O D W O D T R Y B Q A H T S I A C N
V C E Y Z S U Y T E J I M S B R O Z T D D Q N V W
K H O E X B X M A Y T D H K N H C W A A J Q S W D
S S G Y W L O J B I C G C Z K O H P E I T N E T D
H A P Y A A X U O K M U Y X Q S C T W Q C S D O F
P V T I Y D H N P F L E Q T B N F R R T N P W L T
I Q H T D E R Y U A I Y H O S F X X O A S G G J A
L R K I P E J J M O T O V P C O B V Y W E V S Z V
Z K P C B S R P L M J Y R S M T L A T I P S O H V
A N O T P D U S X Q M P G O B Y D J V Q N B I K L
S K N P I T G E G C D D U I X M A E C Y U U S V C

BLADE	BLOOD	COMPETITION	EARTH
ELBOW	FARM	HISTORY	HOSPITAL
LAMP	MINE	PAGE	PARTNER
PLANTS	POCKET	RESPECT	SHEEP
SNAKE	SNEEZE	SOCK	SON
SPIDERS	SPOT	TENT	WAY
WEATHER			

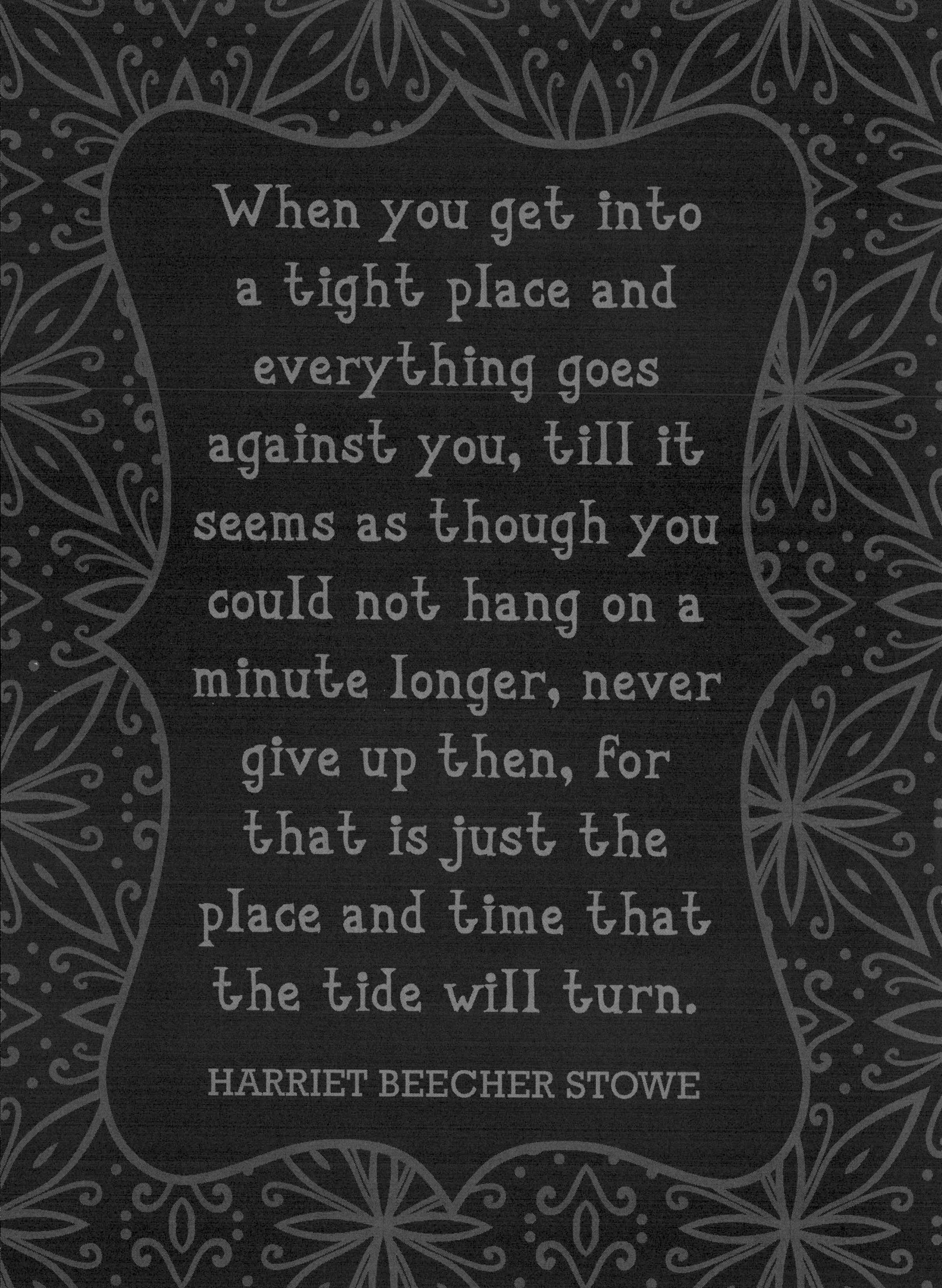
When you get into
a tight place and
everything goes
against you, till it
seems as though you
could not hang on a
minute longer, never
give up then, for
that is just the
place and time that
the tide will turn.
HARRIET BEECHER STOWE

W G Y H A X X Y D K C X E E V M Y O F T K L P S E
B N T Z O U C G X J J P W L S A T O E B K C P L E
U I R W C O W J D S Q P D T B V O K L N L H A E B
W W E G Z U M D L L M O K T E T C S U X K D G B K
O F P Y L L B Q H V H L G A I I Z Z V W Q Q O D W
U Y O V U U Q P C Q I E W B T H U L A B D W P W H
N F R R B R A N I D K I T R A I H C D K Q G C N R
D M P B Y S D C F R D S T G C X H N A I N Q H W H
O F L G X M H U C T N K R A X V Y I F D O R T P A
O E B X Y A L N X K C P I E I W U Y N W D F A I T
N B X H P Z U H W R O J U Q T U W O R B I V F E N
U C S I S N B W S O X B R Z F O E N C F I R B N C
M N S B H I V L L F H Z B P E M C I K Y Y X E J R
Y B C R L R O R O K Q Y T C X I Z E H T V Y H I M
Y R A F M S O H J T H R R O A H T S A O X L R B M
Q R O J H Y A P Y R E T T U B L H D T N A X H O E
Y Z O M F S P Z J J I G B X F N W A H B B B S N P
Y E F T E V T S T Y K S Z A E Q R T Q J J R L Q R
Q D H P I M P I G E P T W T W I P B O M E T E B Y
R Q Z F B R L F C Y U H L O O Z P P U S G R A I N
K G D U X T R Y D K Y R M I C D A H U V J X W P Y
Z K U H O L T E A V S I L X K T M O P Y N F M H R
H R U P T S W P T M Y L R R V T R V M Q Z O H P B
K L I M A Q J P S X E L Q G O T V O L C A N O V D
U E K C G B S W S F W A U X P S G U Z N G D J H N

ART	BACK	BATTLE	BUBBLE
BUTTER	CAST	COW	FOOT
FORK	GRAIN	MEMORY	MILK
OCEAN	OIL	PIE	PROPERTY
SPY	STICKS	TERRITORY	THRILL
TICKET	TROUSERS	VOLCANO	WOUND
YAM			

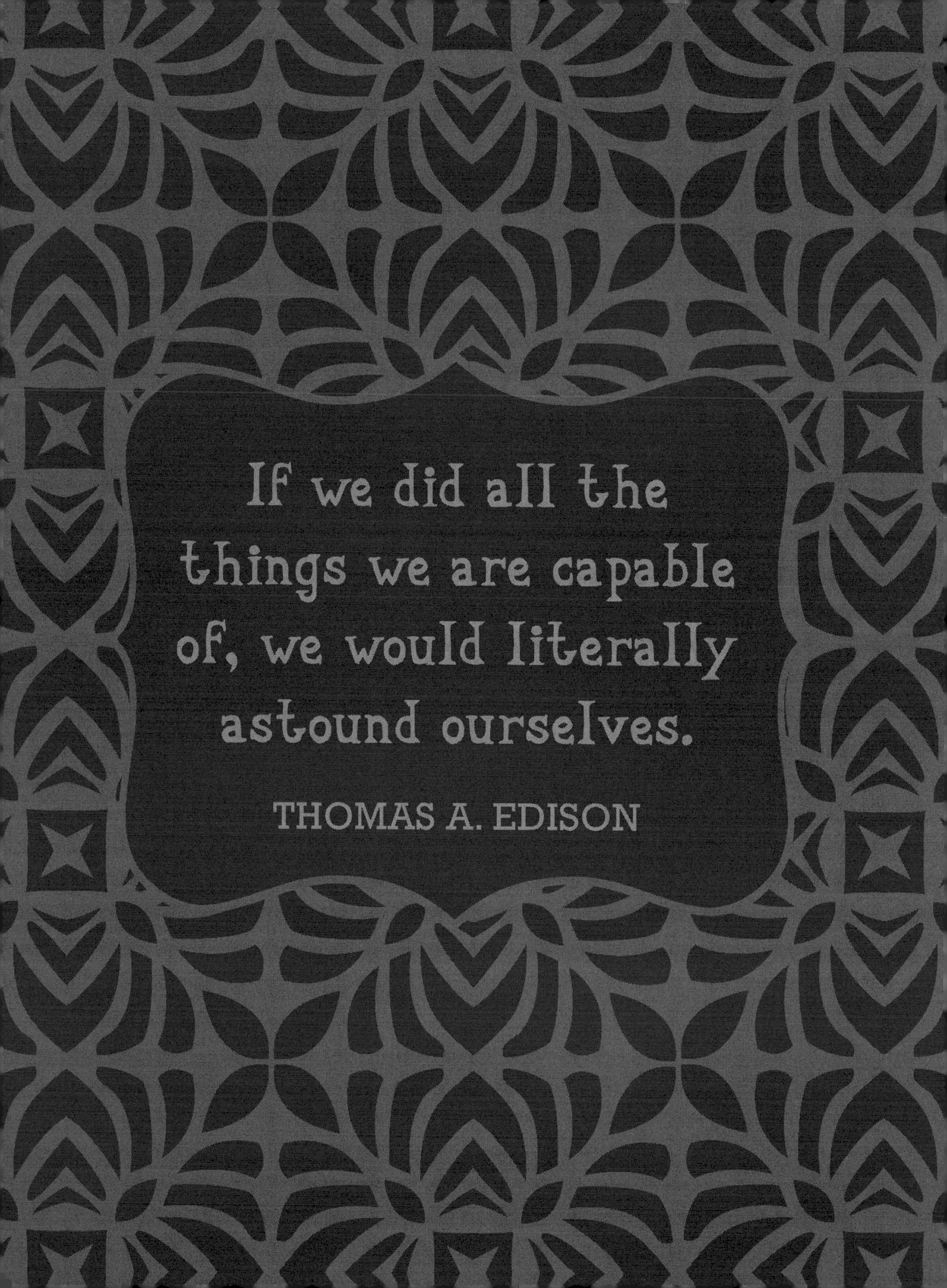
If we did all the
things we are capable
of, we would literally
astound ourselves.
THOMAS A. EDISON

```
Y L I E H G T R C U Z M A X F N K Y S G P N T A U
P U O R S K S A Q G W E T I U Q M B J Z F P N G M
S S G W M T I F D T A N N F U T M L X I Y W M L J
L F V H N U W C D O G C E M R U M N L C Q N R Y O
M T H E F F T H H K A T J A H F W Q Y E F E U H B
S G B M T R A D V I C E D T R F Y D E I D E L I Z
M K E O J H C B J G V E H N K T K N N I O B L H M
S B C S Q N F Q Z L Y L R B B I P X X W F R G C R
S U S U L A M J Q D H P C Q K P L R F O O S D Z E
S C M R R J T S K V R Q A H V V Y I J G N C T I A
X V X Z A T N Y L A X K B M H Z C N W Y G Q N Z O
M O R N U C S I P I R Y G I X S O Q F D N L P I Z
Y R E L E C C M A X J J H G T E M L M L I C V C N
K S C N N N W E Y O F H A I R M P F S A R L S I F
O F D A E A A S P O W E R I P X E L L N K W X K F
E V B P Y Z R M G K U V C H F P T Y P A D L O G A
B Z I M G N L T W H S S K F K O I R N R M O M C V
Q G G M V I S Q C W S D X O G F T C Z V I E T N S
S D F O A T L E R Z H M Z C N T I F M T G I K B B
N M L P G R C I E K A Y P O I I O M M T V B W R G
P K T Z O I K Y D R Z C D R R I N L C I J H U M G
Z G X T U Z M E I R T G M N P P V P T K H N H A J
T O R J C D M U T O E U D E S M L Y K V Q A V E W
E L B A C A V K Z H L Z D J T V J J W N T K L R Q
P K O B I O F J Z X X A C Q V H T T P X E W L F X
```

ACTIVITY	ADVICE	AIR	ART
CABLE	CELERY	COMPETITION	CORN
CREDIT	FACT	FLAME	GOLD
MARKET	MEN	PAIL	PENCIL
PIGS	POWER	RING	SPRING
THUMB	TRADE	TREES	TRUCKS
TWIST			

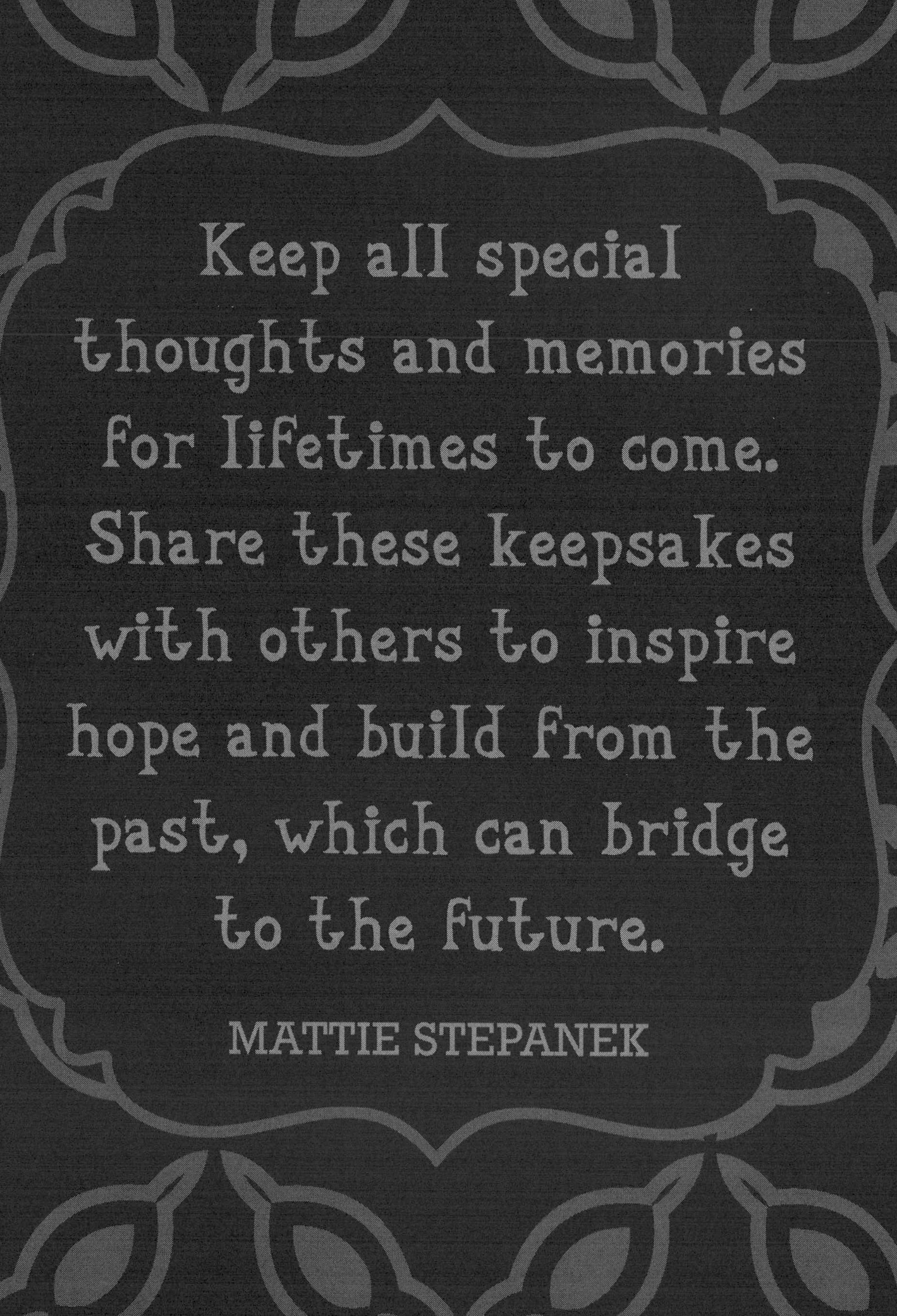
Keep all special thoughts and memories for lifetimes to come. Share these keepsakes with others to inspire hope and build from the past, which can bridge to the future.
MATTIE STEPANEK

F V Z D W G R E J I K I R W R N L T Q Z J M G W E
S U Q Z X Y W J C N N P L A T E B B G H U A B K C
W D G X F I W Y W N I C P A R D R P V G R R O R U
R Y A P S C Z I R O I T R N C H H E W A I M D V Q
T U G H T C O F I W A U M E T O P G W D S R Y C W
G R O Q J T S I T Y Z X Q Z A L V R G Z U D I S U
A C H H O O J F I Y D T D J H S Q E K B C F P U Y
B M L T F S U R N S O R D S W F E R R S U B B Z B
E E D X G A L O G R C O U F O Y Q Z D Z J O M T R
E C T N V B E B H U D R D O C R M F G I N F X M C
F O B S A Q Q C E P B W D X Z E F E D F S A X J D
G W R A L P Z Z E H A L T A L P L M M M Y T U I K
R I G D U Z A P T E E R Y H M C A J W E M G S U B
A D N Z E X R O N N H A G H E Y Y C H V D C T J E
M D S V L R O E O F X B F Q O M E H K A B N K V O
P O O F T T H G T C A R P E N T E R S C O A T I Z
Y H A G H N X H F G W F G X X L Z O G D S K L A T
T M M U R B E S P M N D Y V S W R V O I K X J T D
F C Y A S J Q R T W U N O T N T J R Y W W N Q H N
P G Y A C P F M B C R L H F J O Q O M D N T O F E
V L V U O U E X A C G T R U O A O O M Z U U H T I
Z K D V B O C K S E D Z R Q F U C A F P R V O L R
E G N A R O K Y I X Z N A Z U J Y F K W S G E A F
C P C X W I Z B E O Y I B U V F E O H U W M V P J
J F J J U E C R R F H L I S U G O M G P G H P X Y

BEEF	BRIDGE	CARPENTER	CAVE
COAT	COVER	COW	DESK
FRIEND	HOUR	INCREASE	KNOT
ORANGE	PLATE	QUINCE	ROD
SMOKE	SORT	TALK	TOOTHBRUSH
TWIG	VALUE	WISH	WRITING
YARN			

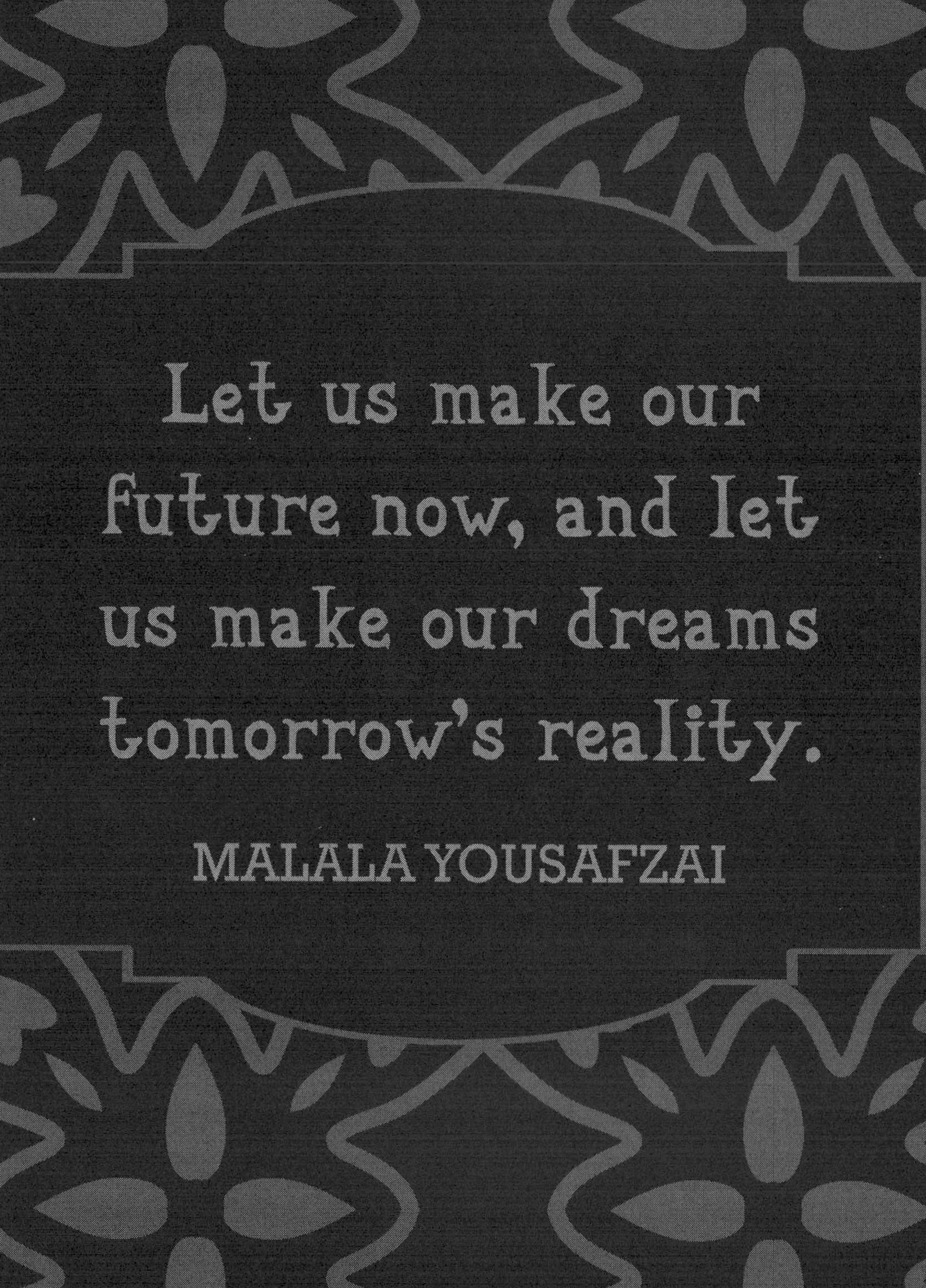
Let us make our future now, and let us make our dreams tomorrow's reality.
MALALA YOUSAFZAI

R U M C O A D Q A W I C S O M W I S Y C G G N M K
O E H Y D A K R R F I E V M Y D V H B H X O P E S
W Z L M E F Y E P X I G K Q E M W X S D O G U A D
C Z Q I F L N B R P V U R J A X J F T N X B Z L M
A A J V G R P M O O T T L U U X A F R O F O R U B
N Y K W H I O U T T V A E N S X S E U S T A B B H
P V Z E P N O N E Q C G C D S W T B D I C S K H O
V X K M S I V N S E N O J C I F N B O R D E R R U
R O T M E L X L T A X O D M A N V T N A V R E S Y
N W W M Y B E H H N L S T H D V B M G P Q H G B Z
O C J E R O Y C Z U L N R R J M Y O S M N N Z H O
I M E R T E T I V C S P U G P F M Q X O W A C Y B
S T B P J C F R U I S H F M H Y O Q Y C U P Z U R
E R S W D T I N P C K I K O G O J B G Z E T C Z V
C K Z E G M N P A H U R L N N G E G U N E Y A J N
N O A P P L I A N C E I B E Q W R L F Y F T C H M
H M J V X G P U G Q D I E P Q D E W W O R G N P Y
O I F D A T Z V W A N Y E F W O V W H Z S A X G V
B T B N R Z Z R Y B P E R J P O H D H N Y O K J W
H U O I L K E N P D P N T E G Q R R A Q J B K D E
E S N M I L O O W B S E B D W L V M U B M S Q I P
Q F T D A K O U Z U U V Y V N A Y Z S I K B J A T
C J W W Y N P T A N K L N V L G R E B O V W Y D P
P D R N U R Y V W Q R C C X G C H D F S R T K O Y
U D H L M R G F R Z U E G Z R D T V S T W Q Q X V

AFTERNOON	APPLIANCE	BORDER	BOX
CAKES	CHANGE	CLUB	COMPARISON
DRAWER	HOLIDAY	LACE	MEAL
MIND	NOISE	NUMBER	PEN
PIES	PROTEST	RELIGION	RUN
SERVANT	SWIM	TANK	WOOL
WORM			

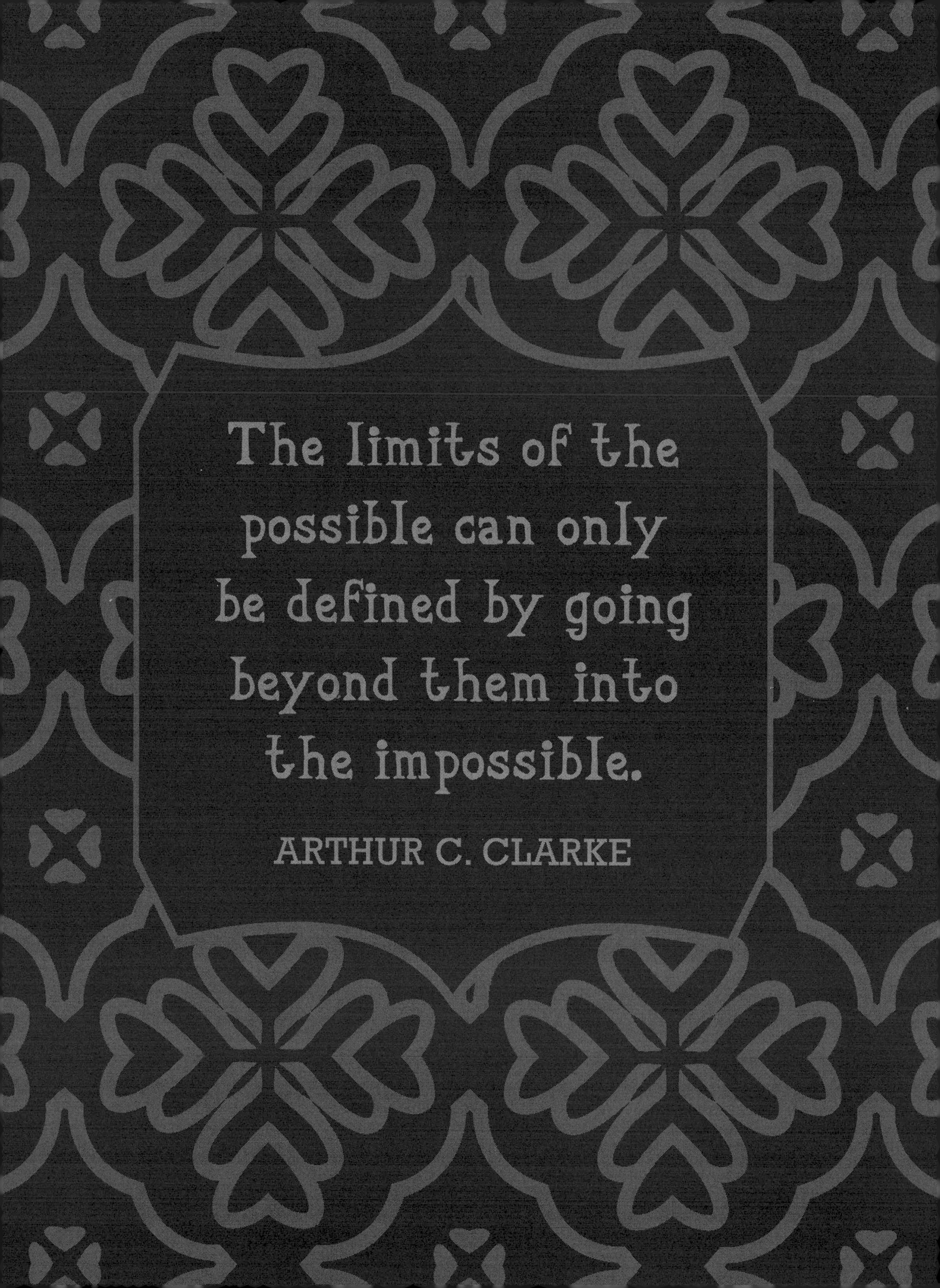
The limits of the
possible can only
be defined by going
beyond them into
the impossible.
ARTHUR C. CLARKE

W Y P N T N U O M A E I S P A P E R Q D T Z Q L W

R U O I A W H F A L F T T F T Y Z U Q A R M Y O Z

L S I A I L K N B F H M R P O K T X Z M C O I P M

E H N T F O Z U B S P F E U V R O Q S Q Y J B G E

U T Y N S Y O E Q Z E N A U J X K F J X P L D L P

F P G U P R B Y E Y T R M V X M X Y S H O K S M M

B S X O T D X C H W K T U B W G X B B E N X X R G

C H V M J J T Q M M E O O Y X F H Y M W K K S E J

A Z C Z C J N D L Y C P R L A V F I F E X I M S E

B E I F R F T U V M U B Y Q M H Z I I T F Z B T P

Q S E I V F Q C G G Y B V F A R I W T X N F L Y H

F Q D R D M Q O C I D J A X T T O P F Y I W U E Q

L L A B T E K S A B V E J E C E M T G N I R E O N

G F M D S N S S X T E D G L C Q Z U S Z T Q C K T

F C M I H N L I S U T Y S R E T N R A N Z T N C D

R A B B I T S E G K R O M U J F Y L P E I L Z P A

U B C G S X T A C N I R T O Q V F L I P A A Y R R

P K L N K K O G G U H X T J D Y P F O L T H R I D

Z O Y I L G P A K I S X A X R F S W H H F E Y C N

I Y N H R U I A J I F L F G O W D N V F I Z G E N

W V O J H E X K S C O E H L P E G D U J L P U E X

A Y T M V R A P S T O O D L R L C G N E J E B F N

C A M R Q F L I H D S U J M Y X D I L P R V S R C

U X E Q A Y A R W T X C G Z N F K L A F C O K C P

U N Y J O X P J Y B T H E H N D G A Z B T C G U E

AMOUNT	ARMY	BASKETBALL	BIKES
COUGH	DESIGN	FOLD	FORK
FUEL	GHOST	JUDGE	MOUNTAIN
NERVE	PAPER	POWDER	PRICE
RABBITS	RAINSTORM	REST	RING
SELF	SHIRT	STREAM	TEST
TROUBLE			

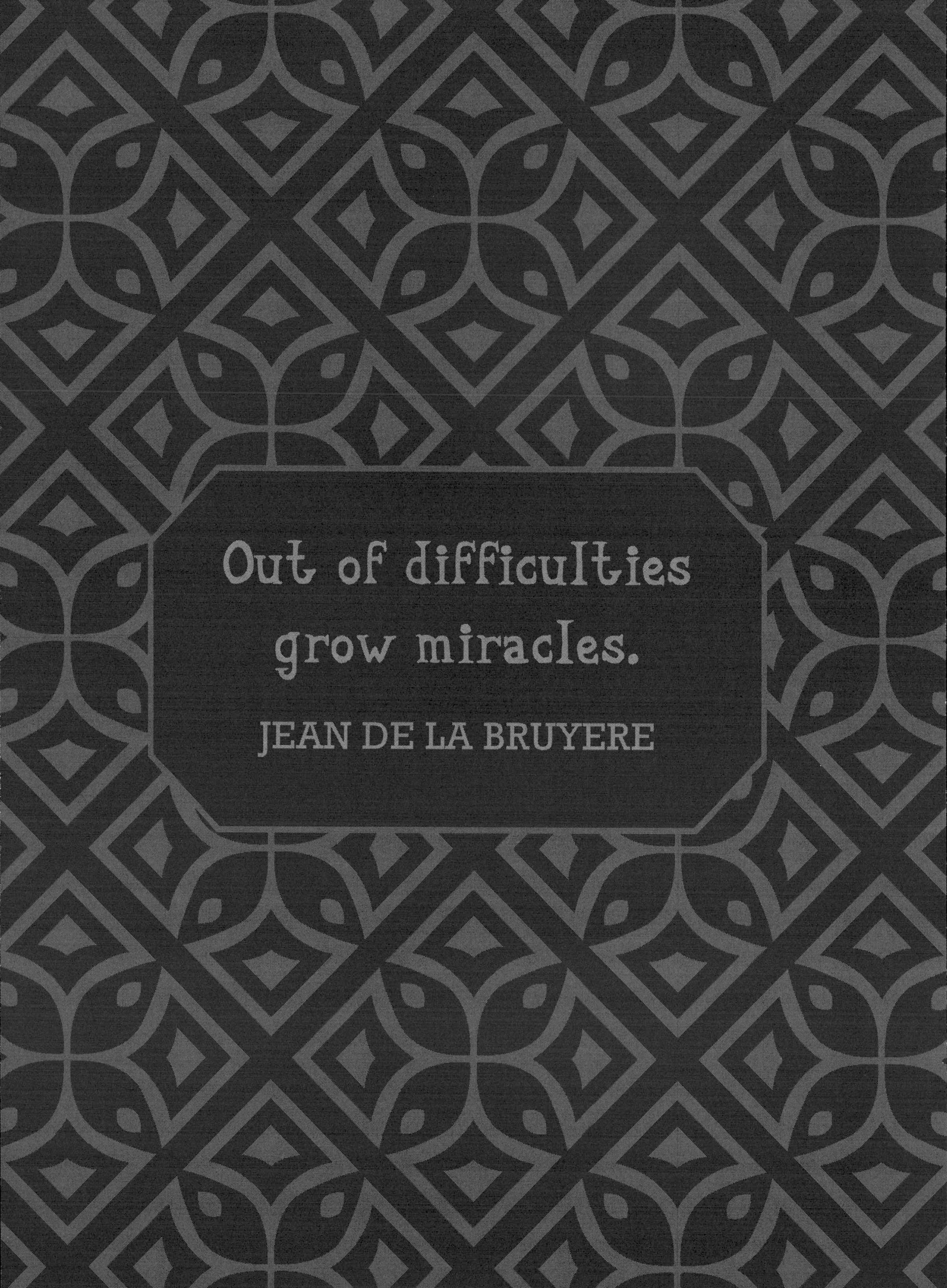
Out of difficulties grow miracles.
JEAN DE LA BRUYERE

M M K W E O P E B H E S T O R Q Q W N W E A A A S
Q B E B J R P M O Y U H N F X J L A J U C S O M H
J N W G O D F A Y Z I F E H N K E G R A Y D F A E
M B U F P U L L H N Z S M A L C Q U I E T I S P E
F O I S F R N H J E J G U Y O A W S Z U C O T M P
S T T O I R A L R W C D G H Y S R V N A P J W A K
D U P L T D I G R P M N R I Y J P Z I M O F H C S
A I E S A K P L F C Z A A L O I G J T E E H S E F
F A U B I S Z K B B M I A R H U Q R X N I E I P N
Q B G B G Z A V I F U A L Y U S K C X J U R E C P
T I M I L J E Y N A I O O N D S K E L P R X M R G
Y R P X Y C Q D O V A M Z F C T N B O E P X Y G T
V W H O E X B R A B S S H E L C E I H F B N H W Z
B E V A U J A M H I D O K L K U D C X L A A K P Z
F A R M Q N D G X H L S P B C T W R D R R N M H E
E L E I X M U V D U L P A A O F J R A Y C O R A Q
V T S L M F A J D Q Q E C C E B V J E I S J E Q E
M H U Y E N L B Z G R M U Q E D O O H M N S K T O
X B E D S P Z R B V O Y F P R Y Y Z K I A Y H A J
W I K Q P T A C H L D A E H D L U B N V L H X L N
C W F J O R E T E L W P C X G N R O B V U A S K M
L I T T L E A M Y E L V F S Z Z S V H H I M D R M
G E P V C S G F A I R I E S U I X G Z P P V I M L
X M Y L T Y M B G P M H B W Z G Y B E L H M Q G T
Y D I E Z W V H E I R J J Q A O K B M Z S R G K V

ARGUMENT	CABLE	CAMP	CHERRIES
DRAIN	FAIRIES	INSURANCE	LIMIT
OCEAN	PAN	PIGS	PROFIT
PULL	QUIET	SHAME	SHEEP
SHEET	SIZE	SUN	SYSTEM
TALK	TASTE	TREE	VAN
WEALTH			

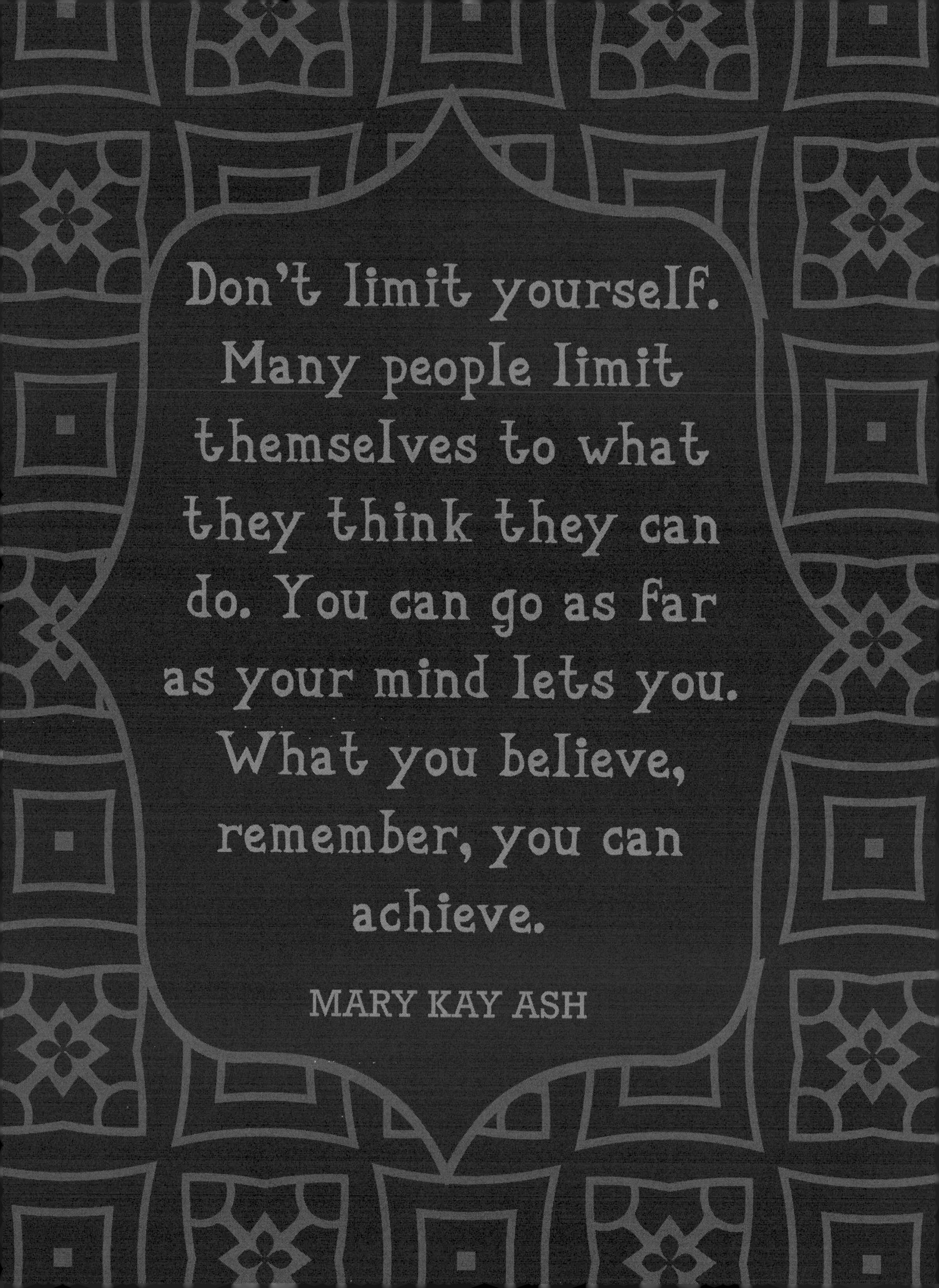
Don't limit yourself.
Many people limit
themselves to what
they think they can
do. You can go as far
as your mind lets you.
What you believe,
remember, you can
achieve.
MARY KAY ASH

C I Q R L I L F F E O S W S Z U C M G I Y P P R V
X O N G R H R E B R A G B R R G S G J E Z L V E O
B Y M D E V I L Q Z O P G G S O T L F J A A R T G
E V L P X L I Q X B K W D T J B S S E Y C N L I V
N R U C E E C N J D V X U J V B D S G E D T L R T
I Q H B J T O A R X M E C O W S B R I P T A O W N
M H B V C I I I X E U S V P R N O J I C U T P A S
O O O J T P X T U S T I O S A U W M L N S I H W S
V H L A O S W O I K L R C N N Y Y Y M R T O Y M J
D R C V T Y K R A O Z P A D A G M S P A W N O K Y
F A R E G N A C O C N R F U R A D E D B C V R F C
V R K K M U Q R U I B U I N Q J F L N R T O F K A
M O N K E Y D R P D X S R P L Q T K A T Y I P X I
F Z P C Y E E Z C N Q E G H Z M O C Z O E C H M D
I I Z V R Y U C S C I E N C E H K I R M D E V E O
V O T K J T B I R Y I B Z U W E S O T C S A Q M H
D P B I D O P U U R W G H A R E C N A L A B R F I
E R U T A E R C A A Z T Q T N P B O V O S N S M Y
S B O Z W X D E S C G C E R X H J A G K V O H L I
H J N J N Y B G W Y S W H Y V P D O R A G G R F L
N S S H I N S C E P Z Y Y W W H Z M V F C T O Y P
K F E L O G A K A M F A V C B S I H O B X W A N J
J F B R O N T A T T P B U P V C V H K N F P P A V
M Z A R W J J A E Q S S E X E T A O S X L Y U E K
Z F K O K M L F R E B B H K I R Q H H L S H X U G

ANGER	ARM	BALANCE	BEAR
BELIEF	COMPETITION	COWS	CRACKER
CREATURE	DUCKS	MINE	MONKEY
ORDER	PAYMENT	PLANTATION	PLAYGROUND
QUARTER	SCIENCE	SCISSORS	SLEET
SURPRISE	SWEATER	VACATION	VOICE
WRITER			

The books that help you most are those which make you think that most. The hardest way of learning is that of easy reading; but a great book that comes from a great thinker is a ship of thought, deep freighted with truth and beauty.

PABLO NERUDA

E D H W N F C S K N I K S O I N R R T W P Q M E T
V N C P A F M F S M E Z X I I O E G P A B G I N U
R U T E Z R E D R B I E O U I V R V B O D E E Y O
U O I L W L T U Z I R T L K I L D B V R R M C W I
C R T O I R X S B B U C N U U U X M I U E M H P G
N G S B W B E Z A X O I Q O G H W M E S M P L Z E
O Y X V D H L N B U R T S A A U Y K U N N N U L S
H A C R O W N O G D K Z J U W X T M I G A B V X Y
X L P Y E L M H O U G O J Y L C A S F G Y J V T R
Y P F O V A Q N L D W L M R F J D R V O Y M M N P
Y E K N O M I Z J M S Q U I R R E L A W C Z X X C
A A A T I L B A M K B O T G Z U F R H E A E Z G A
R T R U O X G M N H P I G S N M U Z A H F R S S Y
H F Y Z F U E R D E N C T G U R C F A O E S U X O
Y M W B T K W X W I L S E M R G E T Z N L Y I H M
T R L C O I E Z R S A V L Z B P Y V L X B S T W C
H C W G J W U D G A I W I E Y C O D L J O U U V K
M O Z Z D H J K G W Z P U K S M F W J I W A G A T
N E N I L L R B K Z X X Q M H W A P L P S M N A B
W T V J O B V S S G S U J V P T E R I F P H I X L
J B Y T R S E P Q O W C O S T Q I A S Y I L H T I
S S Y P T N E J N F K X I A S N Z Z T H E Y M Y A
E R V D T M B T H D S F C A V C D K L E F Y N T S
N B R P C N V W Q N K K P B L H E C K G R W G H L
Y F J N X C L G B R W P H N A I T M L R I H W B F

AMUSEMENT, ATTACK, BLOOD, COUGH
CROWN, CURVE, DRINK, ELBOW
FEAR, LINEN, MONKEY, PIGS
PLAYGROUND, QUIVER, RHYTHM, RUN
SILVER, SKIN, SQUIRREL, STITCH
STRAW, SUIT, SWEATER, TAIL
WREN

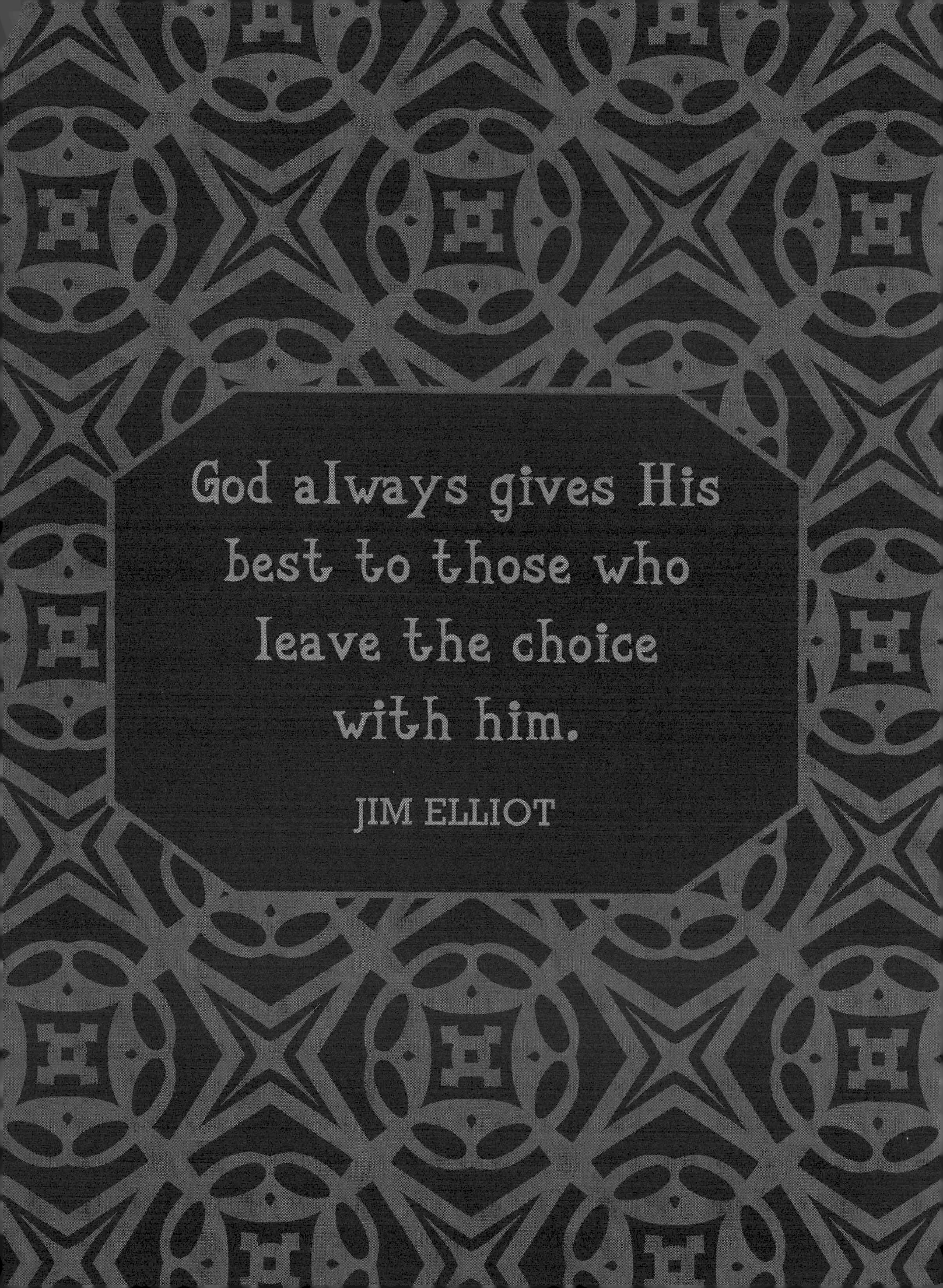
God always gives His best to those who leave the choice with him.
JIM ELLIOT

L V U Y W A T R I M Z I V U U P E F F E C T E X G
B I N J E P N T Q X H P P P N B A X O Z V G K Z L
Q Q A O Z P E J V J V I S Q N Y X Y B J D T O P S
M M E R Y A M E M E H C N G T B W M M A H W I V M
X R Q V T R E X V Y S T A K U P F M B E T K Z P V
I D T K R E T A O U E W L P M H K O X B N W Z I S
M A Z Q R L A N O S A E R A K N K M N B S T S M P
L N L L K O T J C C W A E C E P W S E F E I M M O
K L N T T T S B X A Y T J L O H P B U H T L G Q N
P P F A O N F E E S C N N U T B O Y N O M N L S G
N W T K C N L Y X B K V G K G X N J R D Z I C A E
P O T U N O T J O N V J V Y Y H V A T Y U A Q A F
P L O O H C S Y L W T D P N D O B A B S T Y N D S
M S O T N G G A G X C M E M Q I G I W T M M Z H G
J A G K D F M N T X Z P I L S S E P L M F Z E Y M
R E B Z N M R S Z P X P I Z Q T Z E C M N S G H N
R N E D D N G B X W H L L Z Y E H S J D E Y J E B
N Z K L L I E F U N C L K C Z W Z M C R N Q T V G
G E F I F D B N U Z A P M G O A W T J O F D J L T
B N Z Q S K E C K B A R M I S T S Q S O Y M P H I
G P I L C V B X E N H T S R F W X W X P I E S B D
L Q V R V D R S M O Z H M S P M B P E I K L K D E
X J K D O W A T O F M Q F L F H S P W H B N O K R
D K I U D B O T W C F F K Q H E J T I S G R O K C
X E I K F M T H G S K B E D R O O M Q T V L B P V

APPAREL	BADGE	BASEBALL	BEDROOM
BEDS	BELL	BOOKS	CATTLE
CREDIT	EFFECT	HEALTH	MIST
PAYMENT	PIZZAS	POTATO	REASON
RING	SCHOOL	SHIP	SPONGE
SPOT	STATEMENT	STEW	TRAIL
VISITOR			

The things that
we love tell us
what we are.
THOMAS AQUINAS

M H A V E R T C G R S Y W S M C H Y A S B D K D L
E O Y J G K X C E L L Y H R H I F A Y C C C Q F E
M R R H D T R O X M L S O D B F V E X Y F I X D M
O N J G E R Q D B S E F T C T N P V O D P M B R I
R Q A U L O L N T N B T B A C H I E V E R D M U G
Y A Z M W O H U X L T Z E Z R K M C D T G O M Q C
E S E K O L P C A Q N X O R F W W X W H P D K I Z
R E Q E N F Y K W C D H Z V Y X K N K L Y P K B Q
F U R O K P H W U V G J K U Z R B K Z O H I O W J
I U G G P A C A E K F V U Y T B U S W S M Q Z U H
N S R U E R A T B R R U D F C T G U E W S L I P P
G N I G O D A J M V Z R D N M O X N O X M P Q O D
Y Z P W Q C W E C L O C P U R I S T B K Q L D R P
U U C M A T R L E S S E V F L E V E L K N I R D O
H U M M L U M S K V Z N L R Q I O K T B F Z V R F
P D E O T L S V R N K I L L E R V M C W X J I O V
V R M A W B D Y I P W Y C Q M G E M M G G D Z H O
A I E Q C B G S V Q K J X Q B T N D B Q Q S W W K
O R C F R W Z K E T W Q S E X U Q A R W Q X I R K
C T X A M F M R R P Y K Q M D M U J T D R K W I P
Z K P F A Z T N A P I S E J S S Q N Q X N S W D J
A E Q B B P Y Z X N I Q V P V F D U D Y G R B R T
F H B R W U H X U K M I T I V N X R H R X P C R D
N Q K R X N E P F E J M I T I D F C T R H N K E V
J W E X A A K E F H F W U W Y T E T U N Z G C P P

ACHIEVER ANGER BELLS CAMERA
CEMETERY CREATURE CROW DEGREE
DRINK FLOOR FORM FROGS
GRIP KNOWLEDGE LEVEL MAN
MEMORY NUT RIVER SENSE
SLIP STAR VESSEL WAX
ZEBRA

Everyone has inside of him a piece of good news. The good news is that you don't know how great you can be! How much you can love! What you can accomplish! And what your potential is!

ANNE FRANK

L D E S T R U C T I O N T R B N Q T R I C K N E C
W U V L K A K N N E Z F A H P O U K M J A F U R H
U S I J I F B A V S V L V Y G K N G D H R Y R I U
G K T E J F O O Y P L R R D K U Z E T N S X T S L
F Q A K O N L X E E R R U H Z N O S T E U N W E Q
M X T G S K P H C U E F S C U S J H Z G E M Y D S
L C N T C I T B O E P I K Z P O J E T M V S T V R
W G E R I A P V M R Y H R P U Z Y R P D N A U D X
A Q S J E Z U S J S P E I B C I F O U E H C X Q B
A V E Z N S C R K Z I K N B B M L L A C D M B O R
U T R S C M R Q M D V I U J W E V J R A F M T R V
A H P S E E V W J C I P R V V K U D M L M Y V F X
U C E L C E L P M A X E V E V Y C D B P A Y Y A F
I C R E A D U Y S M T O D V Q E X D U X P U Z Z N
V S I H A Y P N I K D C Z N G X P X L O G L Q O L
G P E K Z X W R U P X O N B R W E R G Z N K Q P W
T A E A D K N Q E E O M T I Y A G P D E S C A K B
K U H T Q P R L H A O X J U M H Z Y N O V R Q M K
Z B O M F L O J C F D E U F Z B U I K H T U O M B
N B F H I P Z A D G C I U W H A L M C Y G U B A N
U T V P G O G C R W U D N Y B T H O V I C Q N I S
I X Y V Q O M X U K P Z L G U T L R R H C O N S S
Z N J E P Y N Q W O V O Q T W L X K F H I L O W H
O C T P G M K G T E G G N O G E X O Y N L V E P I
Y W C E T S F D W F B R M C K W L W O J F D K E Z

AIR	BATTLE	BONE	CAR
CELLAR	CURVE	DESIRE	DESTRUCTION
DEVELOPMENT	EGGNOG	EXAMPLE	FOG
GUN	ICICLE	LINEN	MOUTH
PARTY	PLACE	READING	RECEIPT
REPRESENTATIVE	RUN	SCIENCE	THOUGHT
TRICK			

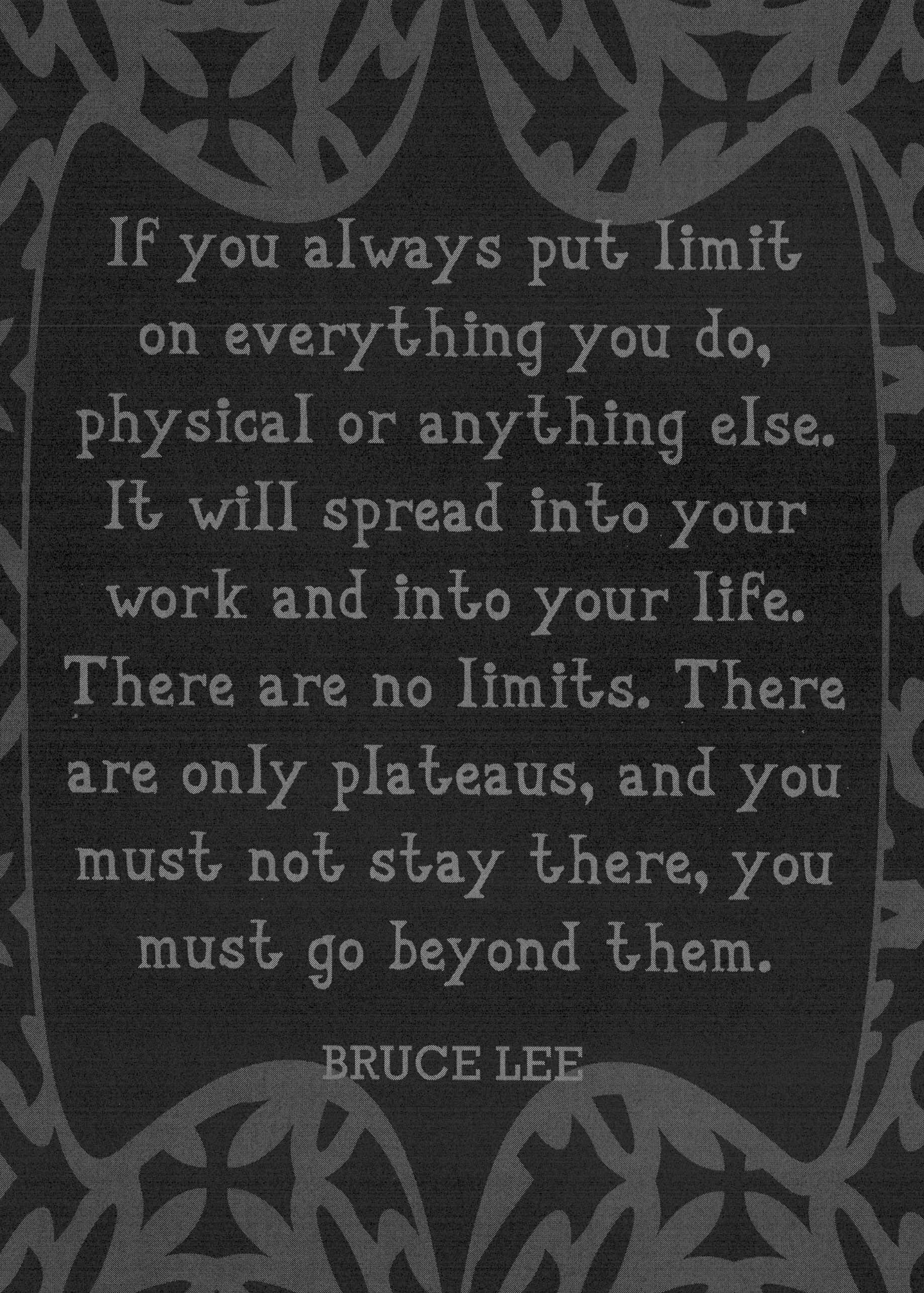
If you always put limit
on everything you do,
physical or anything else.
It will spread into your
work and into your life.
There are no limits. There
are only plateaus, and you
must not stay there, you
must go beyond them.
BRUCE LEE

A U U G D G L N V X K C B P N H R S H G C Q O A C
W C K I A B B R D G G H E Z R I K K K P F W A A K
C C T R A W E N K G U O Y A N O P J D E S A R M K
M U Q I N P F M E M O S U Y O E M J U D M R D N J
D A H W O W C P T I Q K E B X L B C I U M X A W A
A E T P G N K C A R C G O Z B B N V V O A N O L G
I W C M N Q V F S E E M G C C A H F O T G Y V U X
W K F I E R Z F N C I A V E L T X B S E T R T X G
H T U P S R X L F I C C E A F T E R M A T H M J H
M U E I N I Z H E I T H S Y C K W C V X R J T L E
R F L M O L O L T H V I O O G C W Z B Y P V R S T
H K P C S O X N R F L N W G O N R R E R O B A L V
L T A N E R N F N C L E R M V R A I B O R Q I I H
E P A N S E B W O R J C P Y D N Q W B T D Z N D K
U K M K S X L D I B H A B D L F J E X N S P S O W
E X L T I Q M L S E N Q U R D V J U M B E G U M G
F Q C G C T L A N Y D O O F E N L R S L Y U W M J
E Z Q V I B C S A Y Q N I C P O I S O N H B A F M
C S U B Y Q H C P N F M N T X U V Q Y Q R H R Q L
A O P U J H E J X C Z A J W A O I K H T T C F U W
A S A Q Q G P O E E R E V R C T B Q M C L W C B K
U S H T J A Y E F U D R W Z L S S M E D C I S W E
G L O V E X Z F S W S T D O W A O F J F Z Y A R I
O N I J T G L N M L P S G N D E F A F E X L D N B
I A H H G Y I R W J A K X R A E W R L B B I C O S

ACTION	AFTERMATH	BOOKS	BOX
COAT	COMPANY	CRACK	DECISION
EFFECT	EXPANSION	FOOD	FUEL
GLOVE	ICE	INSURANCE	LABORER
MACHINE	POISON	SILK	SNAIL
SNAKE	STATION	STREAM	TABLE
TRAINS			

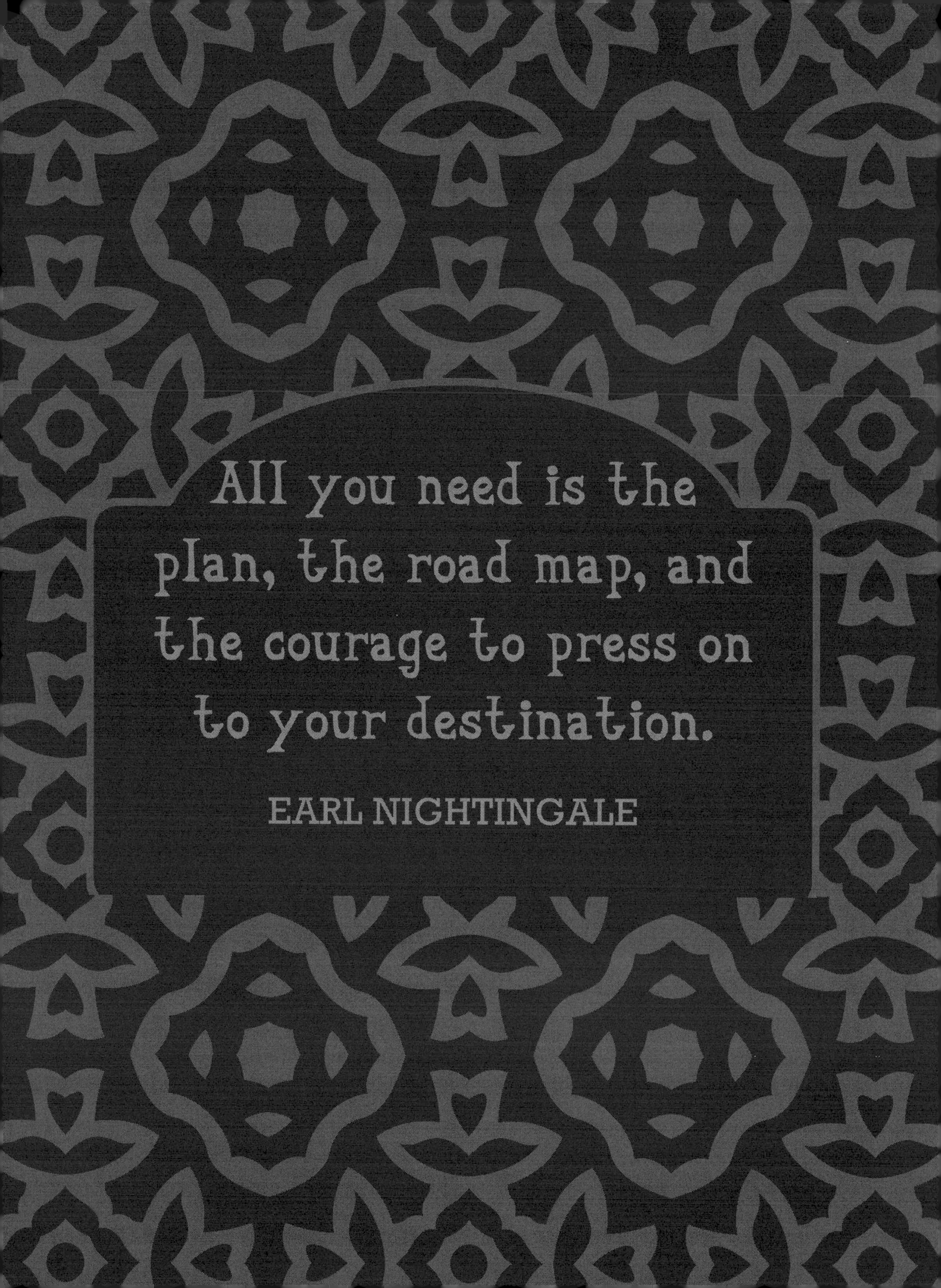
All you need is the
plan, the road map, and
the courage to press on
to your destination.
EARL NIGHTINGALE

P T T T J H V W W D H A U E B S C I L T X S M M P
F I F X T J C G T Y E X O Q A A Q J R J R Z U T N
M E E R Z F D B C X H K C W J H C O C I Q T O D Z
O S I D X H K O G E N Z G C O O P T K Q O K M E R
E B J O T B I A K C I E R G U S E S T A C Y Z E P
H J Z L A O N K K N U E B D N Y U E Z X K Q S P T
F M R K U L J P Q E D U V A R C Y O A O R R B L V
I H T R P B A S E I Q P R E E H W V O V J R O N E
W I J N K H E P H R V T C T M P C H Z N Q U N A V
S E M C E O N R H E D D K H A M M Z D G L A S S C
O E J Z F M K H I P O J O Y H J K A M K D Y J P Q
V X N F N M T G S X O G I T P W F F G R Y V J R Z
R G I I L G V S T E L X R W E I N E E I A A V M N
D C A N C V D A U I B G A W Z A P L L Y C M H P O
E O P J K Q U Y A J V I N G L A R P E X B K G K N
H Y M D K W C J R J D C G I R E G W Q D R D X S T
M G U T J M H W F E F A E T O Z M X R F D S T C C
M Z U Y I M E L F X T L Y W K E X V Z I J H B T I
T R G G P M Y A R Z U V D F O M T A Q B T A E Z X
H K K S O I Z N T N Y R H P L E A S U R E I D W D
V W J A Y N A Z F J U R L Y M I P G F S V R N L Z
T Y V R F O G E L L J N J Z B W I J E K J C J G E
L E S S E V T G Q A K X X Y V N N S D Q C U I J A
A Q O K B B Y P E A Y C Z R Z N J P Z I V T U X D
T B E J I X C N F O T C F J V L T K B X Z E S J O

ADJUSTMENT
ARM
BASE
BIRTH
BLOOD
CATS
DEBT
EGGNOG
EXPERIENCE
FLY
GLASS
HAIRCUT
HOOK
MAGIC
MEAT
OFFICE
PARTY
PIN
PLEASURE
RANGE
TOYS
TRANSPORT
VAN
VESSEL
WRITING

How wonderful
it is that nobody need
wait a single moment
before starting to
improve the world.
ANNE FRANK

E P I N T U Z A B P I X U J L O H H Z M Y U H W A
A S A E L T I T R V K E G D T T E W N U S N O J F
W V L P X Z J H H Z I R I Q A K I D W O H K M A J
C F Y U E V N A P Z A X Y M A X D W L P Y S E F M
U W F J P R W N Q F O P R C R R Y M J S E L H E U
A G I Q V M C O H M L E C E N P Z N P R E I L B E
E S G E U H I P C A T N E E D L E S V G P R G Q P
G W V D Q D A F Z F R W E O S U Q A Z L X N O Y V
U A G G W F R Z A S M K I E X I N N C X B K K G I
Q T G O V Y W Q B E R A S Y N T E K W W X I A Y K
T T E P H R R C W C K G R A V D P V N A Q G G E G
I R J X Z P L I C O Z R H J N G O K V X E M H Y Y
R A H F S C B A E G L Y O Y A G S W V U P N S K J
O D L X O A G S E X V R Q O F W I Z N I K F N J N
G E O H P O C J R J K L O O R H T X E T H J O G W
D H R H K A E P P H U T S A T M I S S M O M X X U
Q V T J L C Z T D Q S S I E D F O A M O C W S U J
G X N E K D K H S T V H W P E R N O R O J R N E H
M O O C C P Z T Y A D I L O H R O M M R T E P L K
K A C M S Y K S G W P K U C L R T L M H P G F L Z
D U Q U E S T I O N J H C B D O Z X Z C B S L O M
K L A O A J I W N V E W T E A Z F N J N J Z T D D
R K U K Z F F Z F V M W B O R M W Z X U L G B Y S
Q Y R R J Y L M D O X Z W O O I S D A L U I K T Y
B D F V S H A I R N I B L W Q T I P E V S Q S M Y

AFTERMATH	BEDROOM	CAKE	CONTROL
COW	DOLL	DOWNTOWN	HAIR
HOLIDAY	HOME	IMPULSE	LUNCHROOM
NEEDLE	PAPER	PET	PIES
POSITION	QUESTION	ROAD	SCALE
SERVANT	TITLE	TOOTHPASTE	TRADE
TREES			

Throw your
dreams into space
like a kite, and you do
not know what it will
bring back, a new life, a
new friend, a new love,
a new country.

ANAIS NIN

Q J L M A E H S G I N N T S Q L Z A P B T A T R L
E N O R H T C I D O S L G H W G D Z S U P S T I G
N G E W N V R I I E E V Z A H O Q K P Q S Y Q V O
Q K G G Y A M T G A B G K M S Q J V V O M H H K P
B K O X F T A Y O A U J A E L Q Z R C K Z F C D H
J A I F L V O X L V M S E Y V K B F T X H A T U X
V M E S R T V M Z Q X F W Q O U W E C G T K N E E
Z M L E K B O Y A S H U Z Q P V U G A T D O B V K
X I S U P L B X V T G E X U Q J S O A Z Q G F R P
P B L F K B G F B B O N D P D R O V D S T W M A P
O R U O H Q Q X J H Y E M F G W T U O Z F Y U C O
A N J C W Q C Z J Y A U S H I P C L V W P L P C D
E Q S M Y C E Y M I L J O A O O O P L P R T X U C
Q L C N V C Z Q G T H X E A L P T U T A L C D D R
C A L C U L A T O R P C D J Q J O M A S E Z B Q I
T M X B W K Y Z G N O V A V P L N R S J J G Z C B
M D G B S E O H S R S R N F V T L D T J J J L I A
Y L P T J L Y T L O I E S G I A N T S E D I Y Q F
E Z O Y U C N N G H T M G I H I I T I B R L P N N
H Y X H M I F H D U I V N P A U B N I J F N R G U
Z M P R S I I W E H O O I F I E D K B H D W E K U
K O M D U F I J A F N O H F Y A E N G K E Q U S W
V M D J J A X Z Z D I Y T U P S C C G Z C X N C E
Z V Z G L L I W X K R Q N C F G F N T Q K G X G R
G N U B K M B E Q M D V E S Z C T V S Z D Q N C O

ATTACK	BEDS	BIKES	CALCULATOR
CAR	CRIB	FLY	GIANTS
GIRAFFE	HORN	HOUR	KNEE
MAGIC	OBSERVATION	PORTER	POSITION
PUSH	SHAME	SHOES	SLIP
SODA	THINGS	THRONE	TOMATOES
VOYAGE			

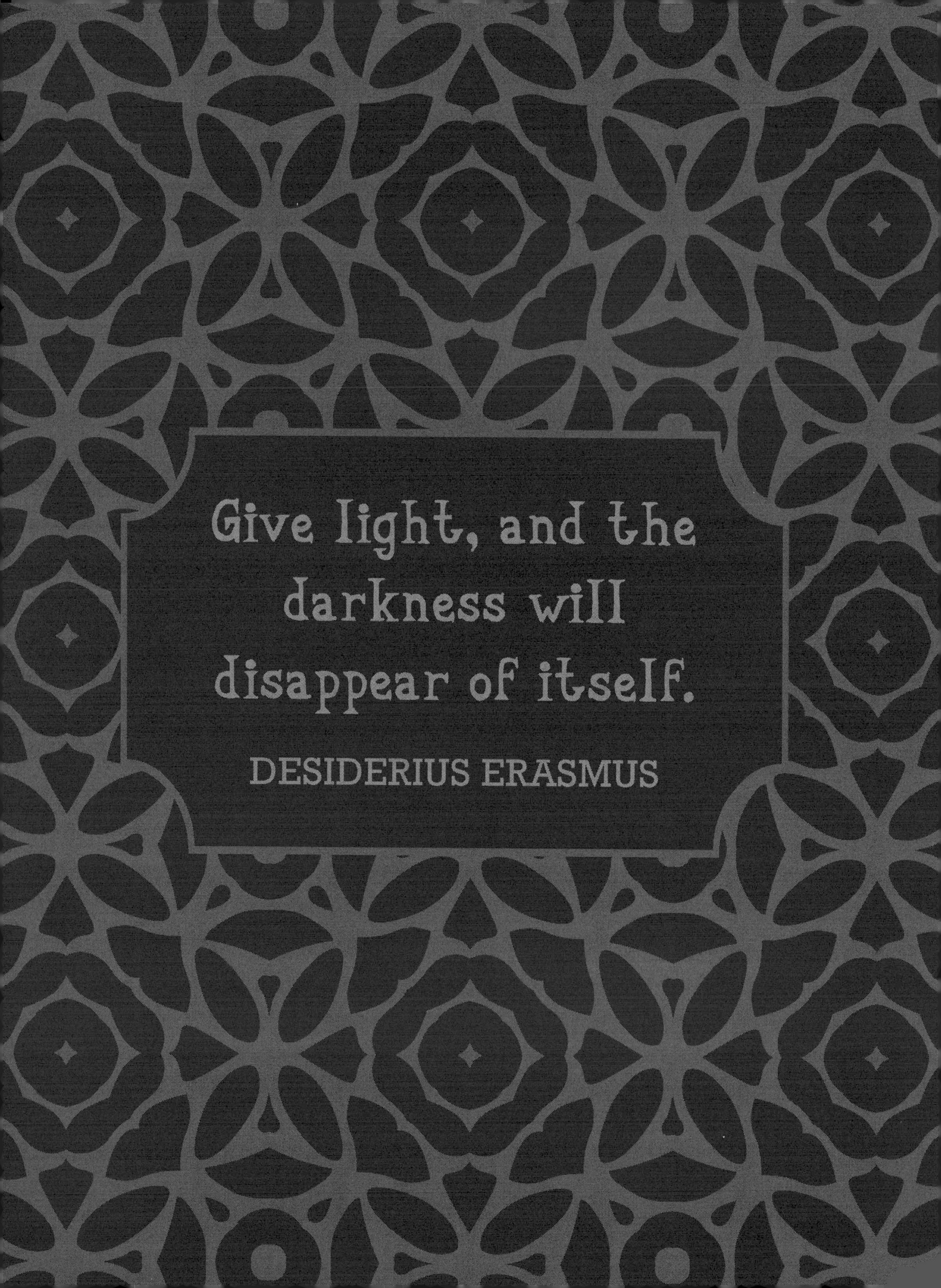
Give light, and the
darkness will
disappear of itself.
DESIDERIUS ERASMUS

X K G V Z P K F W R N C B N Y L G L U F K N I U I
V Z D Q A M B O S T R U C T U R E V F N J B B U O
X K K S E E R Y C Z M Y N X N V V N N I A T R U C
H M H I D C B R I C C W C Z E N D V N T G Q D E T
H O Q R E E J B J V F O D L Z E N P B A A M X C H
E B O R S L X J T Q P Z H H B M I Z Q I H E A C G
I O A Y F K H T C D E A I B J M Q O N A R C M L I
M C T Q U R Y O W I P C R H H I F X N C E D O A N
S K P W R A J B N V O X G G F T R H K T S L K Q B
I X K A U P K E C S M C L N U Y V E I I L A S E X
M U S C L E N B B K D N F T K M R R T V U K A S R
D Q J N J I O T D P Z R S X L I E D T I P E M R Z
G Y W U L W D K C I C W I W V C I N Y T M H I O J
I E L W U J U L J W Q W I B L A X Z T Y I G G G W
G S V R L K H Z O E W U Y C R G L R X Z A A Y W P
Z F U A H P T X M Q C U H I E T N I M B P G N L H
T T V X X K P S H C Q T A E E S Z I V U X F I A F
R E B P W O M E N A T S Q F G K D P Z K M V W M S
F R H R A H S P N S L L E B U G Q B A R R W U Z E
I Z Y B S D W O R K G E V J L R N G Q H L I J J J
B X V A N G E Z G Y G L X E L O V O W F W F B T Z
A L M E Q V W Z C T L F P V T V H L G G U G B Y J
X I I K C N K Z K Y G D B Y Q G E H Y R G K P Q R
I R N A H P X V G P E H I I J Y C A M F S I L Z S
F P Y Q G N W H L V P D Y O A F X G J J F M O J Q

ACTIVITY	AIR	ARGUMENT	BEDROOM
BELLS	BIRD	BIRDS	CHANNEL
CURTAIN	EGGNOG	FRIENDS	IMPULSE
KITTY	LAKE	LEVEL	LINEN
MEAT	MEN	MINT	MUSCLE
NIGHT	SCARECROW	SHOE	STRUCTURE
WOMEN			

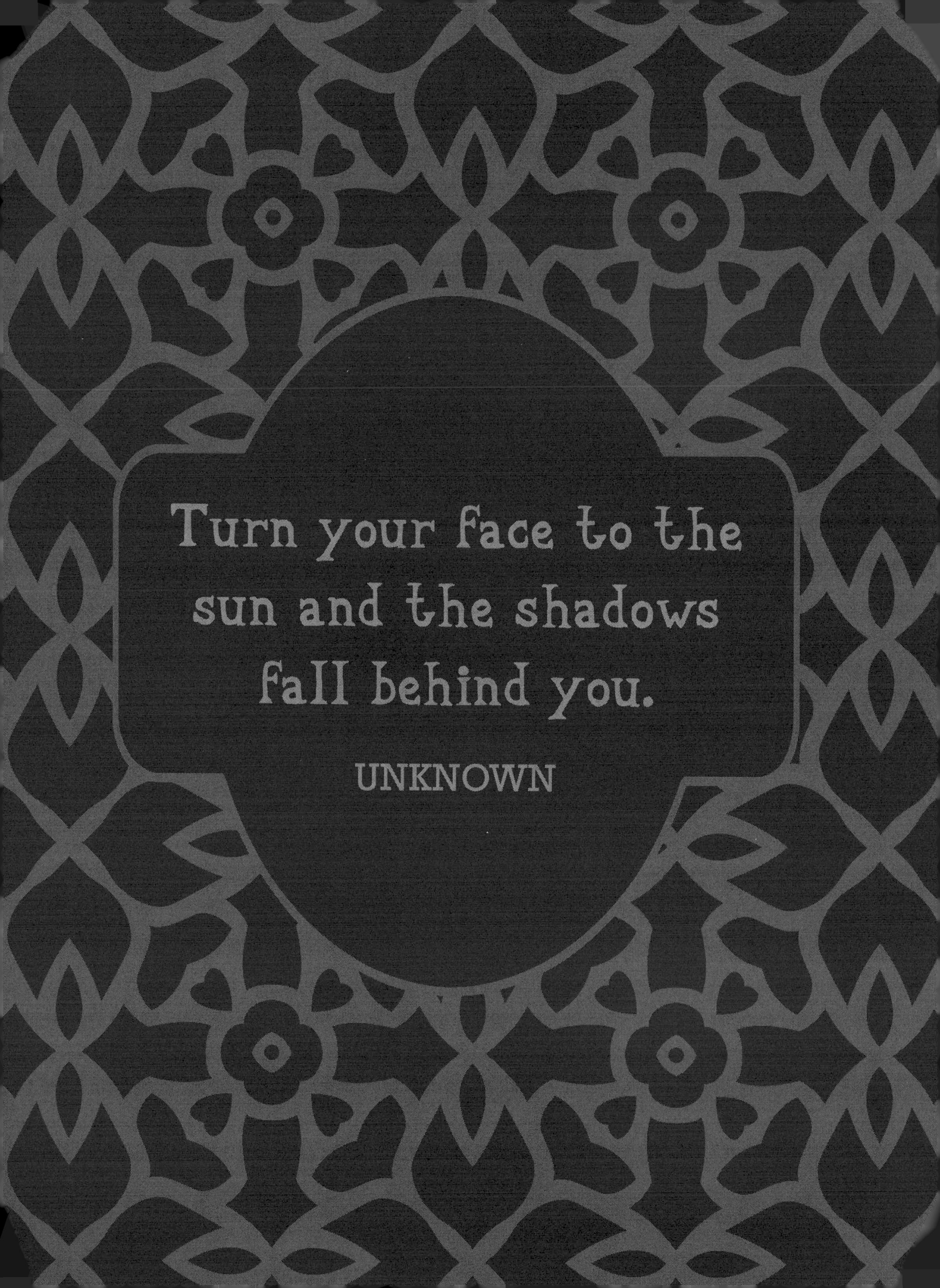
Turn your face to the sun and the shadows fall behind you.
UNKNOWN

F Y Q B K C L Y V J A H T A A L B E W M Y N M I J
F X P W A B X F O B K J F U K D B B E F L G O R F
Y A G Q E F B E R D P T C H V D F T I X L N W P R
M E F M M Z N P D I Q H O W R O A P N S E M V Y K
Z D U S S C S S K V C V H H W L F E D A J F Y F F
N R V B G I Q D R I D E W S P M J X R B V J Z I U
V I W K A E T L R S K K T P A R T K G H L A S P X
D N N S W M Q E R I Q E E G A U G N A L T H M D J
X G W Q M O G K J O P T Y B P C C Y G O X A U V R
K R G L E C P R F N E O F U M O Q W J U P E S B H
A X T U Y N Z D E K Q P W J N R I G R S Z M R W Z
B J V Q W I T O S D V F H E P I H B N G M G U G F
E Z V I K S U A A X R X J D G X T E K R H N N J K
V Q E V N B B M H A E O M N Y S H B Q X D Z Y H T
H K Q F S B C R E N R J K A I F E S E F V D R C D
F P D Z W D W K H C M N L E L H M M X M U J O Z H
G J B I T U F N K Z W B X B T X E X F E S N T A B
P Q R E S F B O U Z Q O G U T T T Z Z C H V I C V
F G S W E T O C H I L D R E N E L C K Z I N R J U
E C I R P B A I I T Q E D N A V F E D K R B R E N
Q K J P E Q I N J T B Y G C A U I O E G T M E V E
U F R T Y E M W C K S J H D D Z A S A W D K T C L
K Y O V N K I Q I E R I V M F B T V A F W Z H N X
J N A C G I L E A A N I R I U V E S S E L E A U I
C D H P J Y X U Z G W I K R M I V Z M Q D C F M Y

BASKET	CHILDREN	DISTANCE	DIVISION
FISH	FROG	INCOME	JELLY
KETTLE	LANGUAGE	METAL	NOTEBOOK
ORDER	PART	PETS	PIG
PRICE	RING	SHIRT	TEACHING
TERRITORY	THREAD	UNIT	VESSEL

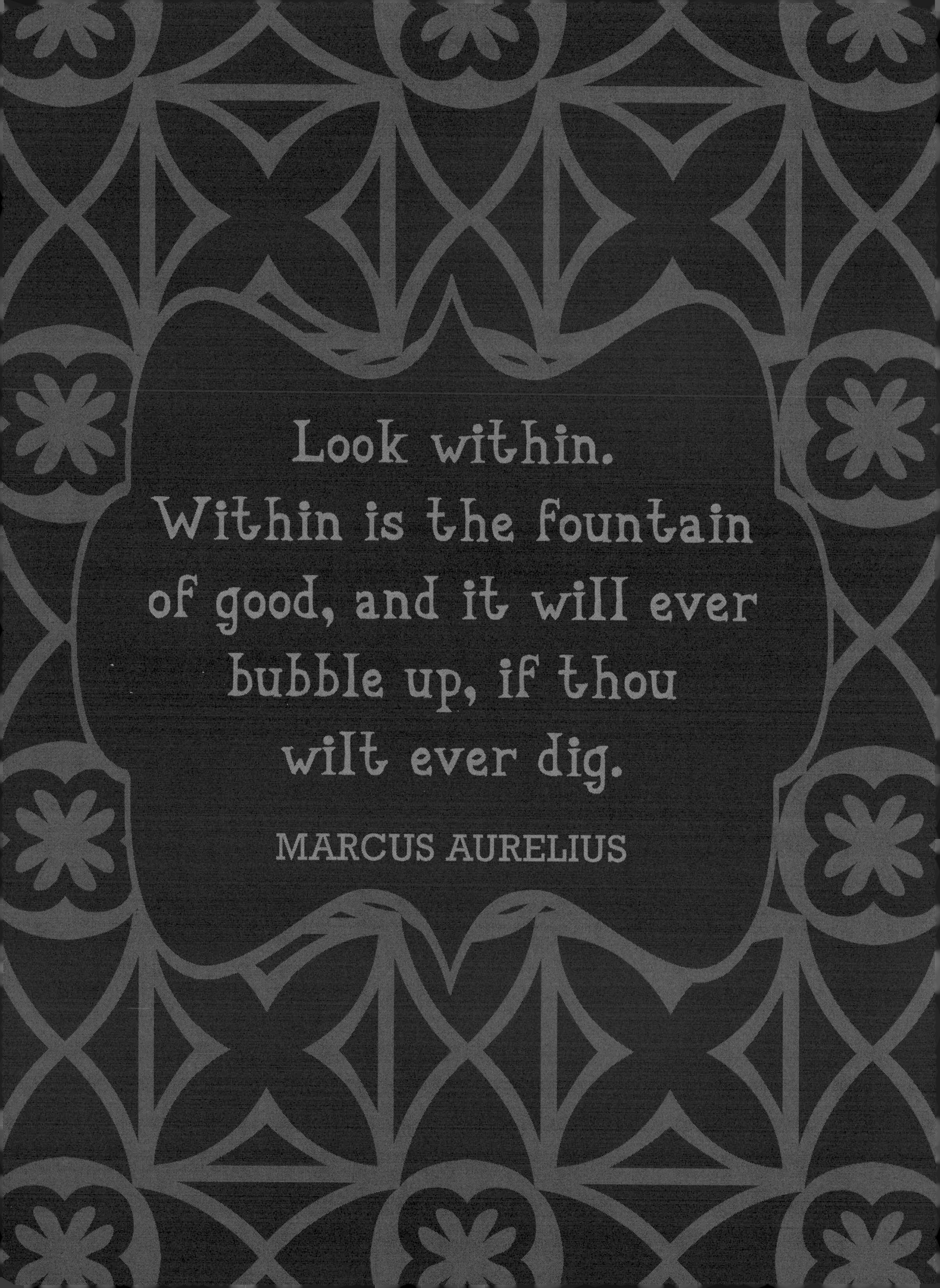
Look within.
Within is the fountain
of good, and it will ever
bubble up, if thou
wilt ever dig.
MARCUS AURELIUS

R L N A P D J D O P T M T F G W W R C L B V M L Z
S N Z B K W Z F L Y R G E N R X O V Y C O D M L L
A P V P L H U A L E M A Z K E N O U A P K Z F A S
D Z W A I M N Q U A R T E R C M D J M R F D T B I
Z V Z W S T S R P Z B C G G O S E J R L T H O E M
F H L E A E N W X B V D Q O N P D E W N K Q X S C
T L H T P R I C E F W B A D R R H H R I G O B A Z
R M I X A J H Z A G E N Q P T T F M K G H Z P B I
G O G A L F H N E B R F B U O G Y M Z D A L E J C
N C E N O U G L Y C Y V J R F S I L O O W H C F D
Q T U S Y M O I J Z V L B L M F U A L B Z T C J A
N N B R A I O P O W F F I X B M V C N E H R F Q E
S H A O V B A Y D N U O R G Y A L P F T J I D W I
T W Q S X E U Y V Q O U J L G R O U R D S B P O Y
J G D X P C W E A X E V F T L B I O O G P B C V H
V M V J Q E I P M P L B R Z C L L J N S P X C K C
Y S O X B L A W A C R A U V V E U T T M P P G J Z
L X Y V E S T R L W N S N Q S G A O M Q G Y N G K
S G N I H T G O Z E A B F D D R R P I F Z L B O O
C G T Y F C V B X A U P Q D T A R H V Q U N W E N
C P R G T E P Z J J Y U T C I Z O Y G B Y A R Q K
T J R K R N V B E V J G H R M F Y K T H D A O B I
N H O A Y T I R R Y V X R T D B G D Y I C V P B M
A E D X Z F S L X U D D B A K N R E M V F J P W G
Y D Q Z A J T L G Y O X U Y A H O C I D V F N O Y

AGREEMENT	BASE	BASEBALL	BIRTH
BROTHER	CARE	CLOVER	CURVE
FANG	FLAG	FRONT	GIANTS
GRAPE	JELLY	LAND	MARBLE
PLANTATION	PLAYGROUND	PRICE	QUARTER
SILK	THINGS	VEIL	VEST
WOOD			

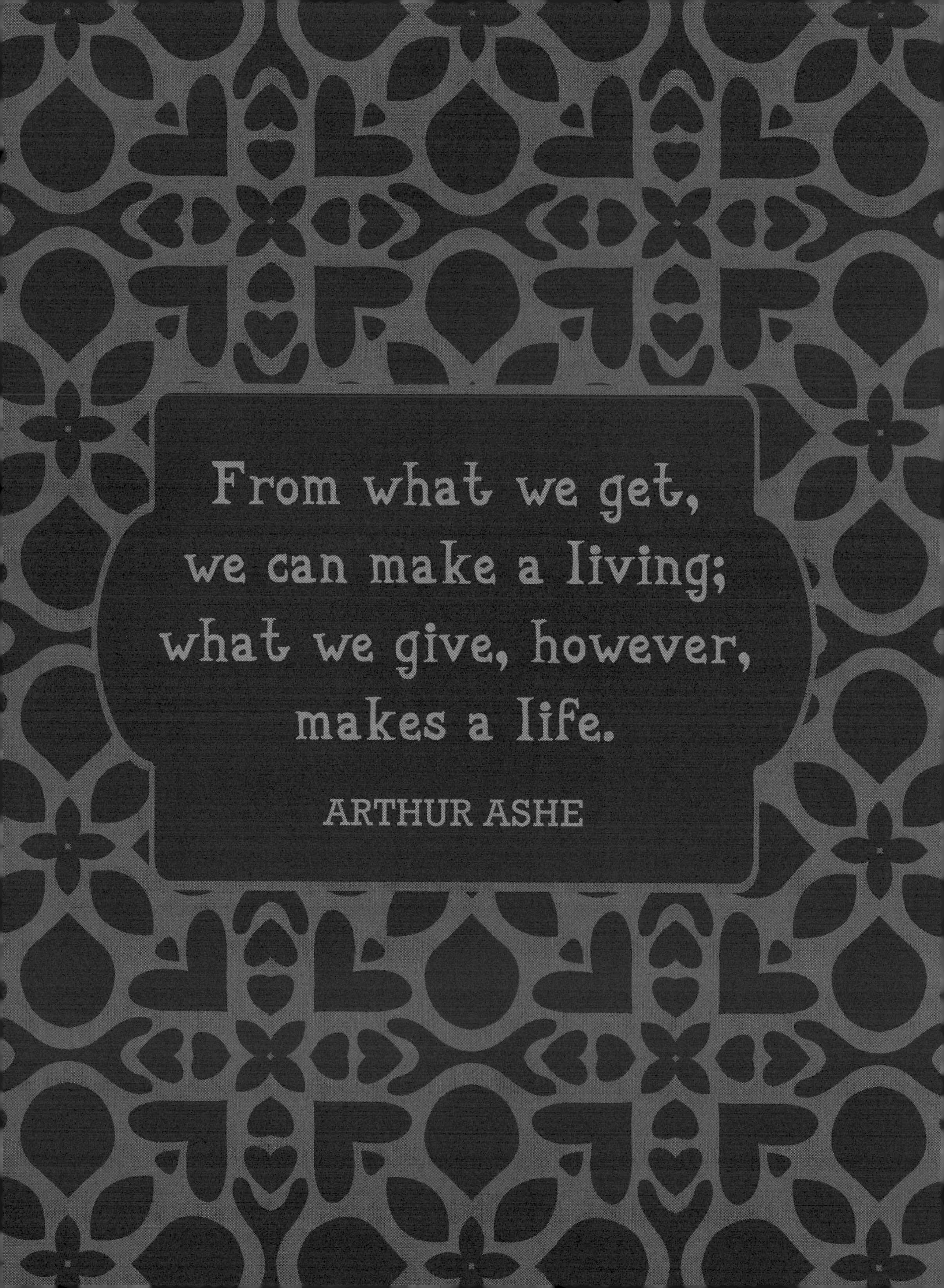
From what we get,
we can make a living;
what we give, however,
makes a life.
ARTHUR ASHE

X T E R E H L M L L B O T P D K T W Z N S J N X T
T Z A T W C U J P B R N R E H T D O R N G K Y N Q
H G Y J U E N M O W Z M S S C I M U V P T D E U A
E Y E S W N X A I C O D D T M J C E R Z X C C K O
E Q B H I J I H T J V W D D S U B N K N S N M Y X
O C E F W Q J M M S Y Z Z A N E X A H P K P X Y C
W E D K L I G Q H I B V J G V T S M N B M D N Q A
G G R A P E S L O Q T U J L E U Y W X U O A Q H R
V G I I Z U Z H S W S E S A C U N I M Z V T R F J
M S A C A C V U A Q T J Y S I A T A J V E J T T T
M O E V N W J D F P R E G S O G V U N H Z I T B P
L F L H I Y O K A A E E J U V V N X R D D T L J H
I I S J S V I S O A A T P P Y C Q S J B L L S I U
F H B D T G P E D H M W G Y J B S Y K S G C Y I B
U S Q R C S Y G J F H Z N R K W D H C E D N Z B B
J X H Q A D W N T I Y I B L I C K L S K M M D W F
O O T D R R E A P R Z D G N Q R O V L S F E Y D T
X D S A G H Y R X W W P G Z F N W M P Q R V F I E
A S O R O T D O S Q F T B L N C L E Y U E Q C U T
V B Q A K S V G M C N Q F Q H V E G S Z N K K C S
L R I G I Z P D O P H D S Q F A Y A G P E O K U E
G X Y W H B U S Y B C I Z V N L E Z Y T R I K S U
F E L T T A B U X K C P N N Z M M E T N N M Z Q Q
V U K T Q Z I N S X K S T O M A C H D A A G D I E
F G O H C S A K G Z K T W L N E C N E T S I X E R

BATTLE	BOARD	CHIN	EXISTENCE
EYES	GIRL	GLASS	GRAPE
LIBRARY	MEASURE	MINUTE	ORANGE
PEST	REQUEST	SCENT	SHAPE
SKIRT	STOMACH	STREAM	SUBSTANCE
SWING	TICKET	TRAMP	VOICE
WHIP			

Find out who you
are and be that person.
That's what your soul
was put on this Earth
to be. Find that truth,
live that truth
and everything
else will come.
ELLEN DEGENERES

Y B V M M D N L B S Z U Y H U Y Y I Y C A K I E X
L M I B E M Y B O D U R N X R T A X J A N W H N O
U Q G G B E W O H E D H V V W N K P C C F C F K G
O N R P I O Z C O Y X I Z O M K O T Q T L D D U H
E E D T A N V P Q E O P J D R T Z O Y U L Q K F H
E P L H Q B V F A Y L W Y S U D E G Z S I L O K I
L F Q F J B K H G G L J O Z R W U G E M H S I H T
Y Z V M D T W O K T S O C R A T O M I T Y I V U K
V N F Y O S W I D O N K B T M L P U K K O S P M Q
V T C E R I L O J H N P P B E Y N H X A M Y P C F
K Q D E D A O R N I X C J R I S W G Y F O I F T W
I D D S B W L J H O C H U R C H T V X E Y Z D O M
E R A C W A V E B W I V R B S Y R T A O S W P Y Z
O V F L E O O F T L L S J D R N E Z E O H Q Q E W
Z L G F F X O O G X E D I W A A T A F X J Y A H B
G Z Z M T H T G M N N G N V P O A B D R W W A C X
Z A H F G C V Y B Z A D B R I L E D G V X N Y C X
G R H O F A R B E Z S F M R M D W X D A I V G I R
A F I O T D P E I Y G M E Z O S S X R E S C B H E
N V W T A I R W A V Q V R K U E B C E U O C E Q G
A H A W X O Q M O B L B F L A U L A V O R P P A N
Q N P I Y H J X N I X X P U B P F G B B T V L O A
K K J K D K L D S L I L G C R V D N K U D G I Y C
H S O D V F S Q H A D O L B R X V A R L P W G X G
D R Z D K L C P U H A W X I Z A Z Y T Z I K K H V

ADVICE	ANGER	APPROVAL	CACTUS
CAR	CHURCH	DEGREE	DIVISION
FANG	HILL	HOT	INK
ORDER	QUILL	ROAD	SILVER
SORT	SWEATER	TANK	TAX
TEST	TOY	WAVE	YAM
ZEBRA			

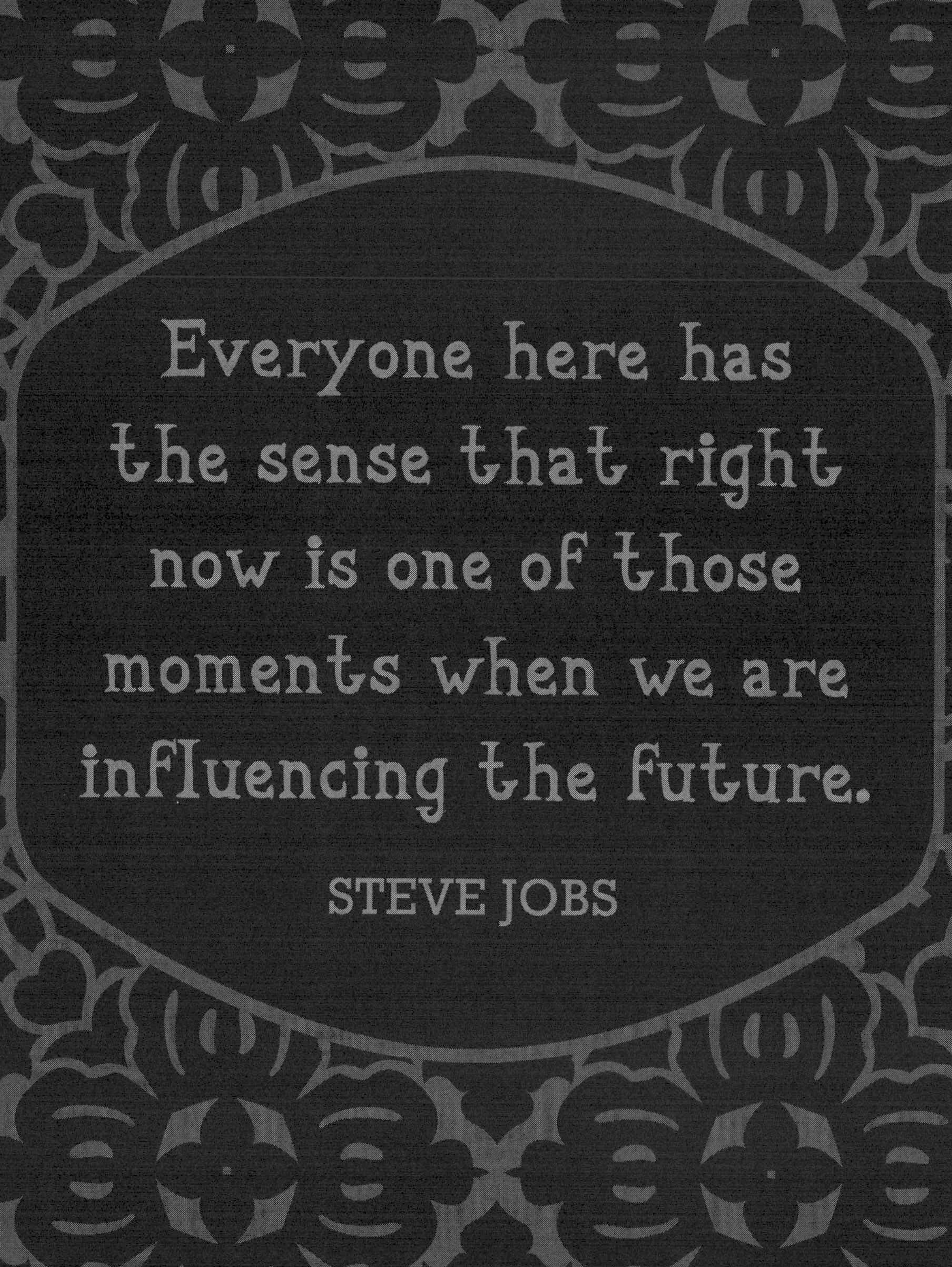
Everyone here has the sense that right now is one of those moments when we are influencing the future.
STEVE JOBS

X O P M E X B Q H B Q I L C G M Z O Q E O H R R V
R A J M E A L Y D R O W K M J H A V F Q U I E O I
S W I B T T F U F D L E I F X N E M X A G X V Z C
I U C Q M I S X K Y Z W V X Q N C J O D K J O X J
L N E N B P K Y G H O S T U M T N A X N R K L S W
X D J A H P I N S E E C T C R D T N G H B F C I C
U J L S P G Y X C Q I H P O K P E C K H Y O D G H
C Q W T V H X F E E M W P L N E N C A J L P O N S
T O V V S X G L F I K S X M O Y R G I I C U K K T
Y C I P X V F R S X N Z R B I V Q S Y S L R B S P
Z K J V R E L Q L A N X B B T N U D B Z I P X I X
K E E X E U W C R X D R S H C J X K B T V O K A S
D F C R H P R T W B O J R K E S F K N T V S N O E
V Q A P C N P L C F L M B N L I T I E C G E C T J
O F H W A I S S J U E W Q O E R O O T Y F K Q P Q
M X A V O X L E I V V W I Y S J P H R W B E A R P
I C E Q C K U T J I E V N K Q X R X P Y O A T O H
T X O B J P Z O H F L G J S Y O Z P C D M L B K C
I P I W O N R N L F I N Z Z N N G F K F U B B M L
Y M C C G O V G B S P O T E B M N F Q C U H F K L
B U F Q U Z V W E L T C J D R N V V X J X A I J N
R E G N I F A D V F Y H D M T L J E L L Y F I S H
E B E V F V S I H O Y B C Z C O C B Z S K B M F B
U M R J E C F Y V F K S H P K Q C W U D V E S C A
Q J H S I E P L U L Y D M D W N F O B S R I H R X

BABY	BEAR	BLOW	BOOK
CLOVER	DECISION	DESIGN	FIELD
FINGER	GHOST	JELLYFISH	JOIN
LEVEL	NOTE	PURPOSE	SELECTION
SIGN	SKY	SOCK	STORY
SYSTEM	THRONE	TRANSPORT	WAVES
WORD			

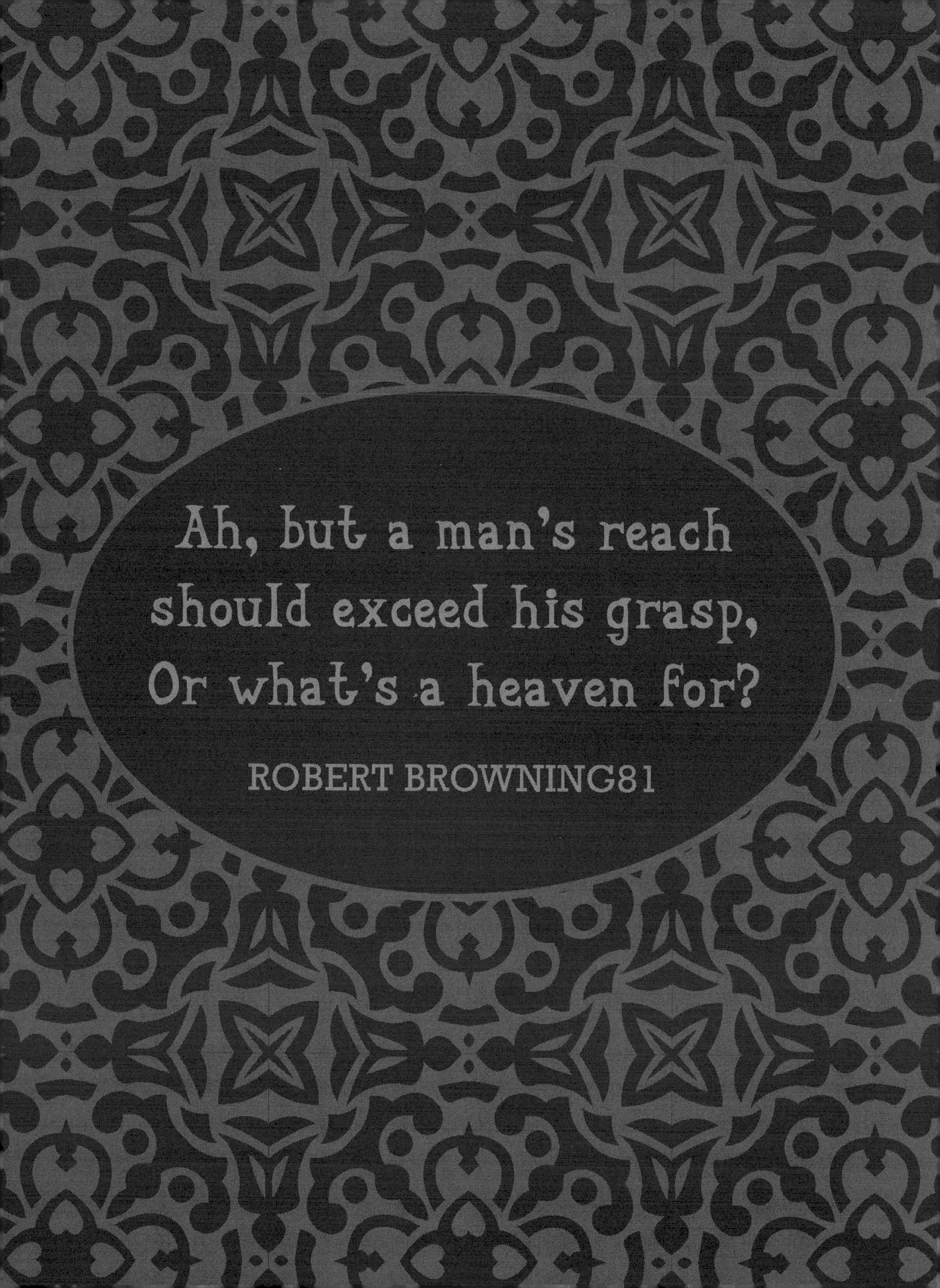
Ah, but a man's reach
should exceed his grasp,
Or what's a heaven for?
ROBERT BROWNING81

U K B R C C I X I S U Q A C W L N Y B O I F D F W
F O U H U V V Q N K B E W A I E A O H N R D U N M
O C E B P C Y J O C B C J P L R M B R R C S N M G
E S X I F T O Z N I F G Z T D R S I O T E Q S V N
S L O K Q R P B L T Y W G I E I I L B R H P R H B
J M B W S S S M Z S P C L O R U F U Y Y E V A M Q
W R I A E M K Y E G W E Z N N Q I D Q C S R Y M S
O T K M C C X W K R Q N O Z E S B A X Q K L R L S
P F B G E T O A X A K X B S S L P W X J X C W V N
L S S T G C V Y E S R D T X S U G V J B Q R G T Y
S H B A I T N X H S S S R E Y Y Y N K I K P H E V
D V M E L Y A A F Y F L K M P S O M I L J I K D C
E V C Y T M B X I I M F P D T C V S L D W Q C H J
M R K Q P E N Q W L N W O R C A X I I P A D S L Q
R A D L Z Y P L H L P D X R D N H V U Z J E Q R I
W U E N J M A X B X L P S W I X J N A N J Z R E I
R I X J G A Y Y I H I L A K L W I J J X S G H Y O
V S K U C C A D C Y F R C I T S A L P G O C U E F
H U A P T P K R L R D J D B H P K B R B T K E N Y
N J P E L X U A Y J S J X M L Q P Z S E T D T O B
Q R U M J H D Z Q X M D E Q L E I I R B R T F M I
J G X P C M H B R A R N A A T L G T H N L A O X E
N J W E E S E N O I T A C U D E S J J H H W P K U
D V Y O U C R Y F I S C E I I V A P P A R E L Q F
X L Z A H Z H K H T D W I V J W Q H A M M E R I F

APPAREL	APPLIANCE	BAIT	CABLE
CAN	CAPTION	CHESS	CHURCH
CROWN	EDUCATION	EXAMPLE	GRASS
HAMMER	HILL	LABORER	LEG
MONEY	NORTH	PLASTIC	PUNISHMENT
READING	SQUIRREL	STICKS	STRETCH
WILDERNESS			

A human being has
so many skins inside, covering
the depths of the heart. We
know so many things, but we
don't know ourselves! Why,
thirty or forty skins or
hides, as thick and hard as an
ox's or bear's, cover the soul.
Go into your own ground and
learn to know yourself there.

MEISTER ECKHART

Y E N A C S T W D W R E N Y X D U C A S J W V C R

R O C P F M G N V O O P I S E S K Q M U S Z D W M

C W S N E T A G G J U P N N P H W R N T G E S D H

L D Q T A S E H A B P I U U L S N V R C E C R Z O

L E S V K L O R S C Y T S P T H B B R A S I H D S

D Y L C Z R A D M R X R C X X P R H V C X T P H P

S A I R S B M B X A S T O V E C H R A H Z E G F I

F U U E C Y H V B T T T S R D Q Y W X A Y M F Q T

Q G L N Q V K S U V R H A P M A R T I N R H E F A

W C U A T W G B Y A W K Y A C P Q Q O D K T W M L

Y R O T S I H Z C T E Y T B P O J L R Z M I F J Z

F A D N N Q V X E H A B W I P I O V J N T R F Y B

P K F U Y D Y C D B S R I C Q P Y S T Q A A U C D

E R R N J W H W G D R T S X L A Z Q E Y L F V Y Y

M X M K A I Q L H I F A T Q F H I F U Y Y T I R X

X W B S L X Y A W T V L L R A C X B W B E A E S D

B M N D T O D E B X O S F J N E B J G F U A W O E

Y H R B T E X S P M Y D X W X E I J G T O O F S D

B E J Z S H T U S G L H T R T U A W I W T B C X Z

N U Y N T S J Q K U J P D E R K D U D F O A P W W

N D I N S J J O N K F N K O I I L U O K I M N K V

T T D R C G A B X Y W X S X D X E H S O M M K N M

W L J L X X I V F B D V F E Q E I V K U I W F W T

W U X R D U K A M U S E M E N T F Z H M F F P U X

E V D C J L W C Z Z M A B I V X V X Q E J N G H N

AFTERMATH
AMUSEMENT
ARITHMETIC
AUNT
BALANCE
CACTUS
CART
CHILDREN
DRESS
EYES
FIELD
FOOT
HAND
HISTORY
HORSE
HOSPITAL
QUICKSAND
RAKE
STOVE
SUN
SYSTEM
TRAMP
TWIST
WREN
ZEBRA

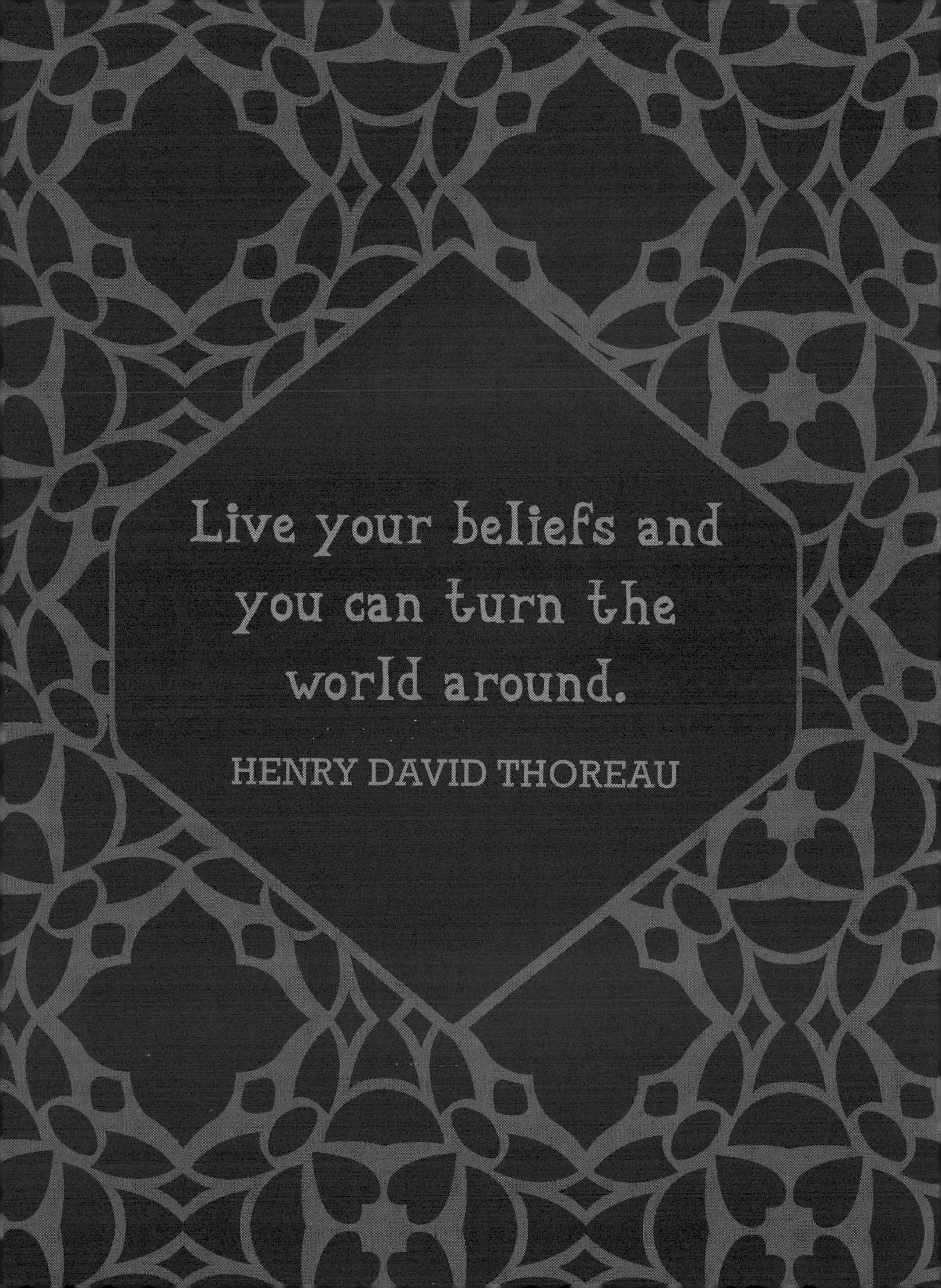
Live your beliefs and
you can turn the
world around.
HENRY DAVID THOREAU

K R O F R I A C T S N P B K O Y B T G R L C H I R
B N R H A J R W O I E O L U A Y S R R F V Y P A G
O S A N G M I C S K U L L X T E R R I T O R Y K A
D A I O P M I T Z I N R O Z R Y S L P I X G X B S
C V L T T E E M P I F P F H Z B L W Q I H O Z A E
G N W E T A C H G Q N T V D K J M W I J I A C N X
M A A Y M M K H P O A F R X Q T E I V X O U W U F
P C Y G L G R P E N U V C J W F M X F H Z K B C F
X A X Y R M Y M O Y Z L T L I Y U U B W Y W Q A W
A O Y V Q A S O W Q P P V S U Z F K Q D N X C A U
S H N M K T I S B U B Y F Y Z H H U I O N E W K Q
L S J O E K S N T P I J X Y R F A Y S Y T T I H J
O C V Q M N N N N V O Y A G E E H R G Z A P N O S
E W Q J S B T B E E B S D E U O E Q G R R M D B B
Q N R W V Z E A W X T V W U S P U G E B W W U P X
S U L K R I I U O P W T J M E C W S T E O Y R F I
S B I N U I M N F G L Y I H G Z Z M T K Y O D N D
Y W P L N E A Q D K P S M M C I I T Z U T Z O R S
W F D J T T O X N A B C W S U B K U P A Q W E I S
C V M C V T N S E D F A H V N G V H L A O R O B A
H N H F V D A O I E E L Q B H F B U F K D O D V R
S R P K J X Q K H P M E D L T I C V P U K P Q U B
C T Z V B U H W O G K U I F T L P Z L Q H Z J M A
D F G I R H L L X V N U W C A H V Y O I X K H A J
R E T R O P S E N S E P J C A Y N X T S R U B V O

BRASS	BURST	CALCULATOR	CANVAS
EGG	FACE	FORK	FRUIT
GRAIN	GRIP	HOLE	MITTEN
PAYMENT	PERSON	PORTER	QUILT
RAILWAY	RAT	SCALE	SENSE
SLOPE	SOCIETY	STEAM	TERRITORY
VOYAGE			

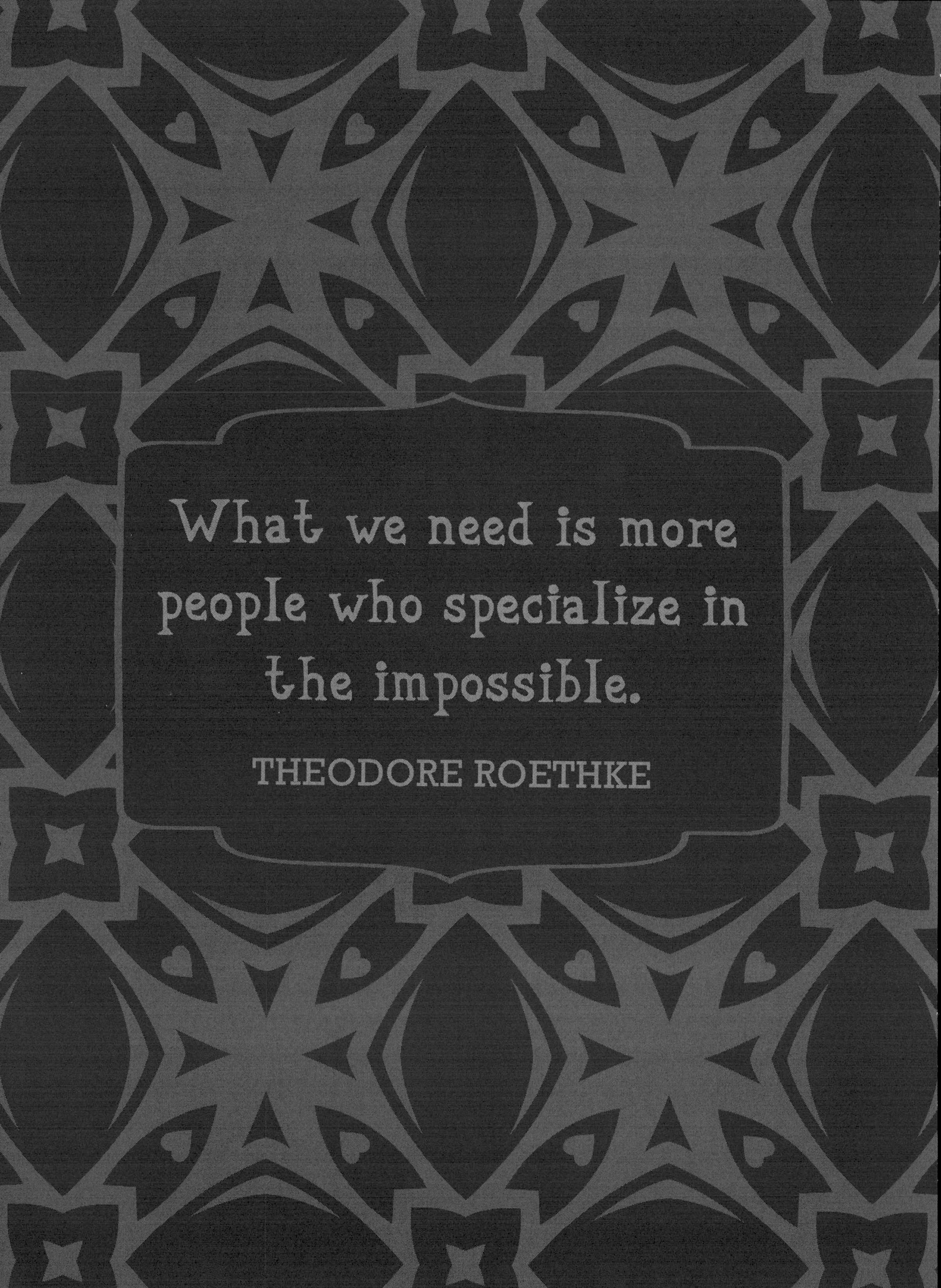
What we need is more people who specialize in the impossible.
THEODORE ROETHKE

P E O A M B N T N O N K Z Y J E V H R E C E I P T
H U M Q W D F O N M O O N J L A F C Y Z P I H C Y
G U S A B Y I Y V W I U I B R O T T I V U A T H S
Q A F H L T X O X T W F A T S I E E L T O X U O T
S K A R A F A J Q P L C B C I F V R D X Y Y J Q M
H J P L U W H D B Y G A A Q F D X T H A I M O E N
V C E N O I T C E L E S C A B M D S M I P P V M V
K R K B B G S Y H G M O R H Z S V A X D U A G P K
M H R W E K B X W P R I C D I C C B D V I K B P O
S E A S H O R E J Q G E Q E J E H D V K M U H W P
X X Q U A G D C F H V I E S Z K V D Y V D I R G F
C F B V V L Y U W I X E N Y R S H E V B W K D J L
G D D N I J E O O L F D M S H P K B R O F N C M R
A I S O O H D F S L O O X T P T B R N P F S G C T
B R N I R S T W K W W C W E L U L V A X W I H G C
R V M T S I S J N P M G A M C R W Y L M U D D H A
Y U D C K X Y T W U G P Z L G L V S E O M D A Z J
V A U I S P O S U T C A C S X W O M E N A N G L A
Z M P R F W Q A P P R Q T N B I M R A S C A U L U
B X G F N X O L F R H F X Q P D E G T E U N C H M
G N I L E E F K E J S O J Q U Y K F Q N G F X A W
T B U M U X V W M O K D P O W U B C R D O V R J Z
W V M J Y M B Y I E C W J U V Y I U L K D C X P Q
N O I O Q Y I E F I U I K F G Q G Q P F Z H G R V
I J R V Q Z Q T O M D Q O A S K Z R D Y G P H X I

ACHIEVER	ADDITION	BEHAVIOR	CABLE
CACTUS	CHANCE	CONTROL	DEGREE
DOWNTOWN	DUCKS	FEELING	FLAME
FRICTION	GIRAFFE	HILL	PUSH
RECEIPT	RELATION	SEASHORE	SELECTION
STRETCH	SYSTEM	WAX	WOMEN
YAM			

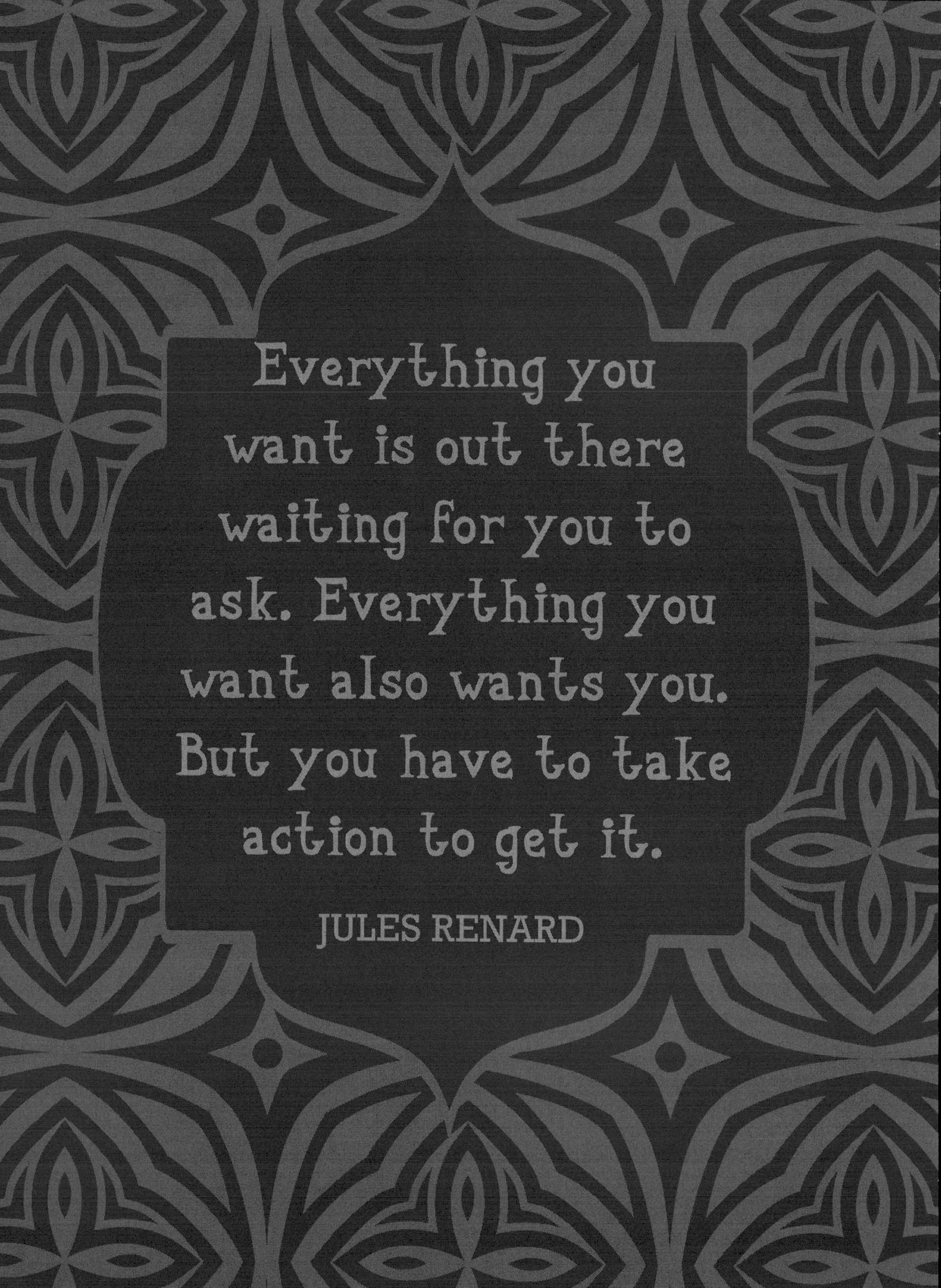
Everything you want is out there waiting for you to ask. Everything you want also wants you. But you have to take action to get it.
JULES RENARD

Y R E P Q Q L M O D L N A S H F P F J M K S B M N
I N A O F I V R I O G C V X B U B T A S U Y L L K
A N G I A V J A W W B Z H D N O R B N J T Q U I D
C X H N N W N F A N B M B C I C G Q P B A S V J P
S X S T G S K C U T W T L R H P W E M P U O F C X
M C U E T G T T H O V E B E S R E T T E L B M Y R
M P O Z E U M O X W Q Z R C H R Y S N V F A B M M
L L O R W H K A R N T R J E W R V F L W R L N L K
U J P C N D L L A M I F X S A N D U M V K Z K D E
Q T V Y F N Q N R E Q R C S A S L B Y Q U W L X Z
J T V R E A B G S B Y Z T Y L H L B R N R R L E Q
E F S X C O R B Y K M V E M D K E Q T T P Q I L M
E S R O H J F W L J B E E L C H F F N M L L Z A O
E C E H O V W V K D Q M R O Y R C Q U N A T I O N
C Q C T M A K S H V I M D C I Q C K O F U K G S I
A C O U S T I C S N Z I C O L N D E C T K D H H M
L B D B G V Z I E O C Z H O U R F L Z S W C R K R
P R Y H B T F G Z S O Q P S D M X S P X K I Z S Y
W G W C E F P T Z D C K Q L V O P R G L A O Z R B
H A P U F C T S X K F N F P P L T Q C H A W G T T
U L R L Y C N N P E O T Y F I S O W S Z A A O P A
V D D T E Y V A A V U P Y T F U W O Z Q X Y I W N
O H V F S O T C L Q T Y R R K I P A W A K T G M A
D O F I I F W B N A T F N X K T U F V W W A X A W
W E W A I L R E M O B X Z S U I J O P H W I T V L

ACOUSTICS	BALANCE	BUBBLE	CHERRIES
COUNTRY	DOWNTOWN	EFFECT	FARM
HAIR	HORSE	HOUR	LETTERS
MINE	NATION	PLACE	RAINSTORM
RECESS	ROLL	SLIP	SNAIL
STRAW	SUIT	UNCLE	WAX
WOOL			

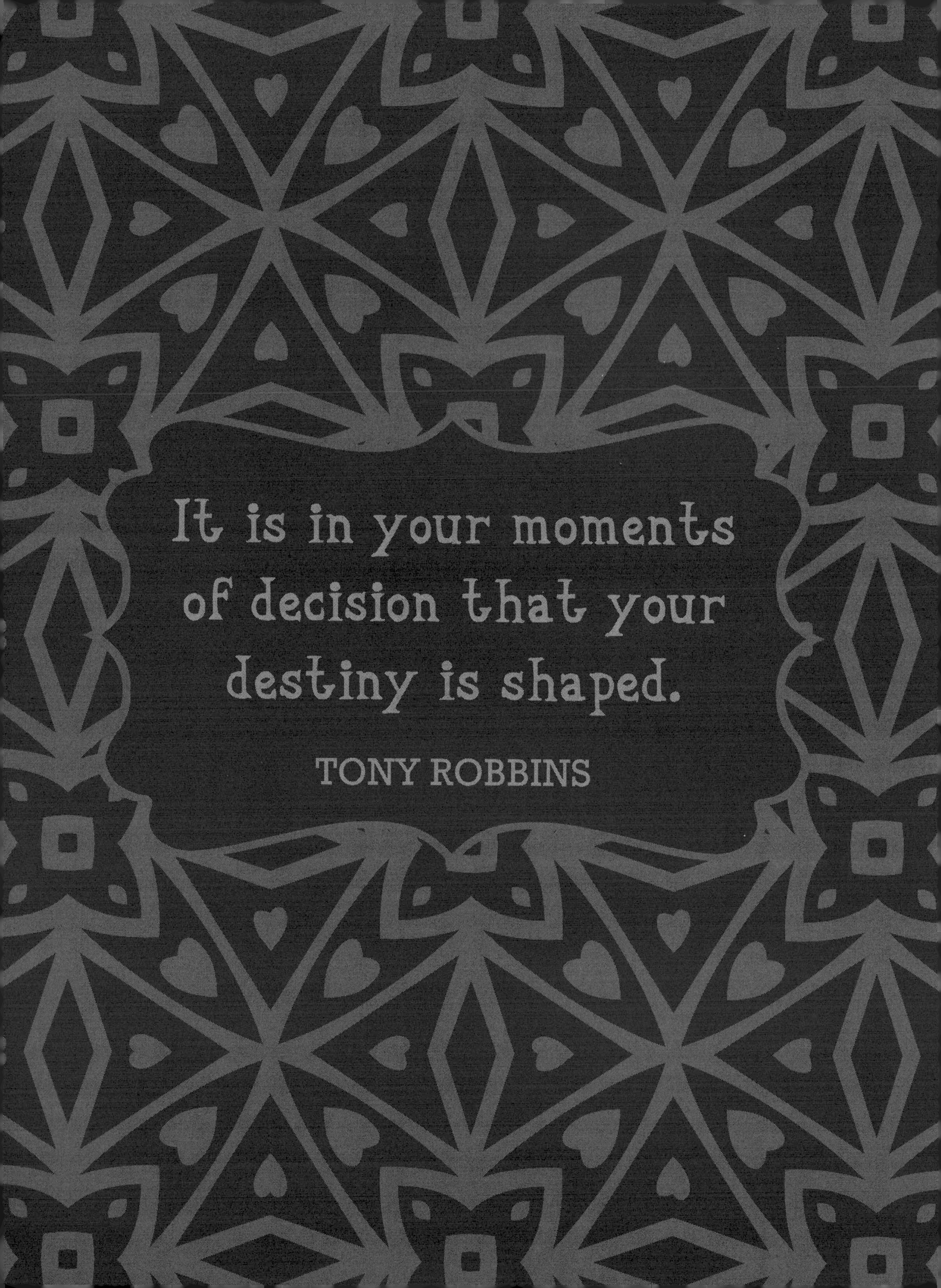
It is in your moments
of decision that your
destiny is shaped.
TONY ROBBINS

X Y E T S A T R R C U S J M M N M D U A G Z Z I L
B T H B F O G G E C V E P N Q C G O V N E N N R K
Q I V C P O B X T G D I N J X F U K I R P A Y O R
U V X B A C O Y G S N P I Z C M L V O D N E C L X
I I B K U O J D Y X Z E D B S I I Y C H V C F S O
D T I U I A C O S A Y B S N S R U L B F S Q B Y A
S C G I V H P K Q D N I D S D E I S E T Z S C J S
I A M F N Y D Q R Y E P W O A Z Q S J U U U R H E
Y W I K B Q N N G Q Z A E X T P M W W L F B U Q E
V S C D C C K P E S F Q G M O E D H U K J M V R D
H O R P W W O T Z Y E N C O R D N F I N G E R C J
S G Z H Q Z L F F J V K S W S V R T R T A B J B O
P E S T S Q F G E W X M Z E E D N A I X Y Y I C H
N W V F T Q M R L Q G C D A C S X L E V O M Y W D
V T V P D K D T I H E X P K A A E N C R U H V O G
V I S V I L Q O F Y J O K M S E P B K F N Z F M X
M C V P Y J K K N G O S U D T O X Y R Z B N B U Y
I K O Y C G U J O K V O W S W U D V Q Z D D D R A
F E D G W Y B G V M E O M E S A P L N F I N O K Y
E T E C N A I L P P A Y R J O X Z U O J S R E I S
T Z H Z X G G A M W S W L X R J D E C N K L M G S
A J O C A K E S P L Z L C P T S V O R J H B A I A
W E G V Y Q Z O H Z E U K M J G B Q U R E N S I L
W O J C U R S I R K Q N G K P U F L D V P B W Y C
L E U P M K P Z F W M V J F Z T L X K J L S Y D A

ACTIVITY	APPLIANCE	BAT	CAKES
CLASS	COACH	DONKEY	DRIVING
FINGER	FISH	FOOD	FUEL
MOVE	PASSENGER	PEST	PIES
POWER	SEED	SOCK	SORT
STEEL	TASTE	TENT	TICKET
TOP			

Enthusiasm moves the world.

ARTHUR BALFOUR

```
O F X C M N G M S D U C K W B N L D G F S J T N P
P K O P E H I P M P N S A A P E L O Z E O W N G G
E W R Y T V I A S H O L B O F W E F Q V U H O C Q
F T W D S N S G T O K O R X R M L F I Q I A I O J
D V U R Y T C X V N J G N Q E V P T Z J F I T B K
R Y P N S J X A F Y U C F Q X R Z Z D J A S A P R
F B G L I W W V A H L O Y J K R O V K Z Z V C V O
B W J R F M L T P N Q J M N O I T C A R T T A E F
P A N X O A L B X V Q R J R M C V N O I W C V I V
Q V T B T U Z C N D C K W Q G J X S B U P B D L T
N A C T J L K V G W H B S A Q S D T W F W L Z P I
B X M S L S P N N N B T R L H N S N A I L O C X N
C Y D R E E F S U N I O X Y A H Q P B M X W R M M
J C C E U O R R Z E I W D H R A E M D H Q X E J I
J K Z T U C E C U R R E N T P B I W H O E J A B Y
M P U O H T N G I S E D P M I R L D I H M U N R R
I Q I E R F Q G D V U B A T C F Z R Y V D H B U H
Y B R A C U O A Z B Z L I V M D T X L Y Q S V T N
I R U P U S G S E M E H T I I X R J Y I U C V L P
Y Q R K E D V X F R N V Q I V X R M V Y T V D A P
G I I G V C P B Y P D P U C A D V S M F Q L Z A N
E W K M F N E R W I Q G A P E Y U W D G X T W D J
M U F V D U O Q F K P G R P Z Y H R K T T U X H M
S Z Q V S Z S Q Q N M J T G H Q T X G F F N V O A
O P W L N C J F Q V I E Z O R X H U K O V V Q M W
```

ATTRACTION	BATTLE	BEEF	BIT
BLOW	CHERRY	CURRENT	DESIGN
DUCK	EAR	FORK	HANDS
LAMP	MINUTE	MOUNTAIN	QUARTER
QUARTZ	SNAIL	SPOON	SYSTEM
VACATION	VEIL	WALK	WING
WREN			

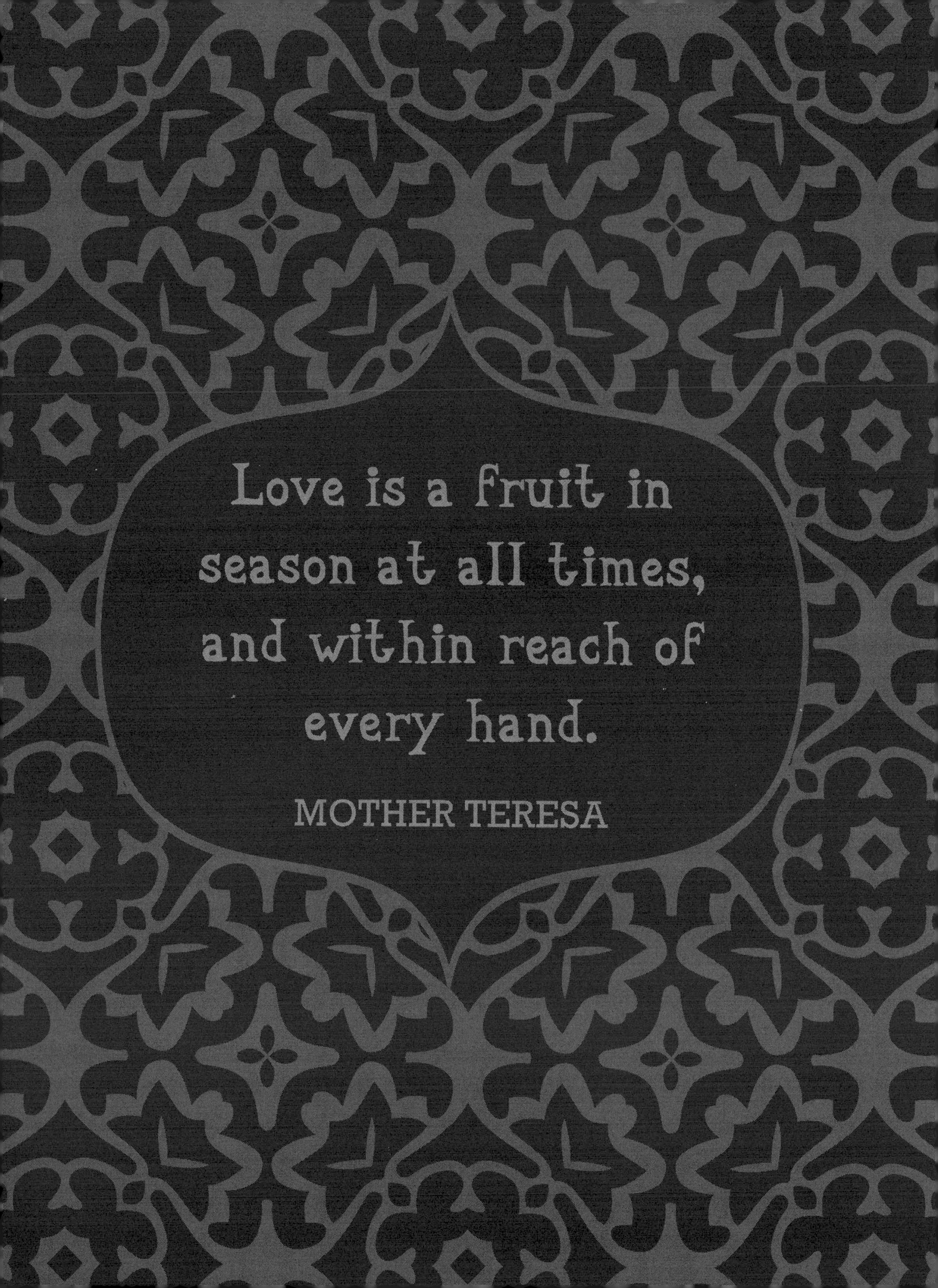
Love is a fruit in
season at all times,
and within reach of
every hand.
MOTHER TERESA

N E E U Q G D Y M R M Z G E H V Y K D R G Z Q L J
P X O T Q U I M I H P O W T G K H I O I I S U J W
P U G O P T U B O Q Q E L K L N H I W C L N E X O
Z I J M H S K N C J Q A E P S T A G G I D Z G J I
C G J F C F S I L V E R A L O W A H Y C A L C F V
N R Q L T Q V W C H T P Y L S G E H C W R G K P L
D L E O F Z L Y G S E D C L M C C A N G G F S K X
V K J S P Y W K E R H P X S F T F J T O X E W O E
T V K P U W W V Q Z X Q M S Z P G R N H H U I T R
V D X Q S M S K C U R T P I P E D R U W E I N Z L
A R Z G G T P Y P K S P W E Z I N D P P U R G F E
V L N H C D Z E B A H F B T C N N P F E P D G N I
P D A Z K S X H N Q W F E U F X C H D E P J A L W
B R M R U F U X A Y N T N D J I R N Y N L L K A K
T T R G M H S A E G C A Z N E D U U O T P X M M J
C F O L W N J W C S O C I E T Y H E R R D P Q L R
O B T L A U V P O E R J Y W Q M S F I Z S R R T B
S L S B Q R V L E J D O Y Z Q E Z A Q V J H E Y Z
S H N T I P V N D F J I T T B N B N J R Q R U G Y
E C I R F B Q S S E B N R W P A E V H T O N S N N
R F A N H S L N O S H I B Q M E L O J N E M W I L
N F R C R P T O H L E R L X I V I O I X T D X R R
D X V K X I B W G V T H N G Z M E Q Z P J Z J P R
P B X X N Z C N I B B K P T R S V F L H X Z J S Z
X C W C X B I A G X G Z N B I I E W Y D A V C T H

AIRPLANE	ALARM	BELIEVE	CHANGE
CLOTH	FLY	HEALTH	MEN
MUSCLE	OCEAN	PAPER	PIPE
QUEEN	RAINSTORM	RING	SILVER
SLEEP	SNOW	SOCIETY	SPRING
SWING	TIN	TRUCKS	WAX
WEATHER			

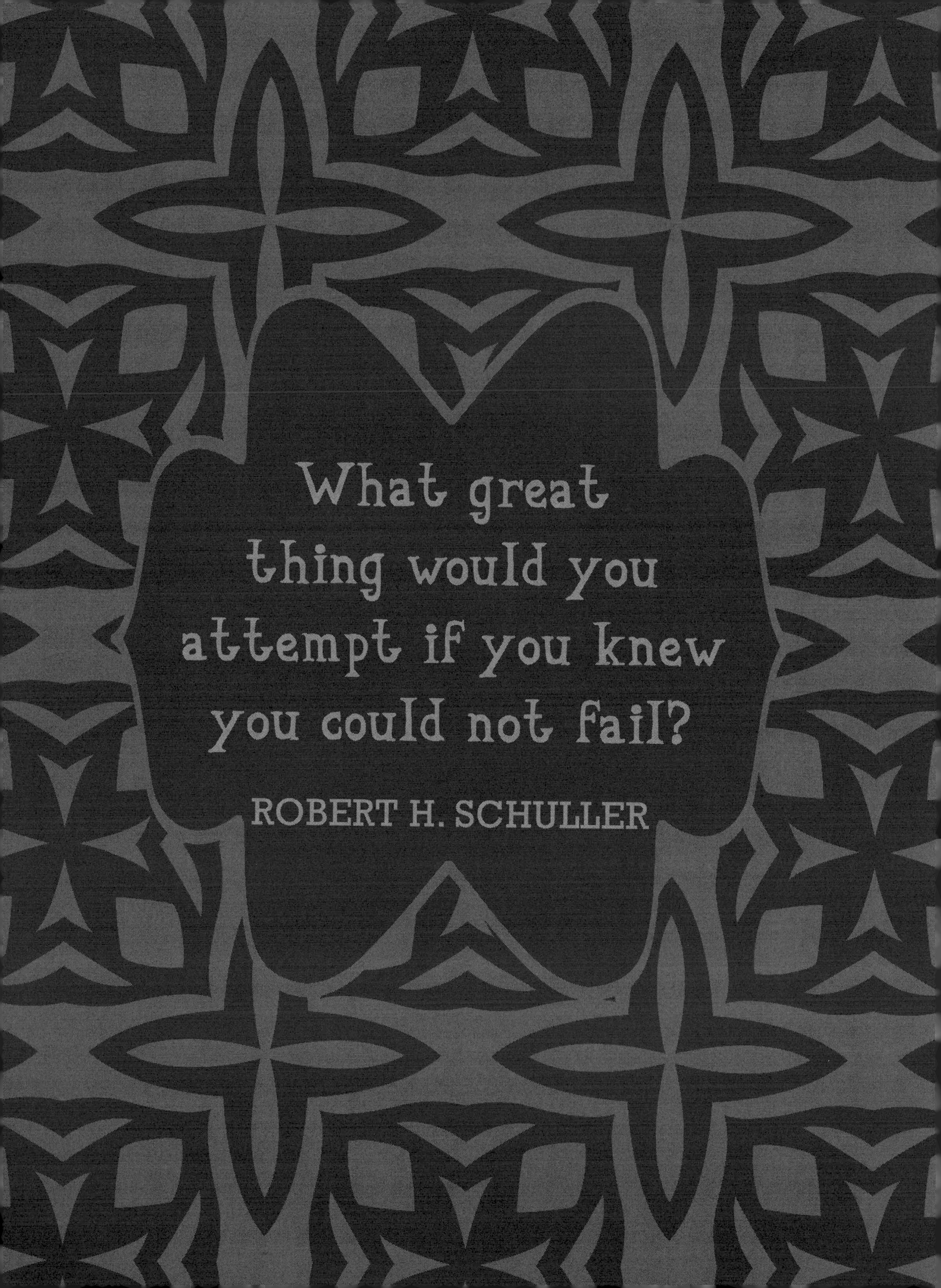
What great
thing would you
attempt if you knew
you could not fail?
ROBERT H. SCHULLER

F H J P R K W E M T Y Y C S M G W H G I B U R W I
P O O I L Q Q O L H W C I C T B B D Q C H L A U T
M Z C E S B N B N T X Q X A R O I X N Z A K I R Q
X E O E U I U Z Y S T J G L E Q R Z L O F F N C X
D O O F K I S D D R T A Y E V T B Y X X P I S R D
W X Z S L L H U Y N W Q B I I O Z W E D P I T H Q
S K E D V D R A E X E M K O U P U Z Y Y Z T O E F
U S I D R X E M N B F A V C Q S Q Q X J L M R Q K
Z N F O O P P V S H C H O F Y E Y H H U K F M E A
G I C A X O O F B Z A Y N P T M F B L P X K D J G
X E P S L Z R R L Z I W J U V Z O Q I C W A E M I
R H W E Y P Q K N H J Y B M U X M K G J H Y W P N
G E V S T B T B H Y V X B P F S K F V S U Q O Z V
E E X B M U J M K O O O G E U E W D L W F E K E R
D S C I S H O W O B O U Z G Q V F S E Z Z W G K D
U H Y J S G T M M C V O N F S F T Z E T T U Q A W
T S X S X T I N Y G B U S H E S J D V O D U F H A
F P S E X D E M S C N L P G X F X T G V I F O S B
A G W C I D Y N T V N N G X A D I H E L U E N I A
P J Z Z G S D C C M N S H L C Z I B T N H T V G J
I E I W R R E M X E L E X A K O X L E O J X S Q L
D T J T S T H D M I S D E Y L I S D F F Z X N O E
Y Q W N O E T G A Z H J Z D Q I R Y I R M H Z W V
S E L E C T I O N R Q D E X W K X K L Q L B V T H
T N E C S G H L H H T Q N G R E D N U H T J P A V

BATTLE	BUILDING	BUSHES	DEVELOPMENT
EXISTENCE	FOOD	NEED	PUMP
QUILT	QUIVER	RAINSTORM	RECORD
RICE	SCALE	SCENT	SELECTION
SHADE	SHAKE	SHOW	SKIN
SNOW	SPOT	STORY	THUNDER
TRADE			

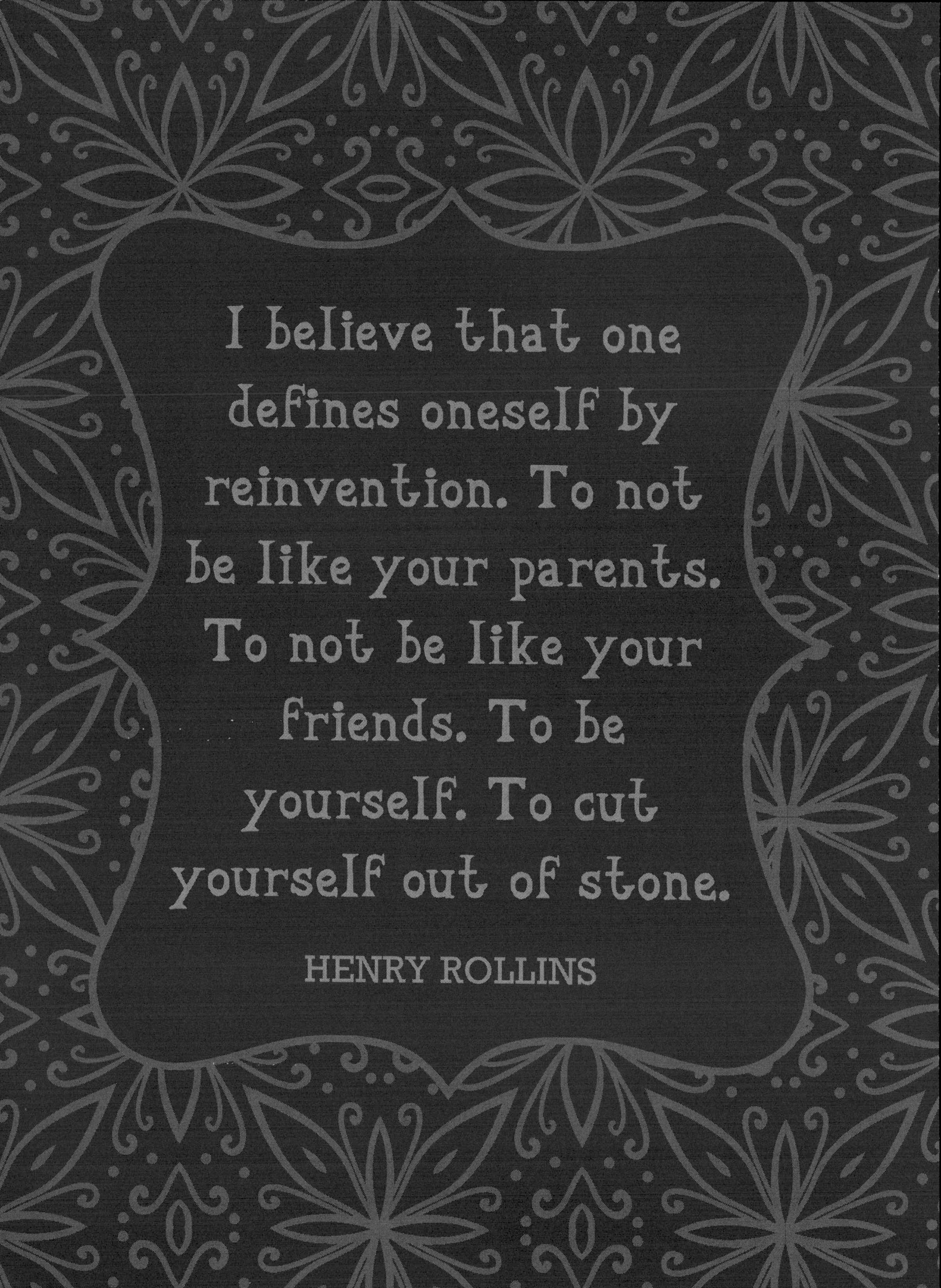
I believe that one defines oneself by reinvention. To not be like your parents. To not be like your friends. To be yourself. To cut yourself out of stone.
HENRY ROLLINS

D A E H B C Q H P N C Y H X Q B H X K I C S B L T
I F V A N P T I X O S Q B P U H L P P R F R Q R H
D U L S Z Z S O R T E K C R O R V H Y R O E A A A
E L F O J D I U C E H W K H T W H B C Y R D P D Q
L R C O S P Z Q W B D O J U E L B U O R T I E J S
J O U C B E B L P O P M T V B M F T F D S P A Q B
L M J S R E C C F O J E I K U R N P R B T S R B H
S R G B A B L R C K P N D T I R A Z R K P F G H R
T D A C U E C I E I P P D E Y R O T S W C A H O Y
R A B W J I M N E T K R N R Z A K A J G V B W T E
W F C S M N T S U F A D U C K S Z M K J O O I M O
D I L Z Y E T A Z E S R T K C F Y E A X P R C V E
W H I T C H V O K L L Y Y C D G E S O F T V F W L
P T Y N A X X H U K L K M S M U N F E F T Z V V S
V E A E O Z B D M I K Q X L Q S P H T L J E A K C
S H F L N G U O N Y B E D J M I S R R N D O Y V Y
C M D N R W H E G D U Y G K L U O T H R O A T E D
M D K M B Y N T T K V L E G L C D P O Q Z X Z L L
B E F H G U A I D C J J H G D O S M F E H T B D G
R Z M D J C U Y R F L K A F L S L I L V U G S C X
I M X N V R J J Y G B O X F D S E C I G H Y X B Q
Y H A J F B E V S T B N A C Q N L D A M G H D Z U
X A L M B B B K F E J U C J G Z C M W R E F Y C W
E F E D F R K Y I V K S E O A V N C B V E R Y M U
N S N Z Z K M A L Q I E A V G F U P C J E F J Q L

BAG	BALL	BELIEF	CARE
CAT	CHANCE	DUCKS	EYE
FRIENDS	FROGS	FRUIT	HEAD
LEG	LINEN	MEASURE	NOTEBOOK
PEAR	RUB	SECRETARY	SPIDERS
STORY	THROAT	TROUBLE	UNCLE
WOMEN			

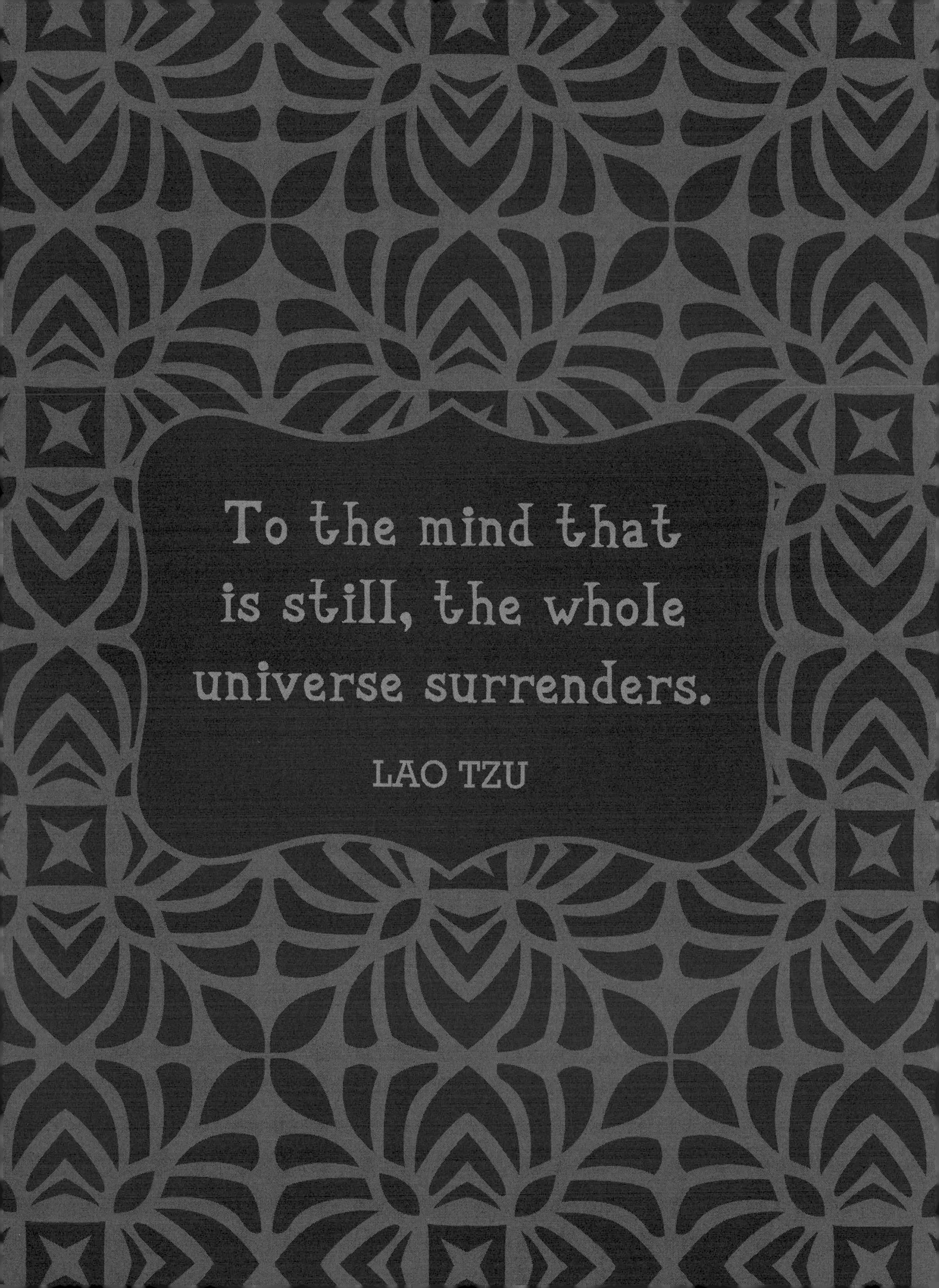
To the mind that
is still, the whole
universe surrenders.
LAO TZU

E T M T C N P R C P V C Q T G E M C Z S K C I T S
C H A N C E A Z I Q J Z X I H Q S F Y X N J Z I V
I E Y R K W U T O R I T W K I J P L X C Q D H F T
R R G Q Q Z Z A I B E D J X G J T S U S D Y M J T
P P L F S S M L E O Q Q O K R M O B H P Z V S F Z
G R A P E Z F I D G N I Z W F Y S A T A M O K R D
R P S G W O I Q I D C O D V J W D N O Q D I X D C
N O I T A T S U A N I E I S Y E G I C W V E W C P
W K T X O X V I N K C A N W W A W K N N E G A B O
G A O X A O R D T G R R M C H N B E C Y M W I V P
A G R E E M E N T Q S V E O N H T X V E E P C K N
V B C F S L Y L Y Z O C L A T A F W I E S X C Q H
I I J R L H Q E U V M I P O S N Z C N R X O Z E A
I H O F B K O T M V D V P F B E V Y X E Z A N A R
K K K Q H Q N T Y A O I L R S O H M L A W W F P U
D P I L Z X Z E Y A E A K U E X J T K W U G O D W
N R M C G S E R C B Z H W C R Z S E Y E L T Z J U
Y P E W Y M D S I E S I M X I I D J J F L G G U D
C M A S C W R J D P Q M N K H R R M V F A D Z U X
E F T P H Z R R L J U K R W N E B Y X A N A G X G
Y E M H Z E O B U L C I Y H D O N F Q R D O K Z V
M B W W P P Q N X N O F S Q R Q G U J I P R U I N
A A O A I I D D W Z K S J G T S K A U G R Q K Z M
K Y P D A A N B E A M P V T Q R J B Y X G S I H Z
H N A C E L V T Z U L F B Q E T L L Y Z R P M X M

AGREEMENT	BRICK	CHANCE	CLUB
DROP	GIRAFFE	GRAPE	HOLIDAY
IMPULSE	INCREASE	LAND	LETTERS
LIQUID	MAID	NATION	OIL
PAPER	POT	PRICE	ROAD
SHADE	STATION	STICKS	SYSTEM
WHISTLE			

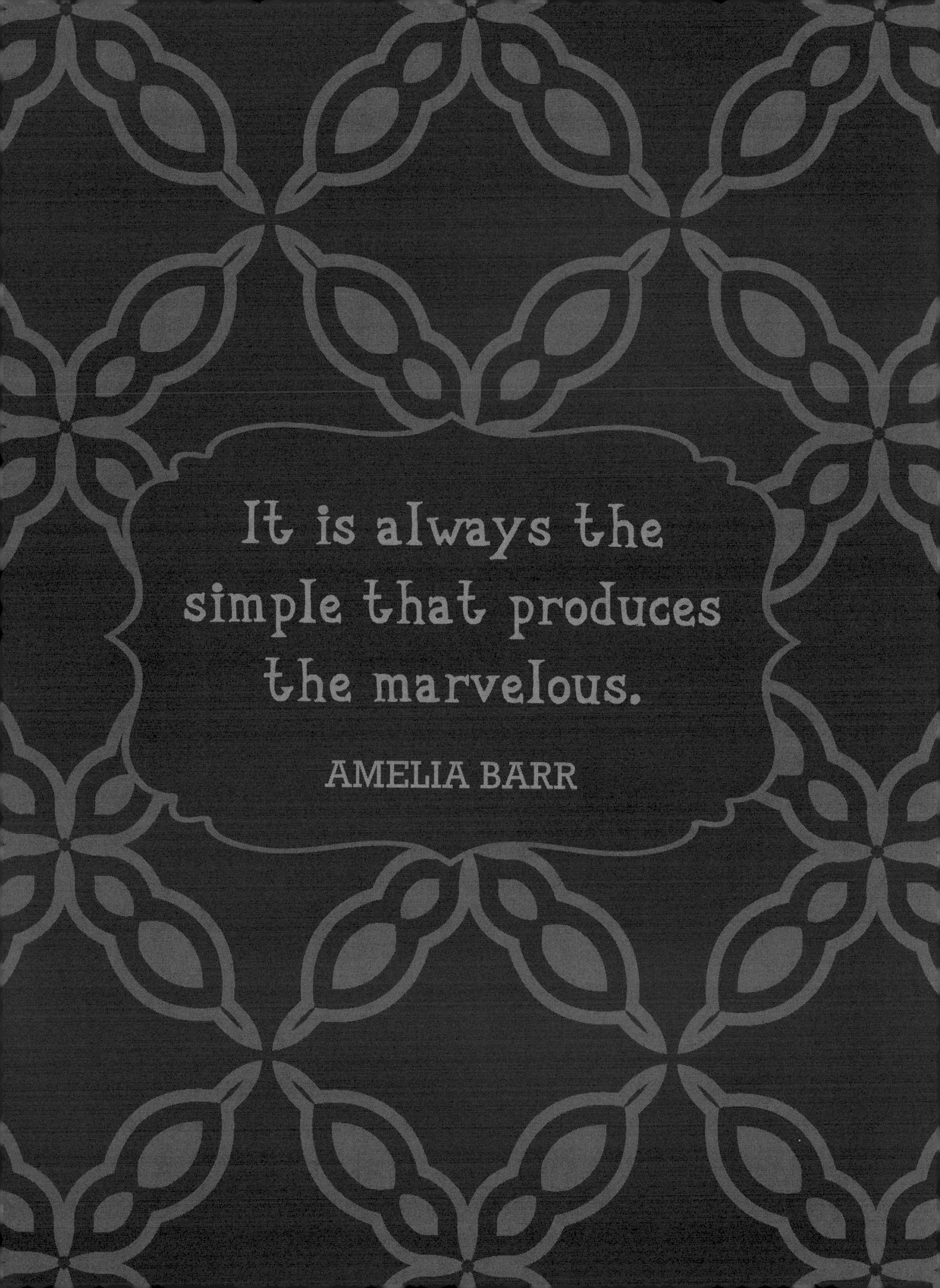
It is always the
simple that produces
the marvelous.
AMELIA BARR

V X S I E Z J S U N C L V F Z R V H V I M I O R H
X G T S B K H N O Z E H Q K N W F T L U Y K H F C
B F I V I I A I Y E M Z Q G Y Q Z S T O C K I N G
P Y T T M Y T C T R T J E Y C I C J B Y A R E N V
A G C N R C F S S E B O I F T P D S W A Z I O G M
P Q H Q E L C I C I H T G U O R V S N P X Z P X R
V U K N J L C I T S J R L H T O K O L R R Y B Y Q
Z F N T T H X E I M A F B W R S T J O W N I H I M
O O S T O R E Q P I F O G A A E Q B R C H Q T E U
C Y L S Y C C G N I A R B F D Y V K I I C S N C Q
Q A S W B W K T N Y H M L S D W L Q Z R G Y D I K
W D R D U P I G E Z Q H T J G E Y Q J P S P V O F
B T C Y L X E S E X Z C E N W U L A L S G I P V X
W O E U F R E J H M C V P J D B G S N Z K P Z I P
R U Y N R W F B P Q W L P I U X W W J A C N S J K
E F K P D S L K R O E Y J Q P A I M D H C S C P R
O W T H U E B M F Y I V Z O A N Z H X I T D Y X P
S J E G W Y N L R V I S W T N Q A W A O P L G A Y
V T Y W I Q L C Z M W W N K C I K W D N B O F A H
X D N B Q C W C Y F W L Z U N L L K X X D G R M B
U Z D A U V L G C I V Q M S B O O T M Q E S Y A M
J I E E I K M L Q S S P G E V B M P J E E V X A L
W Q X X T G D B X C I K K G D P J D L A L K S H M
X R K K L A C Z E V C W B W J A A B X M S B X U I
V V N Y T W G D A B P A C Q V Y X V S K P T D R G

BITE	BOOT	CAKE	CONNECTION
DAY	FINGER	FORM	GATE
GIANTS	GOLD	GRAIN	HANDS
ICICLE	KICK	PIGS	PROSE
RAY	SHOE	STEEL	STITCH
STOCKING	STORE	TENDENCY	VOICE
WISH			

Joy descends gently
upon us like the
evening dew, and does
not patter down like
a hailstorm.

JEAN PAUL

V E C Y F E C C A L A M P O I Y L J E D D R O L Y
W S U I P F S H O I L L G U N Y W P P H Y K R B P
S E B A S V U Q I A R R B W U S G S I H X V V F W
Q K S G C E R P E C S C O W P W U L P S E J L Y B
Y A E P W P P H H X K T L A E K H E N A C B A A H
Z N B A K N R Z R G Y E C Z E K Z R M V L Z N Z K
U S G T M Q I S N V D E N Y X R N A D W M T I J E
L F D Q U F S L I G L A Y S O J Y N L J G S Q U K
L E A J T X E C M S H G F Z I A K D Y I O S H A N
G V L K K C O R X Z B P Y M W V R C R J G F F P N
E F F A R I G E D A H S B C S U L P N Z L B A Y J
C V Z P B R K T G M M U G C K X K E K Q G Q E D I
T C O B E W V S W A Y M H J C Y W G N V Z Y O O S
I T B K Z F S R V W T I B E H F G W C L T U B M G
S U W Z F T U A D K C E R T P I D E P Y W F U O R
I N S U R A N C E K A C A W C E H U V X P O Z K Q
F Y Y Y X I O X E S Z N S J E M A J I M C C V Y Q
U C N G E S R N X H G L S R P I T F W S C R F R M
C N E V V L D Y O V G D V B X L E N H K J Q S C P
G D O R K K Z T L Y P H U C X K M F Z B I P J N I
T X J T I N B N X Y Z L O Z Y M Y V A T R D P O R
Y I E O T F Z O U A V K X I R O N F J M V M L U A
N W Z I W U J K S S G T O A S T T P T N C P R E E
C C A A F Y B D T O B P X N T Q H N P P O T A T O
V X P A X R K T F U J N S X W S Q Z L W N L A M U

BRASS	BUTTON	CAN	CHICKEN
CHICKENS	COAST	COW	DEER
EAR	FIRE	FOG	GATE
GIRAFFE	HATE	INSURANCE	LAMP
PIPE	POTATO	SHADE	SNAKES
SPACE	STOP	SURPRISE	TAX
ZEPHYR			

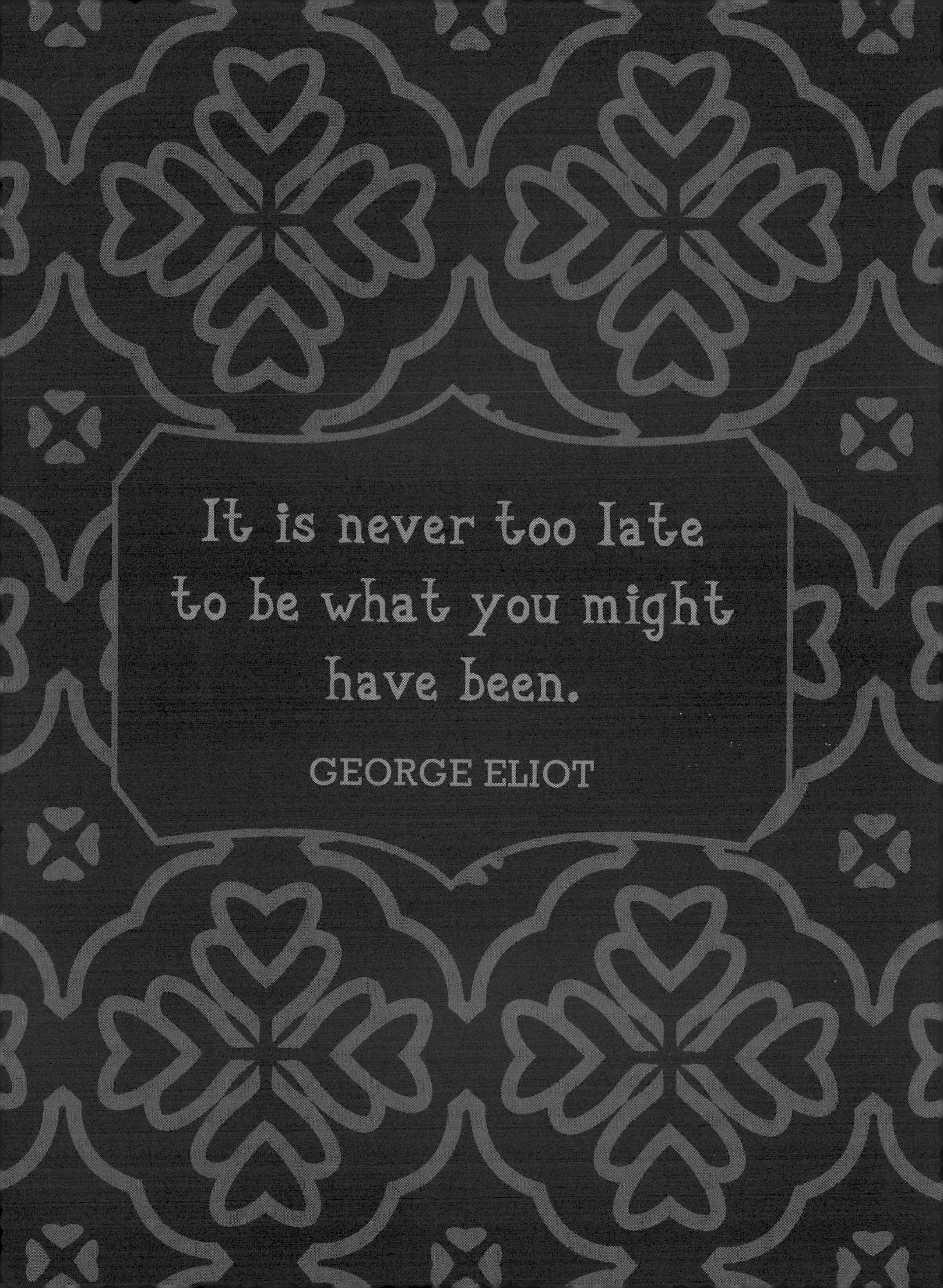
It is never too late
to be what you might
have been.
GEORGE ELIOT

N R Y T J W H T T R T W J H S T K D R U F R P T I
S O A J U G O A R N E D N U F N O I T A C A V N O
N T Z G U C O B E A I L M F L E S S J Q I H K U U
Q A Q O S R R M L V C M I G L Y V T Y L K Z D O E
X L C N H U T I I E E M B G X K P A Y U O D U C E
T U S T S A R S A R T M J A I X R N E V Y L O C Q
U C E O E D I Z T H R S Y E W O E C T M Z V B A Z
H L R R K O N H A N E W C B C M N E H S U W E E G
V A T D N V Y I F E K T Z B L O W T S C R J B Q I
Q C S U Z T E X D U U F G X H M M F Q T S R J T S
T F U L Z L Q S A A B D T W P S X P F D K C E R K
P M M I A R A T B V X F T O U Y B P D E S R X I G
Q A X P Z B W A C Q M P L R C U W H C Y G T C K V
D U G G W U W F Y Z A S P V A E G C D H Z Y B S T
E O V E F L A M E H G T N B U I S B J H C L U W C
Z G I G E T N S Y E L S R B X K N A G Y R G T T C
K U C J V B V U C Q D E I J C W M S E V F B T V Z
U N X M H I G S G W M O M E V B O R A N G E O L F
I D W A W R U T D R V C D T K X L D R A L K N K N
Y W E C B D S Q F V V D K S N F V Y D R Q F L O T
T S O N L W O P J Q U L L E E N S L R M L O Q A Z
T V E L T B G J Z T J P Y E D N K S C I S S O R S
X J U X O C T S F G F T A D Y E N O M B D M T F U
H J P I B H T K B O G F F R P O I C A J X P C M V
M V L Q C X V Z T C R B V H E R Z F P H V V N M S

ACCOUNT	BUTTON	CALCULATOR	CART
COUGH	CUP	DISTANCE	DIVISION
ELBOW	FLAME	HAIRCUT	MONEY
ORANGE	PAGE	PAIL	RELIGION
SCISSORS	SEED	SELF	SKIRT
SUMMER	THROAT	TRAINS	TREATMENT
VACATION			

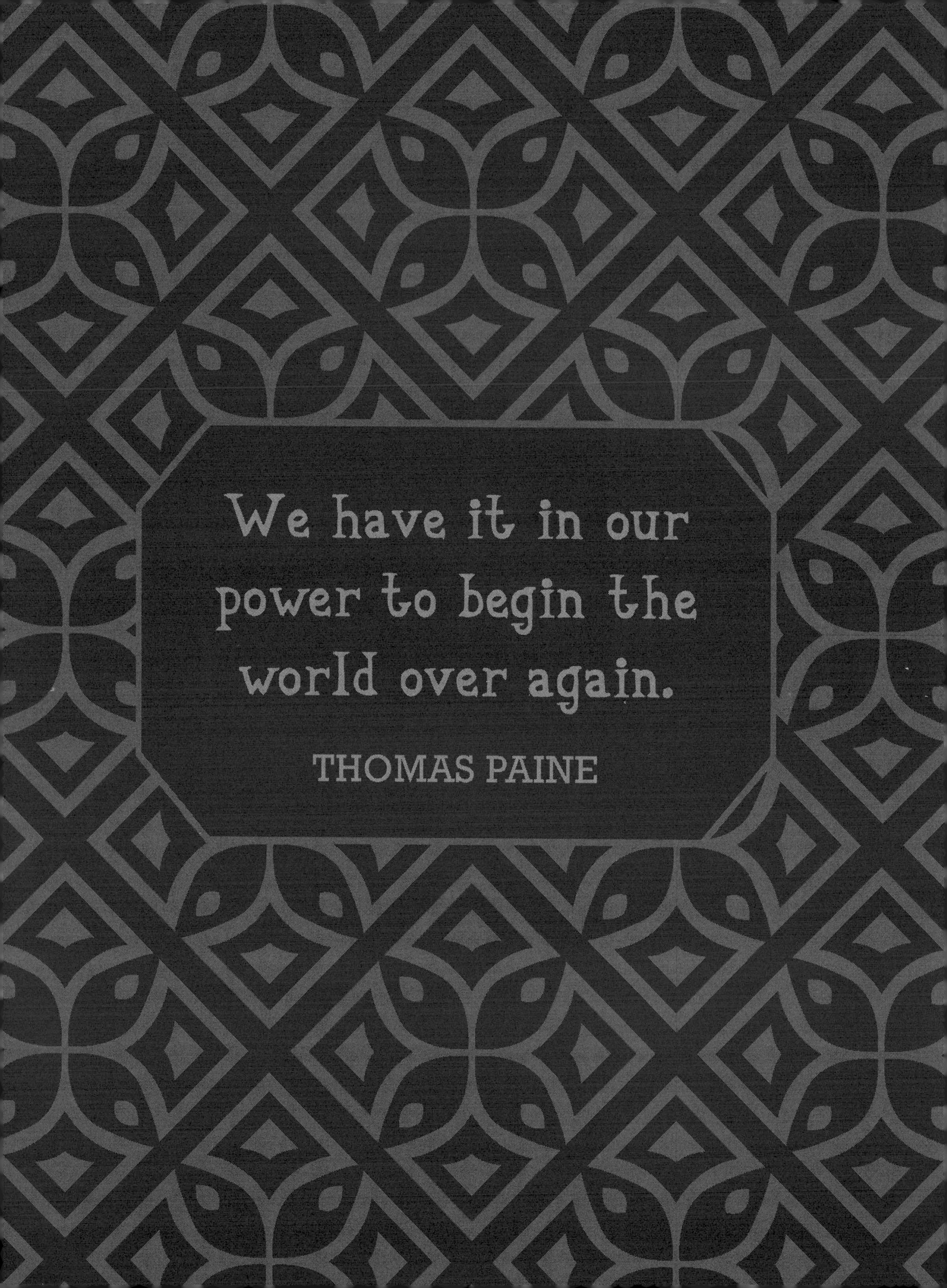
We have it in our power to begin the world over again.
THOMAS PAINE

R U A E M N J J L Y K P U S Q K F E G Y U D Y K W
F W R X X S R P P Q F I M D K P S J N F E E V D D
W N H F D C K X F K I W K Y O A Y E V P K S Y H K
A I H C I F H I P I H A F Z V G O L U R N C A E B
P J Y Z S V A A E V W A O K V A R Z U L J H C B O
S K V P T U T R N O K Q D T E L A T A H I T I G X
S D P A A R V Y R G U V L E C O B M A A H A R A M
X S R O N W I M J D E L O W T B Y R X T V F C V O
X T F X C Z S N F N U M B E R A I H Z V N B L Y H
M H V R E M B L G M K L B S U E I L U A I R E G A
J S M X X Y P H T L C V R R W O S L B H Y D R M N
G L M Y I U R Q P N D M K C O D D W I G Z A D A D
R G I H S T E C N S E J K Y P K N J L X P Z C K G
V M I L R C G S A S U M H F T Z Y N C E N H T Y F
I Y M H E M C M C D U U Y S I O E S L U I Z N Y A
Q F O P X K Z A S T T O C A E L Q L F E B B U O C
E R Y G T Y M J A K I O B S P O H F V B F T O L V
Y P T T M C V E D C K Z J N X J H E O Z W X C X G
C H S D Y F L K N O W L E D G E R S P O T C C Z U
A W O Q G S Z U I G C G U N N P G T I C I D A R V
A S H H F J K F R J I V S A M D V W K E I M K A U
M S G O B N H U M X N O J Y F Z S E C T R I K S V
A F I K R H H K I U S L N J Y H T U P V Q M J Y K
H A Y M C Y V O C J I T H N T C Z P I E S B O B J
D I S Q X N E Q B P E S L U P M I J U M W E Y S N

ACCOUNT	ACHIEVER	BASE	CIRCLE
DETAIL	DISTANCE	DOCK	EXCHANGE
GHOST	GRAPE	HAND	IMPULSE
JAM	KNOWLEDGE	LOW	NUMBER
PAYMENT	RING	SHOES	SKIRT
SKY	SPOT	TURKEY	VASE
WORM			

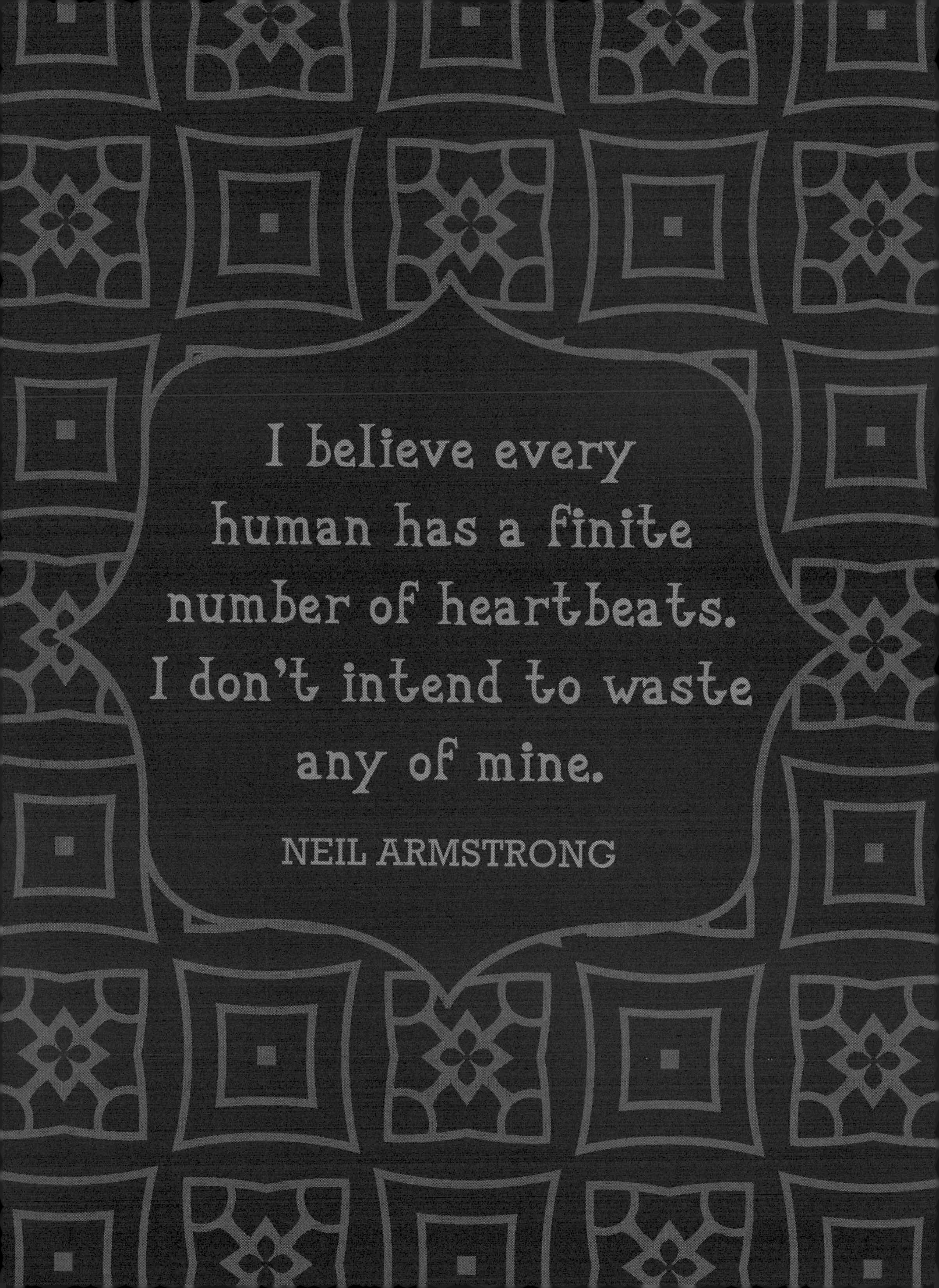
I believe every
human has a finite
number of heartbeats.
I don't intend to waste
any of mine.
NEIL ARMSTRONG

Y S V O W L W R B G Q Y M S M A T N S S M T W I L

S E I B B O H E W U Q Z T X N Z E E A E T X F S W

N O F R R G F V X Y S A S D K C N W K M K Z L R S

E Y L K K D F I Z V G I F F S V D H B G E A C G A

V Z I X L R P R A E N M N Z Q V E K O D Q R C N G

X T Q K I Q T U J O G R R E Y K N G M S R X I Z R

A M U S E M E N T N F T V E S K C N Z U E L I F J

J N I P B A U Q Y T N Q I P J S Y O F Q Z P T Q N

X M D P A H R B V L U B N H W J N S M Y S C F P F

F K T P P O O T Y L O E H F E V F E T A K S C A N

V I S H E K H H F U R V C N N A P L G Z X G L F E

A U J F I P X Z N J A T P L J C M Y O A A H V N E

W Y S G C H C D E K K U D N I N R P K W E W K T W

S J Q H E T A J S M M O D G E O S J C Q E M Q V G

Q M E T R R W R O L E S N D T F L A G E A R A J W

I V R H Y E Z I W U W O U S K Q T H T J E P L Y Q

B K B E T O S A M O I U I C E W I N J Y Q Z E V C

P B Z A U I Q E C T S H L H V M K Q B R M T R U J

U Y K T J U C K C X Q Q C J K L A W W G L Y A W K

N G K O G S E E Y G Q B N W W I F N T R A I P I R

W E U L G E N G T N A A R J B J L T B J Z V P B A

I F T P P N N V M W E R V S J H U Q H P Z A A R W

Y C S H O G I U F N N E E D L E Y Y Y U V J P G O

D N A C U E L J T Q M C A J U F X O D R I Z W S V

C E C A P M W Z G E C K T P F E F D G I K V M Z V

AMUSEMENT	APPAREL	BOUNDARY	BUSINESS
CAKES	CONNECTION	COWS	FIREMAN
FLAG	FLOWER	HEAT	HISTORY
HOBBIES	HOSE	JAM	LIQUID
NAME	NEEDLE	RIVER	SKATE
SONG	STAGE	TENDENCY	WALK
WORK			

I believe in living today. Not in yesterday, nor in tomorrow.
LORETTA YOUNG

F Y E T T T B W S S C H D S M V L G N T N C K E S
V S R V A D P E O J U U G Z B Z W T E I I D K M L
U J U D Y O Y A D L A C R M T M S Z S R Q L A S E
O A T R K J B R V X B A S T Z G O A C K Z O S P B
W R A U C M H Y V G G I C I A P B L T N T F A Z N
T E E R T S S H B D W G X O D I E C S O K U V W A
X U R A S N A O R H C L E J O E N C B T R W U Y K
F I C E U N A Z R X I V L H Q S S O U X P G E B H
A S K Q U R Y D V A P Q T T D H X D S P O O A P R
D W U F T L C E P J K J I N K I Q N H U X R H G S
D U M C B X A S V O I Q T S S C C K E P X R V T D
C P W W V O O V G K X Q A L H K H F S I H C R A H
U N H V Z P B S X K I G S D Z X Y A Z J T I B L P
T N E M U R T S N I O F T Z C W A M W W G G K F U
J B H P X P L C V X O W K A D W S J H V P K L Z Q
E V T L N R B H K E C Q J N V S T A T V W N Z C M
L Y M V E W N N O J Z N P D H L A D Y B U G Y K W
F H E D U W B O A R O V W Y B T X N M C G O M I K
D X V T O E L T I I S H K Y Y Y V T T B H F Z N I
V D S H S L O W T G I E O P S D C K W E C D Q O Y
F B S Q U N Z C D S I U C Y Y L Q O H K V L G I O
R L R H Q O A S I G O L D A S X O D Z C B Y W Q F
N D X J N E I M N I G W E H U L W G P S A G Q X P
C I J A R U P Q T Y K U G R G L N O I S E Y B Z R
X J Y U I J H T N L D F M C Z J W L Q U T T E Z A

ARCH	ART	BASIN	BED
BOAT	BUSHES	CIRCLE	CREATURE
CURTAIN	DAY	FOLD	HORSE
INSTRUMENT	JAR	KNOT	LADYBUG
LOW	NOISE	PAIL	REACTION
RELIGION	STREET	TITLE	VALUE
WOOL			

We relish news of our heroes, forgetting that we are extraordinary to somebody too.
HELEN HAYES

C E V O L G Y L V C M J R Z C N X K V V E N G P F
S W Q L R D B E V U G J H E P A N T S V C T N R C
Q G L Z D J A W I W H E L P O E T G C B N S U K T
B G O S T E P D L X Y L N A M C T U E A A I H B G
K O K D Y I K P D N A Z J R N O G X F O T F W F L
K C F I Z M U G O R P Y K W R Y E R M C S J R A E
M Q O R U P P L Z E P A E X R E B J I D B M N E H
Q J A V Y U S M A S H V R O W X T E W R U E I R N
E U P B A L F R A V W X T T W N S N L J S T H M F
C L F N S S F F S Z C I Q A M E Y Y I L N A Z B X
T A Z Z C E M I G W R V Q L S P M B W W S L L M Y
V Q R I F H Q T J R Y L H K Y P C O Y G C B T F O
H A L L C O H B E W B O C F Q V B H I H Y N P R M
D N U T U H Q T Y D S J C E O H L D E Y L E N H H
B A S E B A L L H J E P U Y Q S W M U R E A V I M
O S F H C S W V E G U K E U Z L M V H S R L Y G T
F I D I W E F E E B Q M J Y H R B P U N N I F B V
Y C G F H S N X S E O C O D J R U A Z R I E E M N
F R W V Y M H C T H P X Q F G L C B H I W M N S I
E B Q U P L I F A J K S L S L X X G I D E R R M B
H B Z S C A U J O E X I V Z Y E U B A H O K D N K
P U E Y X A V O P P K Y K U M H U L G U W N D F Z
N P R O D K T T I W V R K L Y W R N G Q Q Y F I X
G H N T J B Q N R S F C X F G Q Q G P G Z T T K F
I S Q G H Q N W V C B R I C C T X C B F O H D F D

BASEBALL	BELLS	CAUSE	CELLAR
CHERRIES	COBWEB	DAD	DOGS
FRUIT	GLOVE	HALL	HOME
IMPULSE	METAL	OCEAN	PART
PEN	PETS	PULL	SMASH
SUBSTANCE	TALK	TERRITORY	TOYS
WINTER			

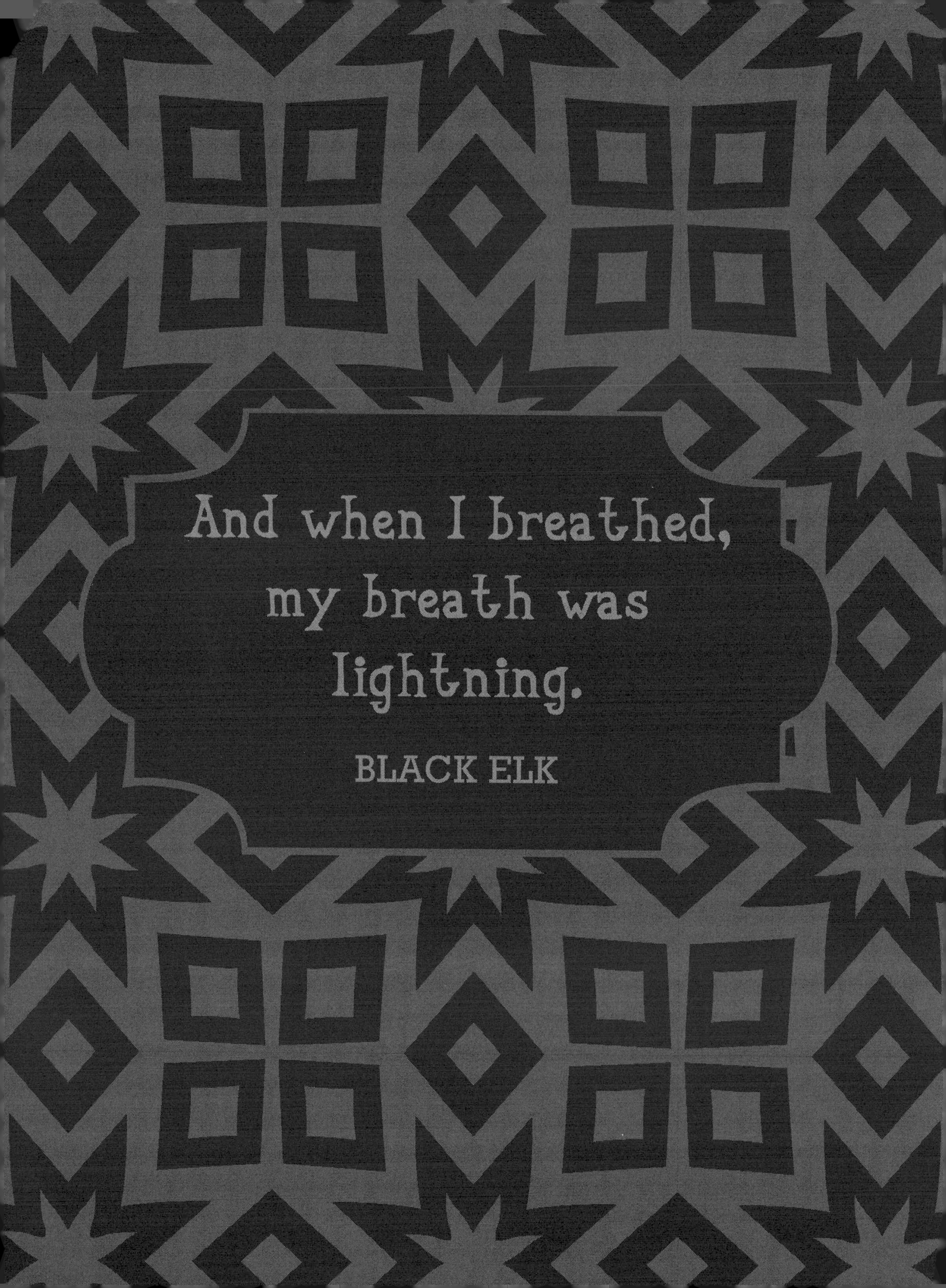
And when I breathed,
my breath was
lightning.
BLACK ELK

E W H D B R T K N S W Y S D K G N U B Q B T M Y I
S L W Q V P H U U H R E Z F R R L G Z E X A T O D
N O D L Y O N G L E T T E R A A Q Z R S C I N O E
T D U D E A G G G I I D J C P N A R L H V P E U A
P A K P I E V P A R I J A Y S D Y G I I R E O I V
T N I B S M K B Q Y U D W A N M K N T N A M E B V
F X I T U D B J U F H G D S Z O E C Z R B G Q A O
M A I S Q O E E L E K A R B O T A W L F O U W J Z
J O A L A G X E P P H P I Z O H V W B U E X W U C
N A U V M B H N B L I B P Q S E E P Z E A Q F J O
K D L T Y S V Q Q H H T T T C R H P Z R C J I B H
W X T L H K I R H K I B Z T B S T Q E I M L R T V
J K S H E O F P A R T N E R O Y O Z R S T D H S Y
X K E M N R U U F W C Z Z P V S F L G E K H W G R
Y V R P Z A B G V K J O H X E M R X P D C C C T R
M V E D H Q N M H W V B M I T H U G P K P M B R E
Z L T J S T B Y U T X U B O T T S S W C T G F F S
M D N B H B L L L M N A M Y L Q H E V G K G V V N
G I I R F P W E T G B G F I V X K G S P M C M W E
I M T O L Q J B D L K P N O P O O A U R I S W Z E
N O I T C A R T T A S E S U O H Y I V B D W J K Z
R W P H E C M U D Z Q J I N U U U O V J B W U F E
U D W E P N X D Z X D H J Q T F I T S V O H S J L
C W C R T C N T L J Z Q W X E W D K V R V I J F T
F B M F G A P H E X B P H R S C U N M F J E R I A

ACTIVITY	ATTRACTION	BABIES	BASIN
BERRY	BRAKE	BROTHER	DESIRE
GRANDMOTHER	HOUSES	IDEA	INTEREST
LETTER	MACHINE	MIDDLE	MITTEN
NAME	PARTNER	SHELF	SNEEZE
SOUP	SPARK	SUGGESTION	THOUGHT
UMBRELLA			

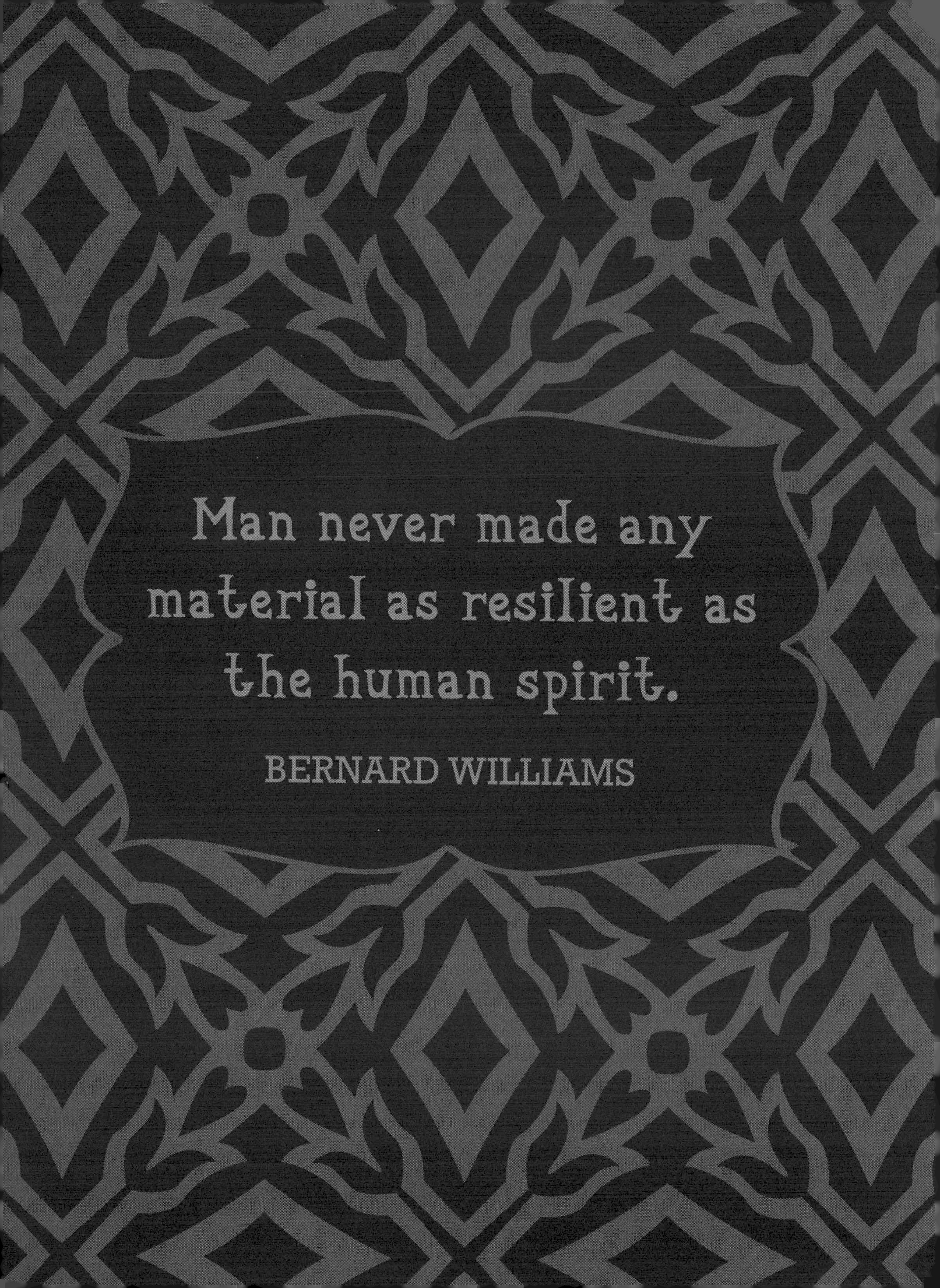
Man never made any material as resilient as the human spirit.
BERNARD WILLIAMS

T A C Z S J Y E K R E E E K F G V L D I I W N H W
X H T W R E E G V X P O N Y K C T H T D K E M H U
R F G Y M Q H S G H X T T I E A V X H U E S P J N
Q R S I X F A W Z Q X S Z T H I H W R D I B U L O
T T N O N I O U U T E F E D R C B F O S L S C X H
R B T T M E Y U S U W Z O C Y I A E A N T V L U D
L A T I P S O H Q E D M R T T T S M T B C A F L I
O Z O F P N Y E R G O Y O N O E Z U Z L F T R W R
B R V A L K R I S Z F T I F C R L A C Z H X L L C
B L L O H N M A M J V O L R N R C I V R V S C T O
Q U B F I O Q R S D P T E A T I D X I M B L D I W
B G T F L A V O R Y S T E W T T A L M C E S T V S
K E K T D H O M R N A I M R O O L R U G I S W E R
Y Y M W E Q T R N R E X A D S R D V I Q E N Z O E
T R Z P B R X E Y M A K L Y Z Y R E F F O U R I T
C L U F S D R M A F E Y F C W V M G F L T N W Q S
W A S A E G O G L H U X U L D Y U N W D F J G H I
D R C K Y U A T O O F Q O G C I V Q N I K R M U S
E Z W D E X J H P Q K N G G H Y S N A K E L T O A
C Q O Y C P G D S E I S X F W L W G G B V O Z M L
X O J T R I Y J Q Y R V W V N Z L H X U H A B X D
W S U X T E S P S H N A A A T A E K D T R F B F U
Y I L C D P J M X S Y F M T L Y B E F V E X A W W
W M Q J Y Q E U T D B L D E U W K E M R J K V C E
V Z L T M H A B W P B C N M E V F A Y L X O Q V L

BUTTER	COW	EYE	EYES
FLAME	FLAVOR	FOOT	HOSPITAL
LOAF	MACHINE	NEED	NIGHT
OFFER	POINT	RAIN	REQUEST
SECRETARY	SISTERS	SNAKE	STAR
STEW	TERRITORY	THRILL	THROAT
WOOD			

Memories of our lives,
of our works and our
deeds will continue
in others.
ROSA PARKS

F L T D R E K E C K M V R Y Q P T V P F H V A Z K
J I R Q D N A F O W G E W S R K W S J X C G B D O
U I A Y Q H R O V T L S R G C O J H V I A V X X L
W C T U Z Y Z E W A G L W X C U T E Y U M I H Q A
B V S C R A C K T Y L V V D N U P S N U O O C U Q
J X V J X G D I W T H Q K U L Y I Q I Q T N U A N
C V D J G J O I C I C L E L B I W X X H S P R G S
T O S F B N J E X C D J F S M W O S R Z Q E I E U
R D L B K B K T H Y D O B I B X G C D T J M Z W C
E I Q L N A S U P C J U N Q R Y P U S U O W Y U I
F C E I A E G F M N R U K S U V C F D C Q G Q W A
W H F I U R B R R L T O X X C E Q Q D N H A B R O
P N U Q E Y W T L E Z Q F G K R E Y Q V F L D K B
G C E P K S M M W G P D D D C Z E N B I S F X N P
D R H M S E F Y J Q T V Q M R W U V Z U V K W I Y
C Y A N N U S B A S E P D G I J O P O B O F K D T
G I I W M P H Z O Z S H G H B T K E Y C A R H V I
D K O N I A R B S D S U E E K R R E T A W I T V A
S R A L Y L H J C D T L V Q W W O I X G B E K A L
C P K K Q X Z I D V T N A R D Y H E C B Q N N N B
F I G U R F S D P P K T B R B J N S D W D D P H G
U M J Z V T O Q O F U N N O G A N A K U N M E I T
M D U O U J D X A C D J L T I H V M L A H I R K E
O K E G Q Q M T A J F U Y J M C Z W I X W M B E Q
N C Z A L I M T C O E N J Y T Y Z R C P H G Y H P

BASE	CAT	COIL	COLLAR
COVER	CRACK	CRIB	CROWN
CUP	FLAG	FRIEND	HISTORY
HYDRANT	ICICLE	MAID	MINUTE
QUEEN	RAIN	RELATION	REQUEST
SKIN	START	STOMACH	VAN
WATER			

BE SURE TO FOLLOW US ON SOCIAL MEDIA FOR THE LATEST NEWS, SNEAK PEEKS, & GIVEAWAYS

@PapeterieBleu

Papeterie Bleu

@PapeterieBleu

ADD YOURSELF TO OUR MONTHLY NEWSLETTER FOR FREE DIGITAL DOWNLOADS AND DISCOUNT CODES

www.papeteriebleu.com/newsletter

CHECK OUT OUR OTHER BOOKS!

www.papeteriebleu.com

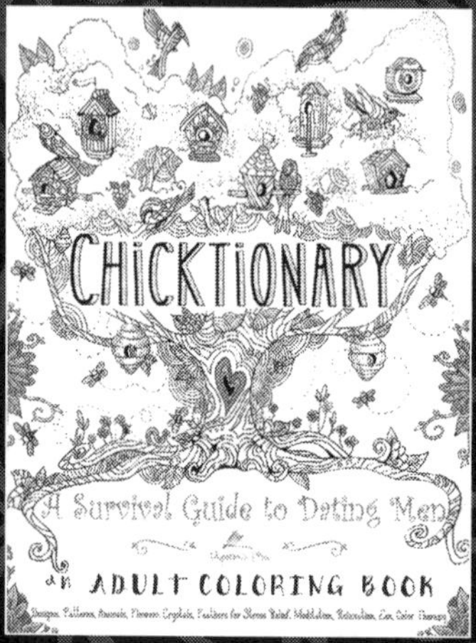

Printed in Great Britain
by Amazon